# ESPAGNO*l*
# LE VOCABULAIRE

Ana María Palomo Delfa
Susana Zapatero Ofre

@ Cet ouvrage de la collection Bescherelle est
associé à des **compléments numériques** signalés
au fil de l'ouvrage par le pictogramme @.
Tous les dialogues en tête des chapitres de
la seconde partie sont ainsi proposés dans
une version audio.
Pour y accéder, connectez-vous au site
**www.bescherelle.com.**
Inscrivez-vous en sélectionnant le titre de
l'ouvrage.
Il vous suffira ensuite d'indiquer un mot
de l'ouvrage pour afficher le sommaire
des documents audio.

Vous pourrez également utiliser librement
les ressources liées aux autres ouvrages
de la collection Bescherelle en espagnol.

Coordination éditoriale : Claire Dupuis, **assistée de** Bénédicte Jacamon
Édition : David Tarradas Agea
Correction : Doriane Giuili (avec la collaboration de Anne Kelen) et Bénédicte Jacamon
Illustrations : Isa Python
Conception graphique : Marie-Astrid Bailly-Maître, Sterenn Heudiard, Sandrine Albanel & Nicolas Taffin
Mise en page : Marie-Astrid Bailly-Maître

Typographie : cet ouvrage est composé principalement avec les polices de caractères
Cicéro (créée par Thierry Puyfoulhoux), Scala sans (créée par Martin Majoor)
et Sassoon (créée par Adrian Williams).

© **HATIER – Paris – juin 2008** – ISSN 2101-1249 – ISBN 978-2-218-92624-2

→ Plusieurs années d'apprentissage de l'espagnol ne permettent pas toujours de **comprendre et se faire comprendre en espagnol**. Pour résoudre cette difficulté et répondre à ce besoin, le *Vocabulaire espagnol Bescherelle* propose un ouvrage comprenant à la fois un *Lexique thématique* en 50 thèmes et un *Guide de communication* en 80 rubriques.

→ Riche de plus de 5 000 mots, le **Lexique thématique** présente tout le vocabulaire nécessaire pour communiquer dans la vie quotidienne. Chaque chapitre comprend le lexique du thème structuré en sous-thèmes. Les listes sont organisées en trois colonnes : dans la première, le mot, dans la deuxième, sa traduction, dans la troisième, quand c'est pertinent, une locution, un mot de la même famille, un synonyme, etc.
Les listes de mots sont complétées par un choix d'expressions *(Expressions)* ainsi que par des focus grammaticaux *(Notez bien)* ou culturels (titrés selon le thème).

→ **Le Guide de communication** propose 650 énoncés types, issus de l'observation des échanges de la vie quotidienne et classés par situations de communication.
Les rubriques de cette seconde partie débutent généralement par un dialogue dont la version enregistrée (par des acteurs hispanophones à un rythme naturel) est accessible sur le site www.bescherelle.com.
Des blocs lexicaux et des focus sont également présents dans cette partie.

→ Chaque partie est associée à une **couleur différente**, que l'on retrouve dans l'index et les renvois internes. Cette organisation facilite une circulation rapide et efficace à l'intérieur des thèmes et des rubriques ; elle permet une lecture en continu aussi bien qu'une consultation ponctuelle.

→ L'objectif final de cet ouvrage est bien d'offrir à l'utilisateur tous les outils pour mieux **communiquer en espagnol**, à l'oral comme à l'écrit.

## PRÉSENTATION DES INDICATIONS LEXICALES

### Noms et adjectifs

■ Dans les entrées et les traductions des noms et adjectifs, nous avons choisi le masculin, considéré comme un **genre** grammaticalement **neutre**.

| | |
|---|---|
| **el secretario** | *le secrétaire* |
| **el peluquero** | *le coiffeur* |
| **el contable** | *le comptable* |
| **tímido** | *timide* |
| **cuadrado** | *carré* |
| **estar desilusionado** | *être déçu* |

### Verbes

■ **L'alternance de voyelles du radical pour certains verbes** est indiquée à la suite de la mention *v. irr.*

**contar** (v. irr. o>ue)
**perder** (v. irr. e>ie)
**pedir** (v. irr. e>i)

■ Les verbes **ser** et **estar**, bien qu'irréguliers, n'ont pas été indiqués en tant que tels.

■ L'indication (ser) ou (estar) devant la traduction indique que, dans ce sens, le terme en question se construit avec l'un ou l'autre de ces verbes.

**feliz** (ser) : *heureux*

On a indiqué de la façon suivante les mots de sens différents selon qu'ils se construisent avec **ser** ou **estar** :

| | | |
|---|---|---|
| **malo** | (ser) : *méchant* | **2.** (estar) : *malade* |
| **orgulloso** | (ser) : *orgueilleux* | **2.** (estar) : *fier* |
| **sorprenderse** | *s'étonner, être surpris* | ✿ (estar) **sorprendido** : *surpris* |
| | | ✿ (ser) **sorprendente** : *surprenant* |

■ Entre parenthèses sont également indiquées certains **emplois prépositionnels**.

| | |
|---|---|
| **pensar** (v. irr. e>ie) **(en)** | *penser (à)* |
| **acercarse (a)** | *s'approcher (de)* |
| **alejarse (de)** | *s'éloigner (de)* |

# Sommaire

## LEXIQUE THÉMATIQUE                                                   9

## GUIDE DE COMMUNICATION 193

## INDEX 345

# Abréviations et symboles utilisés

| | |
|---|---|
| ✍ | mot ou expression de la même famille |
| ☞ | mot ou expression dérivés |
| ≠ | ne pas confondre avec |
| **2.** | 2ᵉ sens d'un mot |

| | |
|---|---|
| adj. | adjectif |
| *Amér.* | Amérique latine |
| Aɴᴛ. | antonyme |
| apoc. | apocope |
| *(arg.)* | argot |
| *(euph.)* | euphémisme |
| *(fam.)* | familier |
| *(fig.)* | figuré |
| ind. | indicatif |
| inf. | infinitif |
| (n. f.) | nom féminin qui prend un article masculin au singulier |
| pl. | pluriel |
| qqch. | quelque chose |
| qqn | quelqu'un |
| *(péj.)* | péjoratif |
| Rᴇᴍ. | remarque |
| *(sout.)* | soutenu |
| subj. | subjonctif |
| Sʏɴ. | synonyme |
| (v. irr.) | verbe irrégulier |

| | |
|---|---|
| (v. irr. o>ue) | verbe irrégulier avec diphtongue o>ue |
| (v. irr. e>ie) | verbe irrégulier avec diphtongue e>ie |
| (v. irr. e>i) | verbe irrégulier avec alternance e>i |

# LEXIQUE
## THÉMATIQUE

Besc
her
elle
ESPAGNOl

# 1 Los seres humanos

## Les êtres humains

‼LA CIGÜEÑA HA PASADO‼
Os presentamos a nuestra hija

**Noelia**

Nació el 25 de noviembre
a las 10 y media de la mañana
Pesaba 3,200 kg
y medía 50 cm

**Soledad y Ernesto**

*La cigogne est passée !!
Nous vous présentons notre
fille Noelia / Elle est née le
25 novembre à 10 heures et
demie. Elle pesait 3,200 kg
et mesurait 50 cm /
Soledad et Ernesto*

---

✝ Don Francisco Morales Castaño

falleció en Calatrava
el día 28 de enero de 2008
a los 89 años de edad

D. E. P.

Su viuda, su hijo, su nuera, sus hermanos y demás familiares
agradecen a todas las personas que les han manifestado sus
palabras de condolencia en tan dolorosa pérdida y les invi-
tan al acto de cremación que se efectuará hoy miércoles a
las cinco de la tarde en el cementerio de Calatrava.

*M. Francisco Morales Castaño est
décédé à Calatrava le 28 janvier
2008 à l'âge de 89 ans. / Qu'il
repose en paix / Sa veuve, son fils,
sa belle-fille, ses frères et sœurs
et tous les membres de la famille
remercient toutes les personnes qui
leur ont adressé leurs condoléances
et les ont soutenu dans cette
douloureuse épreuve. La crémation
aura lieu aujourd'hui, mercredi,
à 17 heures, au cimetière de
Calatrava.*

---

## La humanidad *L'humanité*

| | | |
|---|---|---|
| **humano** | *humain* | 🕮 **el ser ~ :** *l'être humain*<br>♻ **humanitario :** *humanitaire* |
| **la gente** | *les gens* | REM. Toujours au singulier, **gente**<br>peut se traduire par *monde* quand<br>on exprime une quantité.<br>**Hay mucha gente.** *Il y a beaucoup*<br>*de monde.* |
| **la persona** | *la personne* | |
| **el hombre** | *l'homme* | |
| **la mujer** | *la femme* | |

# Las edades de la vida Les âges de la vie

| | | |
|---|---|---|
| **la infancia** | l'enfance | Syn. **la niñez**<br>◈ **infantil** : enfantin, pour enfants |
| **el niño** | l'enfant | ☞ **el ~ de pecho** : le nourrisson<br>◈ **la niñera** : la nourrice |
| **el crío** | le gamin | |
| **el chico** | le garçon | ◈ **el chiquillo** : le gosse |
| **la chica** | la fille | |
| **menor de edad** | mineur | |
| **el adolescente** | l'adolescent | ◈ **la adolescencia** : l'adolescence |
| **el joven** | le jeune homme | ☞ **la ~** : la jeune fille, la jeune femme<br>◈ **la juventud** : la jeunesse |
| **mayor de edad** | majeur | |
| **el adulto** | l'adulte | ◈ **la edad adulta** : l'âge adulte |
| **los mayores** | les grandes personnes, les adultes | 2. les personnes âgées<br>☞ **hacerse** (v. irr.) **mayor** : grandir<br>2. vieillir<br>☞ **parecer** (v. irr.) **mayor** : faire plus que son âge |
| **de mediana edad** | entre deux âges | |
| **maduro** | mûr | ☞ **ser ~** : avoir de la maturité<br>≠ **estar ~** : être mûr [fruit]<br>◈ **madurar** : mûrir |
| **el viejo** | le vieux | Syn. **el anciano** : la personne âgée<br>◈ **la vejez** : la vieillesse |
| **la tercera edad** | le troisième âge | |
| **cumplir** | avoir [âge] | Rem. **La semana que viene cumplo treinta años.** La semaine prochaine, je vais avoir trente ans.<br>**Cumplo años en agosto.** Mon anniversaire est en août.<br>◈ **el cumpleaños** : l'anniversaire |
| **crecer** (v. irr.) | grandir | |
| **envejecer** (v. irr.) | vieillir | Ant. **rejuvenecer** (v. irr.) : rajeunir |

# El nacimiento y la muerte La naissance et la mort

| | | |
|---|---|---|
| **la embarazada** | la femme enceinte | ☞ **quedarse ~** : tomber enceinte<br>☞ **estar ~** : être enceinte<br>≠ **estar confusa** : être embarrassée |
| **el nacimiento** | la naissance | ◈ **nacer** (v. irr.) : naître |
| **el parto** | l'accouchement | |
| **dar** (v. irr.) **a luz** | accoucher | Syn. **parir** |

| el aborto | l'avortement | **2.** *(fam. péj.)* l'avorton |
| | | ☞ **el ~ (espontáneo)** : la fausse couche |
| | | ✍ **abortar** : se faire avorter |
| el recién nacido | le nouveau-né | |
| el bebé | le bébé | |
| el bautizo | le baptême | ✍ **bautizar** : baptiser |
| el chupete | la tétine | |
| el biberón | le biberon | |
| el babero | la bavoir | |
| los pañales | les couches | |
| la cuna | le berceau | |
| la nana | la berceuse | |
| la muerte | la mort | ✍ **morir** (v. irr. o>ue) : mourir |
| el fallecimiento | le décès | ✍ **fallecer** (v. irr.) : décéder |
| el muerto | le mort | |
| el ataúd | le cercueil | |
| el velatorio | la veillée funèbre | ✍ **velar** : veiller |
| el cementerio | le cimetière | |
| el entierro | l'enterrement | ✍ **enterrar** (v. irr. e>ie) : enterrer |
| el luto | le deuil | ☞ **llevar ~** *ou* **estar de ~** : porter le deuil |
| el testamento | le testament | |
| la herencia | l'héritage | ✍ **heredar algo** : hériter de qqch. |

---

## ☞ Expressions

**ser buena gente** *(fam.)* : être quelqu'un de bien • **mi gente** *(fam.)* : les miens • **ser el niño bonito** *(fam.)* : être le chouchou • **haber nacido de pie** : être né coiffé • **no haber nacido ayer** : ne pas être tombé de la dernière pluie • **nacer con estrella** : naître sous une bonne étoile • **estirar la pata** *(fam.)* : casser sa pipe • **irse al otro barrio** *(fam.)* : passer son arme à gauche • **El muerto al hoyo y el vivo al bollo.** Les morts sont vite oubliés. • **¿Quién te dió vela en este entierro?** De quoi je me mêle ? • **Le acompaño en el sentimiento.** Toutes mes condoléances.

---

# 2 El individuo
## L'individu

> Mónica era morena y mate, de ojos negros, rasgados y húmedos, enmarcados por un bosque de pestañas oscuras y rizadas. Vivaces e inteligentes, aquellos ojos siempre dispuestos a sonreír obligaban a prestarle atención por más que no se la pudiese calificar de guapa, en el sentido estricto de la palabra. Los pómulos sobresalían, tal vez demasiado, a ambos lados de la nariz afilada. Bajo ella, la boca, algo hinchada, formaba un hoyuelo a la derecha [...]. En resumidas cuentas, era atractiva, a pesar o a causa de sus facciones irregulares.
>
> Lucía Etxebarría, *Beatriz y los cuerpos celestes* © Destino, 1998.

*Mónica était brune et mate de peau, ses yeux noirs mouillés et en amande étaient encadrés par une forêt de cils sombres et recourbés. Ces yeux-là, vifs et intelligents, toujours prêts à sourire, attiraient l'attention bien que l'on ne puisse pas dire qu'elle était belle, au sens strict du terme. Ses pommettes, de chaque côté de son nez pointu, étaient un peu trop saillantes. Sous le nez, sa bouche, légèrement enflée, dessinait une fossette à droite [...]. En somme, malgré ou grâce à ses traits irréguliers, Mónica était attirante.*

## La identidad  *L'identité*

| | | |
|---|---|---|
| **los datos personales** | *les renseignements personnels* | |
| **el carné de identidad** | *la carte d'identité* | Syn. **el documento nacional de identidad (DNI)** |
| **el nombre (de pila)** | *le prénom* | |
| **el apellido** | *le nom de famille* | |
| **llamarse** | *s'appeler* | ≠ **apellidarse :** *s'appeler* [nom de famille] |
| **el señor** | *le monsieur* | |
| **la señora** | *la dame* | |
| **la señorita** | *la demoiselle* | |
| **el sexo** | *le sexe* | |
| **la edad** | *l'âge* | Syn. **los años** |
| **la fecha de nacimiento** | *la date de naissance* | |
| **la nacionalidad** | *la nationalité* | |
| **el lugar de nacimiento** | *le lieu de naissance* | |
| **el estado civil** | *l'état civil* | |

| | | |
|---|---|---|
| soltero | célibataire | |
| casado | marié | |
| divorciado | divorcé | |
| viudo | veuf | |
| la profesión | la profession | SYN. **el oficio** : le métier<br>→ p. 62 (Quelques professions) |
| el número de teléfono | le numéro de téléphone | |
| la dirección | l'adresse | SYN. **las señas** : les coordonnées |

---

## ☞ S'identifier

■ En Espagne et en Amérique latine, les gens portent deux noms de famille. La tradition veut que ce soit celui du père suivi de celui de la mère, même si, depuis 1999, la loi espagnole permet de choisir l'ordre des noms.
■ Dans un formulaire, pour remplir la rubrique **sexo**, on met **masculino (M)**, **varón (V)** ou **hombre (H)** pour les hommes, et **femenino (F)** ou **mujer (M)** pour les femmes.

---

# La apariencia física L'apparence physique

| | | |
|---|---|---|
| la estatura | la taille | |
| medir (v. irr. e>i) | mesurer | |
| alto | grand | ANT. **bajo** : petit |
| delgado | mince | SYN. **flaco** : maigre, mince<br>ANT. **gordo** : gros |
| débil | faible | ≠ **subnormal** (péj.) : débile<br>ANT. **fuerte** : fort |
| guapo | beau | Amér. **lindo**<br>ANT. **feo** : laid |
| atractivo | attirant, charmant | |
| mono (fam.) | mignon | |
| el pelo | les cheveux | SYN. **el cabello**<br>☞ **el ~ rubio/moreno/castaño/ pelirrojo/canoso** : les cheveux blonds/bruns/châtains/roux/ grisonnants<br>☞ **el ~ corto/largo/liso/rizado** : les cheveux courts/longs/lisses/ frisés |
| la melena | les cheveux longs | |
| calvo | chauve | ✄ **la calva** : le crâne dégarni |

| la cara | le visage, la figure | ☞ **la ~ redonda/alargada** : le visage rond/allongé |
| los ojos | les yeux | ☞ **los ~ negros/rasgados/saltones** : les yeux noirs/bridés/saillants |
| las pestañas | les cils | ☞ **las ~ rizadas** : les cils courbés |
| las cejas | les sourcils | ☞ **las ~ finas** : les sourcils fins |
| la nariz | le nez | ☞ **la ~ chata/afilada/respingona** : le nez aplati/pointu/retroussé |
| los labios | les lèvres | ☞ **los ~ finos/carnosos** : les lèvres fines/charnues |
| las pecas | les tâches de rousseur | |
| la barba | la barbe | |
| el bigote | la moustache | ≠ **el beato** *(fam.)* : le bigot |
| las gafas | les lunettes | *Amér.* **los lentes** |
| las lentillas | les lentilles | *Amér.* **las lentes de contacto** |

###   Notez bien

■ Avec **melena**, **barba**, **bigote** et **gafas** on emploie indifféremment les verbes **tener** et **llevar**.

**El profesor tiene bigote y lleva gafas.**
*Le professeur a une moustache et porte des lunettes.*


## La personalidad La personnalité

| la forma de ser | la façon d'être | |
| el carácter | le caractère | |
| la cualidad | la qualité [caractéristique] | ≠ **la calidad** : la qualité [catégorie, excellence] |
| el defecto | le défaut | |
| bueno | (ser) : gentil, sage | **2.** (estar) : en bonne santé ; *(fam.)* canon |
| malo | (ser) : méchant | **2.** (estar) : malade |
| simpático | sympathique | |
| antipático | antipathique | Rᴇᴍ. **borde** *(péj.)* : crétin |
| amable | aimable, gentil | |
| cariñoso | affectueux | |
| educado | poli | Aɴᴛ. **maleducado** : malpoli |
| divertido | drôle | Sʏɴ. **gracioso** |
| aburrido | (ser) : ennuyeux | ☞ **estar ~** : s'ennuyer |
| generoso | généreux | |

| | | |
|---|---|---|
| **tacaño** | radin, pingre | Syn. **avaro** |
| **egoísta** | égoïste | |
| **sociable** | sociable | Syn. **extrovertido** : extraverti |
| **tranquilo** | (ser) : posé, tranquille | 2. (estar) : calme |
| **nervioso** | (ser) : nerveux | 2. (estar) : énervé, stressé |
| **hablador** | bavard | Syn. **charlatán** |
| **callado** | (ser) : réservé | 2. (estar) : silencieux |
| **tímido** | timide | |
| **orgulloso** | (ser) : orgueilleux | 2. (estar) : fier |
| **vago** | fainéant | Syn. **perezoso** : paresseux |
| | | Ant. **trabajador** : travailleur |
| **valiente** | courageux, vaillant | Ant. **cobarde** : lâche |
| **sincero** | sincère | |
| **mentiroso** | menteur | |
| **ingenuo** | naïf | |
| **raro** | bizarre, drôle | ≠ **único, excepcional, escaso** : rare |
| **pasota** *(fam.)* | je-m'en-foutiste | |
| **anticuado** | vieux jeu | |
| **cursi** | cucul (la praline) | |
| **hortera** *(fam.)* | beauf, ringard | |

## ☞ Expressions

**estar de buen año** *(fam.)* : être enrobé • **estar como un palillo** : être maigre comme un clou • **ser más feo que Picio** *(fam.)* : être laid comme un pou • **ponerse la cosa fea** : mal tourner • **no tener un pelo de tonto** *(fam.)* : n'avoir rien d'un imbécile • **tomar el pelo a alguien** *(fam.)* : se payer la tête de qqn • **estar de buenas/de malas** : être de bonne/mauvaise humeur • **tener mal genio** *(fam.)* : avoir mauvais caractère • **tener cara de pocos amigos** : avoir le visage renfrogné

# 3 El cuerpo humano
## Le corps humain

L'appareil digestif de l'homme comprend : la bouche, le pharynx, l'œsophage, l'estomac, l'intestin gras, pardon, maigre et l'intestin gras. Le tube digestif sécrète les sucs qui transforment les aliments dans le... / Très bien, Felipe, je vois que tu as bien étudié, tu peux retourner à ta place.

| el esqueleto | le squelette | |
|---|---|---|
| el hueso | l'os | ⚘ **óseo** : osseux |
| el músculo | le muscle | ⚘ **muscular** : musculaire |
| la sangre | le sang | |
| la vena | la veine | |
| la piel | la peau | |

## La cabeza La tête

| la cara | le visage, la figure | Syn. **el rostro** |
|---|---|---|
| la frente | le front | |
| la ceja | le sourcil | |
| el ojo | l'œil | 📢 **¡~!** : attention ! |
| el párpado | la paupière | ⚘ **parpadear** : cligner des yeux |
| la pestaña | le cil | |
| la oreja | l'oreille [externe] | ≠ **el oído** : l'ouïe, l'oreille [interne] |
| la nariz | le nez | |
| la boca | la bouche | |
| el labio | la lèvre | |
| la lengua | la langue | 📢 **sacar la ~** : tirer la langue |
| el diente | la dent | |
| el cuello | le cou | **2.** le col [de chemise] |
| la garganta | la gorge | |

LEXIQUE THÉMATIQUE

# El tronco Le tronc

| | | |
|---|---|---|
| **la columna vertebral** | la colonne vertébrale | |
| **la espalda** | le dos | ☞ **dar** (v. irr.) **la ~ :** tourner le dos |
| **el hombro** | l'épaule | |
| **el pecho** | la poitrine | **2.** le sein |
| **la barriga** | le ventre | REM. **la tripa** *(fam.)* |
| **el ombligo** | le nombril | |
| **la cadera** | la hanche | |
| **el culo** | les fesses | REM. **el trasero** *(fam.)* |

## Las extremidades Les extrémités

| | | |
|---|---|---|
| **el brazo** | le bras | ✍ **el antebrazo :** l'avant-bras |
| **el codo** | le coude | |
| **la muñeca** | le poignet | |
| **la mano** | la main | ☞ **dar** (v. irr.) **la ~ :** serrer la main |
| **el dedo** | le doigt | |
| **la uña** | l'ongle | |
| **la pierna** | la jambe | |
| **el muslo** | la cuisse | |
| **la rodilla** | le genou | |
| **el tobillo** | la cheville | |
| **el pie** | le pied | ☞ **estar de ~ :** être debout |
| **el dedo del pie** | l'orteil | |

## Los órganos internos Les organes internes

| | | |
|---|---|---|
| **el corazón** | le cœur | |
| **el pulmón** | le poumon | ✍ **pulmonar :** pulmonaire |
| **el estómago** | l'estomac | |
| **digerir** (v. irr. e>ie) | digérer | ✍ **la digestión :** la digestion |
| **el hígado** | le foie | |
| **el riñón** | le rein | **2.** le rognon |

---

### ☞ Expressions

**de carne y hueso :** en chair et en os • **estar hasta las narices** *(fam.)* : en avoir par-dessus la tête • **no tener pelos en la lengua** *(fam.)* : ne pas mâcher ses mots • **tener algo en la punta de la lengua :** avoir qqch. sur le bout de la langue • **levantarse con el pie izquierdo :** se lever du pied gauche • **sin pies ni cabeza :** sans queue ni tête

---

# Los sentidos *Les sens*

## La vista *La vue*

| ver | voir | |
|---|---|---|
| la visión | la vision | 🖉 **visible** : visible |
| la mirada | le regard | 🖉 **mirar** : regarder |

## El gusto *Le goût*

| probar (v. irr. o>ue) | goûter | ≠ **probarse** (v. irr. o>ue) [vêtement] : essayer |
|---|---|---|
| el sabor | le goût, la saveur | 🖉 **sabroso** : savoureux |
| saber (v. irr.) a | avoir le goût de | |
| saborear | savourer | |
| insípido | insipide | Syn. **soso** : fade |

## El olfato *L'odorat*

| olfatear | sentir, flairer | |
|---|---|---|
| el olor | l'odeur | 🖉 **oler** (v. irr. o>ue) : sentir |
| el aroma | l'arôme | |
| el perfume | le parfum | 🖉 **perfumar** : parfumer |

## El tacto *Le toucher*

| tocar | toucher | |
|---|---|---|
| palpar | palper | 🖉 **palpable** : palpable |
| rozar | frôler, effleurer | |
| suave | doux | Ant. **áspero** : âpre, rêche |

## El oído *L'ouïe*

| oír (v. irr.) | entendre | ≠ **entender** (v. irr. e>ie) : comprendre |
|---|---|---|
| escuchar | écouter | |
| el sonido | le son | |
| el ruido | le bruit | 🖉 **ruidoso** : bruyant |
| el silencio | le silence | 🖉 **silencioso** : silencieux |

---

### ☞ Expressions

**a simple vista** : à première vue • **echar un vistazo** : jeter un coup d'œil • **Se me hace la boca agua.** J'en ai l'eau à la bouche. • **saber bien/mal** : avoir bon/mauvais goût • **chuparse los dedos** : se lécher les babines • **tener olfato** : avoir du flair • **hacer oídos sordos** : faire la sourde oreille • **estar sordo como una tapia** (fam.) : être sourd comme un pot

---

# 4 La actividad física
## L'activité physique

 Tumbado boca arriba con las rodillas dobladas y los brazos a los lados del cuerpo, girar la cabeza a la derecha y la izquierda sucesivamente (decir NO).

 De rodillas, con los brazos extendidos y las manos apoyadas en el suelo, doblar la espalda hacia arriba y luego hacia abajo.

 De pie, con las piernas ligeramente abiertas, agacharse hasta tocar el suelo con las manos.

http://www.medicentro.com.co/metodo-star/

Allongé sur le dos, les genoux pliés et les bras le long du corps, tourner la tête successivement à droite et à gauche (comme pour dire non). / À genoux, les bras tendus et les mains posées sur le sol, courber le dos vers le haut, puis vers le bas. / Debout, les jambes légèrement écartées, se pencher en avant jusqu'à toucher le sol avec les mains.

## Moverse *Bouger*

| | | |
|---|---|---|
| **estarse quieto** | ne pas bouger | |
| **ir** (v. irr.) | aller | ☞ ~ **a** + inf. : aller + inf. |
| | | 🖉 **irse** (v. irr.) : partir, s'en aller |
| **marcharse** | partir, s'en aller | |
| **venir** (v. irr.) | venir | |
| **volver** (v. irr. o>ue) | retourner | **2.** revenir **3.** rentrer |
| **salir** (v. irr.) | sortir [s'en aller] | **2.** partir |
| | | ≠ **sacar** : sortir [tirer], faire sortir |
| **entrar** | entrer, rentrer | |
| **andar** (v. irr.) | marcher | Syn. **caminar** |
| | | ☞ **(ir) andando** : (aller) à pied |
| | | Ant. **bajar** : descendre |
| **subir** | monter | |
| **pasar** | passer | |
| **correr** | courir | |
| **saltar** | sauter | 🖉 **el salto** : le saut |
| **girar** | tourner | |
| **caerse** (v. irr.) | tomber | 🖉 **la caída** : la chute |

# Mover Faire bouger

**traer** (v. irr.)      apporter, amener, rapporter
**llevar**           emporter, emmener, porter

### **&** Notez bien

■ Le verbe **traer** s'emploie lorsqu'on déplace un objet à l'endroit où se trouve le locuteur.
> **Toma, te he traído un recuerdo del viaje.**
> *Tiens, je t'ai rapporté un souvenir de mon voyage.*

■ Le verbe **llevar** s'emploie lorsqu'on déplace un objet ou l'on conduit une personne à un endroit extérieur à celui du locuteur ou d'un point à un autre.
> **Recuérdame que lleve al niño al dentista.**
> *Fais-moi penser à emmener le petit chez le dentiste.*

| | | |
|---|---|---|
| **quitar** | enlever, retirer | ≠ **abandonar** : quitter |
| **poner** (v. irr.) | mettre [poser] | |
| **meter** | mettre [introduire] | Aɴᴛ. **sacar** : sortir, faire sortir |
| **empujar** | pousser, bousculer | ✍ **un empujón** : une bourrade |
| **tirar** | tirer | **2.** jeter |
| **abrir** | ouvrir | Aɴᴛ. **cerrar** (v. irr. e>ie) : fermer |
| **dar** (v. irr.) | donner | |
| **coger** | prendre | Sʏɴ. **tomar** |
| **soltar** (v. irr. o>ue) | lâcher | |
| **apretar** (v. irr. e>ie) | serrer | |

# Las posturas Les positions

| | | |
|---|---|---|
| **levantado** | levé | ✍ **levantarse** : se lever |
| **de pie** | debout | ⊳ **ponerse** (v. irr.) ~ : se mettre debout |
| **sentado** | assis | ✍ **sentarse** (v. irr. e>ie) : s'asseoir |
| **de rodillas** | à genoux | ✍ **arrodillarse** : s'agenouiller |
| **tumbado** | allongé | ✍ **tumbarse** : s'allonger |
| **acostado** | couché, allongé | ✍ **acostarse** (v. irr. o>ue) : se coucher, s'allonger |
| **boca arriba** | sur le dos | |
| **boca abajo** | sur le ventre | |

### **&** Notez bien

■ Toutes les expressions ci-dessus se construisent avec le verbe **estar**.

# Los gestos y las interjecciones
## Les gestes et les interjections

| | |
|---|---|
| **guiñar un ojo** | *faire un clin d'œil* |
| **fruncir el ceño** | *froncer les sourcils* |
| **encogerse de hombros** | *hausser les épaules* |
| **tocarse las narices** | *se tourner les pouces* Syn. **estar mano sobre mano** |

---

### ✍ Expressions

**¡Hombre!** Tiens! • **¡Vamos!** Allez! • **¡Venga!** Allez!; Ça marche! • **¡Ay!** Aïe! • **¡Oye!** Au fait...; [pour interpeler] S'il te plaît!, Excuse-moi! • **¡Oiga!** S'il vous plaît!, Excusez-moi! • **¡Vaya!** Zut! • **¡Cuidado!** Attention! • **¡Adelante!** Vas-y! *ou* Allez-y! • **¡Ánimo!** Courage! • **¡Basta!** Ça suffit! • **¡Qué va!** *(fam.)* Pas du tout!, Absolument pas! • **¡Ya caigo!** J'y suis!, Je pige!

---

---

### ✍ Sans paroles

■ Voici quelques gestes que les Français ne font pas ou qui ont un sens différent dans les deux langues.

**tener (mucha) cara** *(fam.)*
être culotté, être gonflé

**¡Ojo!**
Attention!

**mucha gente**
plein de monde

**¡Corta el rollo!** *(fam.)*
Abrège!

**estar enchufado** *(fam.)*
être pistonné

**estar bebido**
être saoul

---

# 5 La actividad intelectual
## *L'activité intellectuelle*

La memoria es la segunda gran función del cerebro [...]. El estudio de esta
capacidad intelectual no ha sido tan intenso como el de la inteligencia
hasta el momento, quizás se deba a la complejidad y tipos de memoria
existentes. Un ejemplo de dicha complejidad y variabilidad puede ser el
lenguaje, ya que en el mismo interaccionan diferentes tipos de inteligencia,
de memoria, que se sustentan tanto en diferencias fisiológicas como
funcionales del cerebro.

http://www.molwick.com/es/memoria/

*La mémoire est la deuxième grande fonction du cerveau [...]. Jusqu'à présent, l'étude de cette
capacité intellectuelle n'a pas été aussi complète que celle de l'intelligence, peut-être à cause
des différents types de mémoire existants et de leur complexité. Un exemple de cette complexité
et variabilité peut être le langage, où interagissent diverses sortes d'intelligence, de mémoire
générées par les différences physiologiques et fonctionnelles du cerveau.*

## La mente *L'esprit*

| | | | |
|---|---|---|---|
| **el pensamiento** | *la pensée* | ✑ **pensar** (v. irr. e>ie) **(en)** : *penser (à)* |
| **la idea** | *l'idée* | ✑ **idear** : *concevoir* |
| **mentalizarse** | *se faire à l'idée* | |
| **la noción** | *la notion* | |
| **la sugerencia** | *la suggestion* | ✑ **sugerir** (v. irr. e>ie) : *suggérer* |
| **la intuición** | *l'intuition* | ✑ **intuir** : *pressentir* |
| **el presentimiento** | *le pressentiment* | |

## La memoria y la observación
### *La mémoire et l'observation*

| | | | |
|---|---|---|---|
| **el recuerdo** | *le souvenir* | ✑ **recordar** (v. irr. o>ue) : *se rappeler* |
| **acordarse** (v. irr. o>ue) **(de)** | *se souvenir (de)* | |
| **el olvido** | *l'oubli* | ✑ **olvidar** : *oublier* |
| **la atención** | *l'attention* | ☞ **prestar ~** : *prêter attention* |
| **atento** | (estar) : *attentif* | **2.** (ser) : *attentionné* |
| **distraído** | (estar) : *distrait* | **2.** (ser) : *étourdi* |

LEXIQUE THÉMATIQUE

23

# La inteligencia y el razonamiento
## L'intelligence et le raisonnement

| | | |
|---|---|---|
| **listo** | (ser) : malin, vif d'esprit | **2.** (estar) : prêt |
| **tonto** | bête | Sʏɴ. **bobo** |
| **perspicaz** | perspicace | |
| **lógico** | logique | _✍_ **la lógica** : la logique |
| **la razón** | la raison | _✍_ **razonar** : raisonner |
| **la sensatez** | le bon sens | Sʏɴ. **el sentido común** |
| | | _✍_ **sensato** : sensé |
| **la insensatez** | le manque de bon sens | _✍_ **insensato** : insensé |
| **la explicación** | l'explication | _✍_ **explicar** : expliquer |
| **el argumento** | l'argument | _✍_ **argumentar** : argumenter |
| **entender** (v. irr. e>ie) | comprendre | Sʏɴ. **comprender** |
| **el ejemplo** | l'exemple | |

## ⇥ Expressions

**quedarse con la mente en blanco** : avoir un trou de mémoire • **¡Ni idea!** Aucune idée ! • **¡Ni pensarlo!** Pas question ! • **pensándolo bien...** : tout compte fait... • **de memoria** : par cœur • **refrescar la memoria** : rafraîchir la mémoire • **pasarse de listo** : vouloir être trop malin • **ser más listo que el hambre** : être malin comme un singe • **a lo tonto** : bêtement

# La duda, el conocimiento y la certeza
## Le doute, la connaissance et la certitude

| | | |
|---|---|---|
| **dudoso** | (ser) : douteux | **2.** (estar) : hésitant |
| **dudar** | douter, hésiter | Sʏɴ. **vacilar** |
| **indeciso** | (ser) : indécis | **2.** (estar) : hésitant |
| **la indecisión** | l'indécision | |
| **la curiosidad** | la curiosité | _✍_ **curioso** : curieux |
| **conocer** (v. irr.) | connaître | Sʏɴ. **saber** (v. irr.) : savoir |
| **enterarse de** | apprendre [une nouvelle] | |
| **la ignorancia** | l'ignorance | _✍_ **ignorante** : ignorant |
| | | _✍_ **ignorar** : ignorer |
| **seguro** | (estar) : sûr | ⋙ **estar ~ de sí mismo** : être sûr de soi |
| **comprobar** (v. irr. o>ue) | vérifier | |

➜ **p. 292** (La certitude et l'ignorance), ➜ **p. 294** (Le doute et la probabilité)

# El lenguaje *Le langage*

| | | |
|---|---|---|
| **la comunicación** | la communication | ✍ **comunicar :** communiquer |
| **la lengua** | la langue | |
| **el idioma** | la langue (étrangère) | |
| **la palabra** | le mot, la parole | ☞ **pedir/tomar/dirigir la ~ :** demander/prendre/adresser la parole |
| | | ☞ **ceder/cortar la ~ :** céder/couper la parole |
| **la frase** | la phrase | Syn. **la oración** |
| **hablar** | parler | *Amér.* **platicar** |
| **charlar** | bavarder, papoter | ✍ **charlatán :** bavard |
| **conversar** | discuter | ≠ **discutir :** se disputer |
| **la conversación** | la conversation | ☞ **entablar una ~ :** engager une conversation |
| **el tema** | le sujet | |
| **el debate** | le débat | |
| **decir** (v. irr.) | dire | ✍ **un dicho :** un dicton |
| **callarse** | se taire | |
| **preguntar** | demander [questionner] | ≠ **pedir** (v. irr. e>i) **:** demander 2. commander |
| | | ✍ **la pregunta :** la question |
| **responder** | répondre | Syn. **contestar** |
| | | ✍ **la respuesta :** la réponse |

## ☞ Les langues de l'Espagne

■ La langue officielle de l'Espagne est **el español**, l'espagnol (ou **el castellano**, le castillan), qui coexiste avec trois autres langues officielles parlées uniquement dans leurs territoires respectifs : **el catalán**, le catalan, **el gallego**, le galicien, et **el vasco** (ou **el euskera**), le basque.

## ☞ Expressions

**No cabe duda.** Il n'y a pas de doute. • **poner en duda :** mettre en doute • **sacar a alguien de dudas :** dissiper les doutes de qqn • **de palabra :** de vive voix • **hablar por los codos :** être un moulin à paroles • **hablar sin ton ni son :** parler sans rime ni raison • **Dicho sea de paso.** Cela dit. • **andarse con rodeos :** tourner autour du pot • **ser un bocazas** *(fam. péj.)* **:** être une grande gueule • **el qué dirán :** le qu'en dira-t-on

# 6 La higiene y la salud
## L'hygiène et la santé

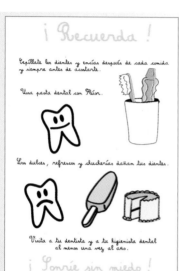

¡ Recuerda !

Cepíllate los dientes y encías después de cada comida y siempre antes de acostarte.

Una pasta dental con Flúor.

Los dulces, refrescos y chucherías dañan tus dientes.

Visita a tu dentista y a tu higienista dental al menos una vez al año.

¡ Sonríe sin miedo !

N'oublie-pas ! / Brosse-toi les dents et les gencives après chaque repas et le soir avant de te coucher. / Utilise un dentifrice au fluor. / Les sucreries, les bonbons, les sodas et les friandises abîment tes dents. / Consulte ton dentiste au moins une fois par an. / N'aie plus peur de sourire !

Campaña del Ministerio de Sanidad y Consumo
© Instituto Nacional de Gestión Sanitaria.

➜ p. 336 (Chez le médecin)

## Higiene y cuidados corporales
## Hygiène et soins corporels

| | | |
|---|---|---|
| **limpio** | propre | Ant. **sucio :** sale |
| **lavarse** | se laver | |
| **ducharse** | prendre une douche | |
| **bañarse** | prendre un bain | |
| **secarse** | s'essuyer, se sécher | |
| **peinarse** | se peigner | ✐ **el peine :** le peigne |
| **cepillarse los dientes** | se brosser les dents | |
| **afeitarse** | se raser | |
| **depilarse** | s'épiler | |
| **maquillarse** | se maquiller | |
| **descansar** | se reposer | Ant. **cansarse :** se fatiguer |
| **dormir** (v. irr. o>ue) | dormir | |

# Buena y mala salud *Bonne et mauvaise santé*

| | | |
|---|---|---|
| **sano** | (ser) : *sain* | **2.** (estar) : *en bonne santé* |
| **enfermo** | (estar) : *malade* | ☞ **ponerse** (v. irr.) ~ : *tomber malade* |
| **la enfermedad** | *la maladie* | |
| **el discapacitado** | *le handicapé* | Sʏɴ. **el minusválido** |
| **el dolor** | *la douleur* | ☞ **tener** (v. irr.) ~ **de...** : *avoir mal à/aux...* |
| | | → p. 17 (Le corps humain) |
| **doler** (v. irr. o>ue) | *avoir mal* | Rᴇᴍ. **Me duele la cabeza.** *J'ai mal à la tête.* |
| | | **Le duelen los pies.** *Il a mal aux pieds.* |
| **encontrarse** (v. irr. o>ue) **bien/mal** | *se sentir bien/mal* | |
| **curar** | *guérir, soigner* | ☞ **estar curado** : *être guéri* |
| **la fiebre** | *la fièvre* | ☞ **tener** (v. irr.) ~ : *avoir de la fièvre* |
| **la tos** | *la toux* | ♂ **toser** : *tousser* |
| **la diarrea** | *la diarrhée* | |
| **el estreñimiento** | *la constipation* | ≠ **el constipado** : *le rhume* |
| **la indigestión** | *l'indigestion* | |
| **la alergia** | *l'allergie* | ♂ (ser) **alérgico** : *allergique* |
| **la caries** | *la carie* | |
| **el mareo** | *le vertige,* *l'étourdissement* | **2.** *le mal au cœur* **3.** *le mal de mer* |
| **las náuseas** | *les nausées* | |
| **el vómito** | *le vomi* | ♂ **vomitar** : *vomir* |

# Enfermedades y lesiones *Maladies et blessures*

| | | |
|---|---|---|
| **el catarro** | *le rhume* | Sʏɴ. **el constipado, el resfriado** |
| **la gripe** | *la grippe* | |
| **contagioso** | *contagieux* | |
| **la infección** | *l'infection* | |
| **la insolación** | *le coup de soleil,* *l'insolation* | |
| **la diabetes** | *le diabète* | |
| **el asma** | *l'asthme* | |
| **la úlcera** | *l'ulcère* | |
| **el golpe** | *le coup* | |
| **la quemadura** | *la brûlure* | |
| **la herida** | *la blessure* | ♂ **el herido** : *le blessé* |
| **el grano** | *le bouton* | |
| **la fractura** | *la fracture* | |
| **el esguince** | *l'entorse* | |

# Remedios y tratamientos Remèdes et traitements

| la farmacia | la pharmacie | ☞ **la ~ de guardia :** la pharmacie de garde |
| el medicamento | le médicament | Syn. **la medicina** |
| el tratamiento | le traitement | |
| el analgésico | l'antalgique | Syn. **el calmante :** le calmant |
| el antibiótico | l'antibiotique | |
| la inyección | la piqûre | |
| la jeringuilla | la seringue | |
| la aspirina® | l'aspirine | |
| el laxante | le laxatif | |
| la vacuna | le vaccin | |
| la receta (médica) | l'ordonnance | ✎ **recetar :** prescrire |
| las indicaciones | les indications | Ant. **las contraindicaciones :** les contre-indications |
| la pastilla | le comprimé | Syn. **el comprimido** |
| la píldora | la pilule | |
| el supositorio | le suppositoire | |
| el jarabe | le sirop | |
| la pomada | la pommade | |
| el agua oxigenada | l'eau oxygénée | |
| el alcohol | l'alcool | |
| desinfectar | désinfecter | |
| la tirita® | le pansement (adhésif) | Amér. **la curita®** |
| la venda | la bande | ✎ **el vendaje :** le bandage |
| el algodón | le coton | |
| la escayola | le plâtre | ✎ **escayolar :** plâtrer |
| las muletas | les béquilles | |

# En el hospital À l'hôpital

| los primeros auxilios | les premiers secours | |
| las urgencias | les urgences | |
| la ambulancia | l'ambulance | |
| la camilla | le brancard | |
| la silla de ruedas | le fauteuil roulant | |
| la tarjeta sanitaria | la carte de santé | |
| la Seguridad Social | la Sécurité sociale | |
| la baja | le congé maladie | |
| el alta | autorisation de sortir de l'hôpital | **2.** certificat qui autorise la reprise du travail |

# ▶ El personal médico Le personnel médical

| el médico | le médecin | Syn. **el doctor** |
| el especialista | le spécialiste | |
| el oculista | l'occuliste | Syn. **el oftalmólogo** : l'ophtalmologue |
| el dentista | le dentiste | |
| el cirujano | le chirurgien | ⚶ **la cirujía** : la chirurgie |
| el practicante | l'infirmier [pour les piqûres] | |
| el enfermero | l'infirmier | ⚶ **la enfermería** : l'infirmerie |

# ▶ Exámenes y consultas Examens et consultations

| la consulta | la consultation | **2.** le cabinet (médical) |
| pedir (v.irr e>i) **hora** | prendre rendez-vous | |
| reconocer (v. irr.) | examiner | ⚶ **el reconocimiento médico** : la visite médicale |
| el diagnóstico | le diagnostic | |
| el análisis | l'analyse | ☞ **el ~ de sangre/de orina** : la prise de sang/l'analyse d'urine |
| | | ☞ **los ~ clínicos** : les analyses médicales |
| la radiografía | la radiographie | |
| el termómetro | le thermomètre | |

# ▶ Actos clínicos Actes médicaux

| ingresar | être admis | ⚶ **el ingreso** : l'admission |
| el quirófano | le bloc opératoire | |
| la anestesia | l'anesthésie | ⚶ **el anestesista** : l'anesthésiste |
| la operación | l'opération | ⚶ **operarse** : se faire opérer |
| el trasplante | la greffe | ⚶ **trasplantar** : greffer |
| estar en coma | être dans le coma | |

---

## ☞ Expressions

**tener una salud de hierro** : avoir une santé de fer • **¡Salud!** À la votre ! • **cortar por lo sano** : trancher dans le vif • **Más vale prevenir que curar.** Mieux vaut prévenir que guérir. • **estar hecho polvo** *(fam.)* : être crevé • **hurgar en la herida** : retourner le couteau dans la plaie • **darle a uno un patatús** *(fam.)* : tourner de l'œil • **caerse redondo** : s'écrouler • **El remedio es peor que la enfermedad.** Le remède est pire que le mal.

---

# 7

# La alimentación

## L'alimentation

¿Qué comemos hoy? Una pregunta muy común por las mañanas, que se repite a la hora de ir al mercado. La mejor respuesta: lo que la naturaleza te dé en cada estación del año. El otoño es tiempo de verduras, como la coliflor, el brócoli, la alcachofa, el calabacín o la lombarda, de algunas frutas, como la naranja, y de todo tipo de legumbres.

A. Van den Eynde / A. Agulló, "La salud, en el mercado" © 20 Minutos, 2006.

*Qu'est-ce qu'on mange aujourd'hui ? Une question qui vous vient souvent à l'esprit le matin et qui se pose au moment d'aller au marché. La meilleure réponse est : ce que la nature nous offre à chaque saison. L'automne est la saison des légumes, comme le chou-fleur, le brocoli, l'artichaut, la courgette ou le chou rouge, et de certains fruits, comme l'orange, ainsi qu'une grande variété de légumes secs.*

## Las compras *Les courses*

| | | |
|---|---|---|
| comprar | acheter | |
| **ir** (v. irr.) **a** *ou* **hacer** (v. irr.) **la compra** | faire les courses | ≠ **ir de compras :** *faire les magasins* |
| **el mercado** | le marché | ☞ **ir** (v. irr.) **al ~ :** *faire le marché* |
| **el puesto** | l'étal | |
| **la tienda** | le magasin | ✍ **el tendero :** *l'épicier* |
| **caro** | cher | Ant. **barato :** *bon marché* |

➜ p. 145 (L'activité commerciale), ➜ p. 327 (Au marché)

## Los alimentos *Les aliments*

### ▶ Carnes *Viandes*

| | | |
|---|---|---|
| **la ternera** | le veau | |
| **el filete** | le steack | |
| **la chuleta** | la côte, la côtelette | |
| **el pollo** | le poulet | |
| **la pechuga** | le blanc [de poulet] | |
| **el muslo** | la cuisse | |
| **el cerdo** | le porc [viande] | **2.** le cochon [animal] |
| **el embutido** | la charcuterie | Syn. **la charcutería** |

| la salchicha | la saucisse |
| el jamón | le jambon |

☞ **el ~ de York :** le jambon blanc

➜ p. 76 (Les mammifères), ➜ p. 77 (Les oiseaux)

## ☞ Le jambon

■ **El jamón** est la charcuterie la plus consommée en Espagne. Il en existe plusieurs sortes : **serrano** (qui provient d'un porc blanc nourri aux céréales) et **ibérico** (l'animal est nourri de glands ou de fourrages – le meilleur de cette catégorie étant le **pata negra** ou **bellota**).

## ▶ Pescados y mariscos  Poissons et fruits de mer

| el pescado | le poisson [aliment] |
| el marisco | les fruits de mer |

≠ **el pez :** le poisson [animal]
🖋 **la mariscada :** plateau de fruits de mer

➜ p. 78 (Les poissons), ➜ p. 79 (Autres invertébrés)

## ▶ Frutas y verduras  Fruits et légumes

| la naranja | l'orange | |
| el limón | le citron | |
| el plátano | la banane | SYN. **la banana** |
| la manzana | la pomme | |
| la pera | la poire | |
| el melocotón | la pêche | |
| la ciruela | la prune | |
| la uva | le raisin | ☞ **la ~ pasa :** le raisin sec |
| el melón | le melon | |
| la sandía | la pastèque | |
| la piña | l'ananas | **2.** la pomme de pin |
| la fresa | la fraise | |
| los frutos secos | les fruits secs | |
| la almendra | l'amande | |
| la nuez | la noix | |
| la avellana | la noisette | |
| las espinacas | les épinards | |
| los guisantes | les petits pois | |
| las judías verdes | les haricots verts | |
| la lechuga | la laitue, la salade | |
| el tomate | la tomate | |
| el pepino | le concombre | 🖋 **el pepinillo :** le cornichon |
| la zanahoria | la carotte | |
| la cebolla | l'oignon | |

| | | |
|---|---|---|
| el ajo | l'ail | ☞ **el diente de ~ :** la gousse d'ail |
| el calabacín | la courgette | |
| el pimiento | le poivron | |
| la aceituna | l'olive | Syn. **la oliva** |

## ▶ Legumbres y otros alimentos Légumes secs et autres aliments

| | | |
|---|---|---|
| las judías blancas | les haricots blancs | Syn. **las alubias** |
| los garbanzos | les pois chiches | |
| las lentejas | les lentilles | |
| los cereales | les céréales | |
| la harina | la farine | |
| el pan | le pain | ☞ **la barra de ~ :** la baguette |
| las galletas | les biscuits | |
| la pasta | les pâtes | ≠ **las ~s :** les petits gâteaux secs |
| los fideos | les vermicelles | |
| el arroz | le riz | |
| la patata | la pomme de terre | Amér. **la papa** |
| el huevo | l'œuf | |
| los productos lácteos | les produits laitiers | |
| la leche | le lait | |
| el yogur | le yaourt | |
| la mantequilla | le beurre | |
| el queso | le fromage | |

## ▶ Bebidas Boissons

| | | |
|---|---|---|
| beber | boire | |
| tener (v. irr.) sed | avoir soif | |
| el agua (n. f.) | l'eau | ☞ **el ~ con/sin gas :** l'eau gazeuse/ plate |
| el refresco | la boisson fraîche | |
| el zumo | le jus [de fruits] | Amér. **el jugo** |
| el vino | le vin | ☞ **el ~ blanco/tinto/rosado :** le vin blanc/rouge/rosé |
| la sidra | le cidre | |
| el cava | vin mousseux catalan fabriqué selon la méthode champenoise | |
| la cerveza | la bière | ☞ **la caña (de ~) :** le demi |
| el café | le café | ☞ **el ~ con leche :** le café crème |
| el cortado | la noisette [café] | |
| el té | le thé | |
| la infusión | la tisane | |

## ▶ Condimentos  Condiments

| | | |
|---|---|---|
| el aceite | l'huile | ☞ el ~ de oliva : l'huile d'olive |
| el vinagre | le vinaigre | |
| la sal | le sel | |
| la pimienta | le poivre | ≠ la guindilla : le piment |
| el perejil | le persil | |
| el azúcar | le sucre | |
| la salsa | la sauce | |
| la mostaza | la moutarde | |

## Cocinar  Faire la cuisine

| | | |
|---|---|---|
| el cazo | la casserole | **2.** la louche |
| la olla | la marmite, le fait-tout | ☞ la ~ a presión : la Cocotte-Minute® |
| la sartén | la poêle | |
| el horno | le four | |
| la receta | la recette | |
| pelar | éplucher | |
| cortar | couper | |
| batir | battre | |
| añadir | ajouter | |
| freír (v. irr. e>i) | frire | ⌀ frito : frit |
| asar | rôtir | ⌀ asado : rôti |
| guisar | cuisiner | **2.** mijoter |
| cocer (v. irr. o>ue) | faire cuire | ⌀ cocido : cuit |
| dulce | sucré | ANT. salado : salé |
| soso | fade | **2.** qui manque de sel |
| picante | épicé [plat] | **2.** piquant [sauce] |
| crudo | cru | |
| en su punto | à point | |
| poco hecho | saignant | ANT. muy hecho : bien cuit |

### ☞ Expressions

**ponerse como un tomate** : devenir rouge pivoine • **mandar a alguien a freír espárragos** (fam.) : envoyer qqn balader • **Me importa un pepino** ou **un pimiento.** (fam.) Je m'en fiche (comme de l'an quarante). • **tener mala uva** (fam.) : avoir mauvais caractère • **Mucho ruido y pocas nueces.** Beaucoup de bruit pour rien. • **estar de mala leche** (vulg.) : être de mauvais poil • **dárselas a alguien con queso** : rouler qqn • **estar en su salsa** (fam.) : être dans son élément

# 8

# Las comidas

## Les repas

El paellero de Benisanó le hizo subir a su cocina, un frente de fogones para paellas hechas con pollo, conejo, caracoles [...] y un sofrito de tomate y judías tiernas de la raza ancha, sabrosa y áspera. Parecía una fragua de paellas y el resultado era un plato cárnico sólido que se comía como un vicio, primero en el plato, tras unos entrantes de ensalada y atún de arena salado y en aceite, y luego a cucharadas meticulosas y precisas el arroz que quedaba en la paella.

Manuel Vázquez Montalbán, *Las recetas de Carvalho* © Planeta, 2004.

*Le paellero de Benisanó le fit monter dans sa cuisine : un alignement de fourneaux à paellas faites de poulet, de lapin et d'escargots [...], de sauce tomate que l'on avait fait revenir à la poêle et de cette variété de haricots plats, rêches et savoureux. On aurait dit une forge à paellas ; au final, cela donnait un copieux plat à la viande que l'on mangeait avec délectation dans son assiette, juste après la salade de thon à l'huile, puis on terminait méticuleusement à la cuillère, directement dans le plat, le riz qui restait.*

➜ p. 330 (Au restaurant), ➜ p. 332 (Dans un bar)

## Las diferentes comidas Les différents repas

| | | |
|---|---|---|
| **el hambre** (n. f.) | la faim | ☞ **tener** (v. irr.) ~ : avoir faim |
| **el desayuno** | le petit déjeuner | ✍ **desayunar** : prendre le petit déjeuner |
| **el aperitivo** | l'apéritif | |
| **el almuerzo** | le déjeuner | ✍ **almorzar** (v. irr. o>ue) : déjeuner |
| **la comida** | le déjeuner | **2.** le repas **3.** la nourriture |
| | | ✍ **comer** : manger **2.** déjeuner |
| **la merienda** | le goûter | ✍ **merendar** (v. irr. e>ie) : goûter |
| **la cena** | le dîner | ✍ **cenar** : dîner |
| **picar** *(fam.)* | grignoter | |

### ☞ Les repas

■ En Espagne, les horaires des repas sont plus tardifs qu'en France : on déjeune entre 13 et 15 heures et on dîne entre 20 et 22 heures. Ils sont également plus flexibles : le midi, il est possible d'aller au restaurant de 13 à 16 heures et le soir, jusqu'à minuit, notamment le week-end.

■ On appelle **la sobremesa** le temps passé à discuter à table après le repas de midi.

# Poner la mesa  Mettre le couvert

| el mantel | la nappe | |
| la servilleta | la serviette | |
| la vajilla | la vaisselle | |
| el plato | l'assiette | 2. le plat [aliment] |
| la bandeja | le plateau | |
| el cubierto | le couvert | ✍ **la cubertería** : la ménagère |
| el tenedor | la fourchette | |
| la cuchara | la cuillère | ✍ **la cucharilla** : la petite cuillère |
| el cuchillo | le couteau | |
| el vaso | le verre | |
| la copa | le verre à pied | |
| la taza | la tasse | ✍ **el tazón** : le bol |
| la jarra | la carafe | ≠ **el jarrón** : le vase |
| la botella | la bouteille | |
| quitar la mesa | débarrasser la table | |

# En el restaurante  Au restaurant

| el camarero | le serveur | |
| el cocinero | le cuisinier | |
| reservar mesa | réserver une table | |
| pedir (v. irr. e>i) | commander | 2. demander |
| la carta | la carte | |
| el plato del día | le plat du jour | Syn. **el menú** : le menu |
| el primer plato | l'entrée | |
| el segundo plato | le plat principal | |
| el postre | le dessert | |
| servir (v. irr. e>i) | servir | |
| la cuenta | l'addition | |
| la propina | le pourboire | |

# Diferentes platos  Différents plats

| los entremeses | les hors-d'œuvre | |
| la ensalada | la salade | |
| la ensaladilla (rusa) | la salade russe | |
| el puré | la purée | |
| la sopa | la soupe, le potage | |
| el caldo | le bouillon | Syn. **el consomé** |
| el potaje | plat de légumes secs | ≠ **la sopa** : le potage |

| | | |
|---|---|---|
| el cocido | ≈ le pot-au-feu | |
| la tortilla | l'omelette | ☞ la ~ de patatas/(a la) francesa : l'omelette espagnole/nature |
| la paella | la paella | |
| la fabada | plat asturien semblable au cassoulet | |
| el plato combinado | l'assiette mixte | |
| el flan | le flan | |
| las natillas | la crème renversée | |
| el arroz con leche | le riz au lait | |
| la tarta | le gâteau | 2. la tarte |
| el helado | la glace | ☞ el ~ de vainilla/fresa... : la glace à la vanille/à la fraise... |
| casero | (fait) maison | |

## ▶ Comida rápida Restauration rapide

| | | |
|---|---|---|
| la tapa | l'amuse-gueule, la tapa | ☞ ir de ~s : aller manger des tapas |
| la ración | la portion | |
| el bocadillo | le sandwich [avec baguette] | ≠ el sándwich : le sandwich [avec pain de mie] |
| el perrito caliente | le hot-dog | |
| la hamburguesa | le hamburger | |
| las patatas fritas | les frites | |
| la comida basura | la malbouffe | |

## ☞ Expressions

**¡Que aproveche!** Bon appétit ! • **ponerse morado** ou **ponerse las botas** *(fam.)* : s'en mettre plein la lampe • **¡A comer!** À table ! • **la gota que colma el vaso** : la goutte qui fait déborder le vase • **pagar los platos rotos** : payer les pots cassés • **Parece que no ha roto nunca un plato.** On lui donnerait le bon Dieu sans confession. • **¡Me lo encuentro hasta en la sopa!** *(fam.)* Je tombe sur lui à tous les coins de rue ! • **Se ha vuelto la tortilla.** *(fam.)* La situation s'est renversée. • **estar como un flan** *(fam.)* : trembler comme une feuille

# 9 La ropa
## Les vêtements

*Carla Alonso – española – 19 años*
"Jamás me pondría un chándal. ¡Me horrorizan!"
– ¿Qué es lo que más te gusta vestir cuando no estás en la pasarela?
– Unos jeans, unas botas, camisetas de todo tipo y unas sandalias de cuña de esparto.
– Cuando no trabajas, ¿cómo sales a la calle?
– Ropa cómoda, pero ni loca un jogging. Las deportivas pueden pasar.

Entrevista "El otro pase de Cibeles" © Metro, 2007.

*Carla Alonso – Espagnole – 19 ans*
« Je ne mettrais jamais un jogging. J'en ai horreur ! »
– Qu'est-ce que tu aimes mettre lorsque tu n'es pas sur le podium ?
– Des jeans, des bottes, toutes sortes de T-shirts et des sandales en corde à talons compensés.
– Quand tu ne travailles pas, comment t'habilles-tu ?
– Je mets des vêtements confortables, mais je ne sors jamais en jogging, même pas en rêve.
Les tennis, passe encore.

| | | |
|---|---|---|
| **vestirse** (v. irr. e>i) | s'habiller | |
| **desvestirse** (v. irr. e>i) | se déshabiller | Syn. **desnudarse** |
| **llevar** | porter | Rem. **Se lleva.** C'est à la mode. |
| **sentar** (v. irr. e>ie) **bien/mal** | aller bien/mal | Syn. **quedar bien/mal** |
| **ponerse** (v. irr.) | mettre | Ant. **quitarse :** enlever |
| **la tienda** | le magasin, la boutique | ☞ **ir** (v. irr.) **de ~s :** faire les magasins |
| **el escaparate** | la vitrine | |
| **las rebajas** | les soldes | ✐ **rebajar :** solder |
| **la sección** | le rayon | |
| **probarse** (v. irr. o>ue) | essayer | ✐ **el probador :** la cabine d'essayage |
| **la moda** | la mode | ☞ **estar de ~ :** être à la mode |

## La ropa Les vêtements

| | | |
|---|---|---|
| **la talla** | la taille [dimension] | ≠ **la cintura, el talle :** la taille [corps] |
| **el vestido** | la robe | |
| **la falda** | la jupe | |
| **el jersey** | le pull | |

LEXIQUE THÉMATIQUE

| la camisa | la chemise | 🖉 **la camiseta** : le T-shirt |
| **el pantalón** | le pantalon | 🖙 **el ~ corto** : le short |
| **los vaqueros** | le jean | Syn. **los tejanos** |
| **el traje** | le costume | **2.** le tailleur |
| **la chaqueta** | la veste | **2.** le gilet [avec des manches] |
| **el abrigo** | le manteau | 🖉 **abrigarse** : se couvrir |
| **el chándal** | le survêtement | ≠ **el suéter** : le chandail |
| | | |
| **el bolsillo** | la poche | ≠ **el bolso** : le sac |
| **el botón** | le bouton | |
| **la cremallera** | la fermeture à glissière | |
| **el cuello** | le col | **2.** le cou |
| **el escote** | le décolleté | 🖉 **escotado** : décolleté |

### ▶ La ropa interior Les sous-vêtements

| **la lencería** | la lingerie | |
| **el sujetador** | le soutien-gorge | |
| **las bragas** | la culotte, le slip | |
| **los calzoncillos** | le caleçon, le slip | |
| **las medias** | les bas | **2.** les collants |
| **los calcetines** | les chaussettes | |

# El calzado y los complementos
## Les chaussures et les accessoires

| **calzarse** | se chausser | Ant. **descalzarse** : se déchausser |
| | | 🖉 **descalzo** : pieds nus |
| **el número (de pie)** | la pointure | |
| **el zapato** | la chaussure | 🖉 **la zapatería** : le magasin de chaussures |
| **las zapatillas** | les chaussons | 🖙 **las ~ de deporte** : les tennis |
| **las botas** | les bottes | |
| **las sandalias** | les sandales | |
| **la corbata** | la cravate | |
| **la bufanda** | l'écharpe | |
| **el pañuelo** | le foulard | **2.** le mouchoir **3.** la pochette |
| **el sombrero** | le chapeau | |
| **el gorro** | le bonnet | ≠ **la gorra** : la casquette |
| **los guantes** | les gants | |
| **el monedero** | le porte-monnaie | |

| | | |
|---|---|---|
| **la cartera** | le portefeuille | **2.** *la serviette* [à documents] |
| | | **3.** *le cartable* |
| **el bolso** | le sac à main | ≠ **la bolsa** : *le sac* **2.** *le sachet* |
| **el cinturón** | la ceinture | ≠ **la cintura** : *la taille* [corps] |
| **el reloj** | la montre | |
| **la joya** | le bijou | ≠ **la bisutería** : *les bijoux fantaisie* |
| **el collar** | le collier | |
| **la pulsera** | le bracelet | |
| **el anillo** | la bague | Syn. **la sortija** |
| **el pendiente** | la boucle d'oreille | |
| **el abanico** | l'éventail | |
| **el paraguas** | le parapluie | |

## Los tejidos Les tissus

| | | |
|---|---|---|
| **la tela** | le tissu | **2.** *l'étoffe* **3.** *la toile* |
| **la lana** | la laine | |
| **el algodón** | le coton | |
| **la seda** | la soie | |
| **el lino** | le lin | |
| **la pana** | le velours côtelé | |
| | | |
| **la piel** | le cuir | Syn. **el cuero** |

## La costura La couture

| | | |
|---|---|---|
| **coser** | coudre | Ant. **descoser** : *découdre* |
| **roto** | déchiré | |
| **el hilo** | le fil | |
| **la aguja** | l'aiguille | |
| **las tijeras** | les ciseaux | |
| **el arreglo** | la retouche | |

### ☞ Expressions

**manga por hombro** *(fam.)* **:** sens dessus dessous • **llevar los pantalones** *(fam.)* **:** porter la culotte • **estar** *ou* **quedarse en bragas** *(fam.)* **:** être fauché • **apretarse el cinturón** *(fig.)* **:** se serrer la ceinture • **estar hasta el gorro** *(fam.)* **:** en avoir par-dessus la tête

# La casa

## La maison

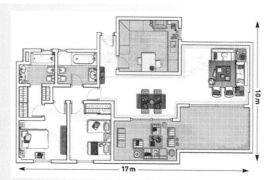

Los dormitorios se decoraron con muebles muy claros y cortinas de estampados en tonos muy vivos que rompen la monotonía cromática en cada ambiente. La cocina se proyectó con criterios muy funcionales y se amuebló con armarios polilaminados de color azul en los módulos bajos y en acabado haya en los altos, para no recargar el ambiente.

"Un ático con terraza en la costa ", en *Micasa* © Hachette Filipacchi, 2007.

*Les chambres ont été aménagées avec des meubles très clairs et des rideaux imprimés dans des tons vifs pour rompre avec la monotonie chromatique de chaque ambiance. La cuisine a été conçue pour être fonctionnelle, les placards du bas sont recouverts de formica bleu et ceux du haut d'une finition en hêtre pour ne pas trop charger l'ensemble.*

➜ p. 316 (À l'agence immobilière)

## Construir una casa  Construire une maison

| | | |
|---|---|---|
| **edificar** | bâtir | |
| **la obra** | le chantier | |
| **los cimientos** | les fondations | |
| **la viga** | la poutre | |
| **la pintura** | la peinture | |
| **el parqué** | le parquet | |
| **la moqueta** | la moquette | |

*✍* **edificable :** constructible

🖙 **las ~s :** *les travaux*

*✍* **pintar :** *peindre*

➜ p. 142 (L'artisanat et les artisans)

## ▶ Luz y climatización  Électricité et climatisation

| la luz | la lumière | **2.** l'électricité |
| la electricidad | l'installation électrique | ♂ **eléctrico :** électrique |
| el contador | le compteur | |
| la lámpara | la lampe | |
| la bombilla | l'ampoule | |
| **encender** (v. irr. e>ie) | allumer | Aɴᴛ. **apagar :** éteindre |
| el interruptor | l'interrupteur | |
| el enchufe | la prise (de courant) | ♂ **enchufar :** brancher |
| la calefacción | le chauffage | |
| el radiador | le radiateur | Sʏɴ. **la estufa :** le poêle |
| el aire acondicionado | l'air conditionné | |

## Tipos de casa  Types de maison

| la vivienda | le logement, l'habitation | ▷ **la ~ unifamiliar :** la maison<br>▷ **la ~ (de protección) social :**<br>≈ le H.L.M. |
| el edificio | l'immeuble | Sʏɴ. **el inmueble** |
| la urbanización | le lotissement | |
| la casa | la maison | ▷ **la ~ de montaña :** le chalet |
| el adosado | le pavillon jumeau | |
| el piso | l'appartement | **2.** l'étage **3.** le sol, le plancher<br>▷ **el ~ amueblado :** le meublé |
| el ático | appartement situé<br>au dernier étage avec<br>une grande terrasse | |

## El exterior de una vivienda
## L'extérieur d'une habitation

| el tejado | le toit | ♂ **la teja :** la tuile |
| la fachada | la façade | |
| el portal | l'entrée de l'immeuble | |
| el timbre | la sonnette | ▷ **llamar al ~ :** sonner |
| el portero | le concierge, le gardien | ▷ **el ~ automático :** l'interphone<br>♂ **la portería :** la loge |
| la escalera | l'escalier | ♂ **el escalón :** la marche |
| el ascensor | l'ascenseur | Amér. **el elevador** |
| la puerta | la porte | |
| la llave | la clé | ▷ **cerrar con ~ :** fermer à clé |

| la cerradura | la serrure |
| el felpudo | le paillasson |
| la ventana | la fenêtre |
| el balcón | le balcon |
| la terraza | la terrasse |

# Las partes de la casa  Les parties de la maison

| el sótano | la cave | ≠ **la bodega** : la cave à vin |
| la planta baja | le rez-de-chaussée | |
| el desván | le grenier | |
| la buhardilla | la mansarde | |
| el trastero | le débarras | |
| la entrada | l'entrée | |
| el pasillo | le couloir | *Amér.* **el corredor** |
| | | |
| el suelo | le sol, le plancher | Syn. **el piso** |
| la pared | le mur [intérieur] | Syn. **el muro** : le mur [extérieur] |
| el techo | le plafond | |

▶ **El salón, la sala de estar y el comedor**
Le salon, le séjour et la salle à manger

| la mesa | la table | |
| la silla | la chaise | ✍ **el sillón** : le fauteuil |
| el sofá | le canapé | ☞ **el ~ cama** : le canapé-lit |
| la estantería | l'étagère | Syn. **la librería** : la bibliothèque |
| la alfombra | le tapis | ≠ **el tapiz** : la tapisserie |
| la cortina | le rideau | |

▶ **La cocina**  La cuisine

| la cocina | la cuisine | **2.** la cuisinière |
| la encimera | le plan de travail | |
| el fregadero | l'évier | |
| el grifo | le robinet | ✍ **la grifería** : la robinetterie |
| el electrodoméstico | l'(appareil) électroménager | |
| el lavavajillas | le lave-vaisselle | |
| la nevera | le réfrigérateur | Syn. **el frigorífico** |
| el horno | le four | |
| el microondas | le micro-ondes | |
| la cafetera | la cafetière | |
| la lavadora | la machine à laver | ☞ **poner** (v. irr.) **la ~** : faire une machine |

▶ **El dormitorio** La chambre à coucher

| la habitación | la chambre | SYN. **el cuarto** |
|---|---|---|
| la cama | le lit | |
| el colchón | le matelas | |
| la colcha | le couvre-lit | |
| el somier | le sommier | |
| la sábana | le drap | |
| la manta | la couverture | |
| la almohada | l'oreiller | |
| la mesilla (de noche) | la table de nuit | |
| el armario | l'armoire | ☞ **el ~ empotrado** : le placard |

▶ **El cuarto de baño** La salle de bains

| la bañera | la baignoire | ∅ **el baño** : le bain, les toilettes |
|---|---|---|
| la ducha | la douche | |
| la toalla | la serviette de bain | ≠ **la servilleta** : la serviette [de table] |
| el espejo | le miroir | |
| el lavabo | le lavabo | **2.** les toilettes |
| | | ☞ **ir** (v. irr.) **al ~** : aller aux toilettes |
| el váter | les W.-C. | SYN. **el servicio** (euph.) |
| la cisterna | la chasse d'eau | |

→ p. 26 (Hygiène et soins corporels)

---

### ☞ La salle de bains et les toilettes

■ En Espagne, la salle de bains et les toilettes sont presque toujours dans la même pièce. On désigne cette pièce **cuarto de baño, baño** ou **aseo**.

---

# Instalarse S'installer, emménager

| vivir | habiter | **2.** vivre |
|---|---|---|
| cambiar de casa | déménager | SYN. **mudarse** |
| la mudanza | le déménagement | |
| alquilar | louer | ∅ **el alquiler** : le loyer, la location |
| el inquilino | le locataire | |
| el dueño | le propriétaire | SYN. **el propietario** |
| la fianza | la caution | |
| amueblar | meubler | ∅ **el mueble** : le meuble |
| el vecindario | le voisinage | ∅ **el vecino** : le voisin |

# El bricolaje y la jardinería
## Le bricolage et le jardinage

| | | |
|---|---|---|
| **hacer** (v. irr.) **bricolaje** | bricoler | |
| **el martillo** | le marteau | |
| **el clavo** | le clou | ✐ **clavar** : clouer |
| **el tornillo** | la vis | ✐ **atornillar** : visser |
| | | ✐ **el destornillador** : le tournevis |
| **la sierra** | la scie | ✐ **serrar** (v. irr. e>ie) : scier |
| **el manitas** (fam.) | le bricoleur | |
| **la chapuza** | la bricole | **2.** le rafistolage |
| | | |
| **el jardín** | le jardin | → p. 80 (Les plantes) |
| **el césped** | le gazon | ✐ **el cortacésped** : la tondeuse à gazon |

# Las tareas domésticas  Les tâches ménagères

| | | |
|---|---|---|
| **la limpieza** | le ménage | ✐ **limpiar** : nettoyer |
| **fregar** (v. irr. e>ie) | laver | ☞ **~ los platos** : faire la vaisselle |
| **la fregona** | le balai-serpillière | REM. **el mocho** (fam.) |
| **la escoba** | le balai | |
| **el recogedor** | la pelle | |
| **barrer** | balayer | |
| **la aspiradora** | l'aspirateur | SYN. **el aspirador** |
| **el polvo** | la poussière | ☞ **limpiar el ~** : faire la poussière |
| **el trapo** | le chiffon | |
| **la basura** | les ordures | ☞ **sacar la ~** : sortir la poubelle |
| **la plancha** | le fer à repasser | ✐ **planchar** : repasser |

---

## ☞ Expressions

**tirar la casa por la ventana** (fam.) : jeter l'argent par les fenêtres • **como Pedro por su casa** (fam.) : comme dans un moulin • **empezar la casa por el tejado** : mettre la charrue avant les bœufs • **Le falta un tornillo.** (fam.) Il a une case en moins.

---

# 11 La familia
## La famille

Muchos padres, unidos en santo matrimonio hace décadas, han casado a sus hijos mayores por la Iglesia, a los medianos por el juzgado y a los pequeños por ningún sitio porque se han ido de casa a los treinta años para vivir con su pareja sin papeles. Eso si se han ido. Ven venir y llegar las separaciones; cuidan a los hijos de sus hijas trabajadoras, van a menos bodas, bautizos y comuniones.

Luis Sánchez-Mellado, "La revolución familiar" © El País Semanal, 2005.

*Beaucoup de parents, unis depuis des décennies par les liens sacrés du mariage, ont marié leurs aînés à l'Église, leurs cadets à la mairie et leurs petits derniers nulle part puisqu'ils sont partis à trente ans de la maison pour vivre en concubinage. Enfin, à supposer que ceux-ci soient partis... Ces parents-là sont aujourd'hui témoins de séparations successives, gardent les enfants de leurs filles qui travaillent, et se rendent de moins en moins aux mariages, aux baptêmes et aux communions.*

## Los miembros de la familia
## Les membres de la famille

| | | |
|---|---|---|
| **la familia** | *la famille* | ☞ **la ~ numerosa/monoparental/ reconstituida** : *la famille nombreuse/ monoparentale/recomposée* |
| | | *ℰ* **familiar** : *familier* |
| **el pariente** | *le parent* [membre de la famille] | Syn. **el familiar** |
| | | ☞ **el ~ cercano/lejano** : *le parent proche/éloigné* |
| | | ☞ **los ~s** : *les membres de la famille* |
| **el padre** | *le père* | Rem. **el papá** *(fam.)* : *le papa* |
| **la madre** | *la mère* | Rem. **la mamá** *(fam.)* : *la maman* |
| **los padres** | *les parents* | |
| **la paternidad** | *la paternité* | *ℰ* **paterno** : *paternel* |
| **la maternidad** | *la maternité* | *ℰ* **materno** : *maternel* |
| **el padrastro** | *le beau-père* [nouveau mari de la mère] | |
| **la madrastra** | *la belle-mère* [nouvelle épouse du père] | |
| **el hijo** | *le fils* | *ℰ* **la hija** : *la fille* |
| | | *ℰ* **los hijos** : *les enfants* |

| el hijastro | le beau-fils | 🖋 **la hijastra** : *la belle-fille* |
| | *[fils du conjoint]* | *[fille du conjoint]* |
| **filial** | *filial* | |
| el primogénito | *l'aîné* | Syn. **el mayor** |
| el benjamín | *le cadet* | Syn. **el menor** |
| el hermano | *le frère* | 🖋 **la hermana** : *la sœur* |
| | | 🖋 **los hermanos** : *les frères et sœurs* |
| el hermanastro | *le demi-frère* | 🖋 **la hermanastra** : *la demi-sœur* |
| el gemelo | *le jumeau* | |
| el mellizo | *le faux jumeau* | |
| **fraterno** | *fraternel* | 🖋 **la fraternidad** : *la fraternité* |
| el abuelo | *le grand-père* | 🖋 **la abuela** : *la grand-mère* |
| | | 🖋 **los abuelos** : *les grands-parents* |
| el nieto | *le petit-fils* | 🖋 **la nieta** : *la petite-fille* |
| | | 🖋 **los nietos** : *les petits-enfants* |
| el tío | *l'oncle* | **2.** *(fam.)* *le mec* |
| | | 🖋 **la tía** : *la tante* **2.** *(fam.)* *la nana* |
| | | 🖋 **los tíos** : *les oncles et les tantes* |
| el sobrino | *le neveu* | 🖋 **la sobrina** : *la nièce* |
| | | 🖋 **los sobrinos** : *les neveux et les nièces* |
| el primo | *le cousin* | 🖋 **la prima** : *la cousine* |
| | | 🖋 **los primos** : *les cousins et les cousines* |
| el padrino | *le parrain* | |
| la madrina | *la marraine* | |
| el ahijado | *le filleul* | 🖋 **la ahijada** : *la filleule* |

## ▶ La familia política *La belle-famille*

| el suegro | *le beau-père* | 🖋 **la suegra** : *la belle-mère* |
| | *[père du conjoint]* | *[mère du conjoint]* |
| | | 🖋 **los suegros** : *les beaux-parents* |
| | | *[parents du conjoint]* |
| el yerno | *le gendre* | |
| la nuera | *la belle-fille* *[épouse du fils]* | |
| el cuñado | *le beau-frère* | 🖋 **la cuñada** : *la belle-sœur* |

---

### 🕭 Expressions

**tener un aire de familia** : *avoir un air de famille* • **De tal palo, tal astilla.** *Tel père, tel fils.* • **de padre y muy señor mío** *(fam.)* : *énorme, de première classe* • **¡Madre mía!** *Mon Dieu !* • **No hay tu tía.** *(fam.)* *Tu peux toujours courir.* • **no necesitar abuela** *(fam.)* : *s'envoyer des fleurs* • **¡Cuéntaselo a tu abuela!** *(fam.)* *À d'autres !* • **ser un primo** *(fam.)* : *être une poire* • **hacer el primo** *(fam.)* : *se faire avoir*

# Vida en pareja, unión y separación
## Vie en couple, union et séparation

| | | |
|---|---|---|
| la pareja | le couple | **2.** *le partenaire* |
| | | ☞ **la ~ de hecho :** le couple vivant en concubinage ou ayant contracté l'équivalent du Pacs |
| el novio | le copain, le petit ami | **2.** *le fiancé* |
| | | ✍ **los novios :** *les fiancés* |
| salir con alguien | *sortir avec qqn* | |
| el prometido | *le fiancé* | ✍ **prometerse :** *se fiancer* |
| la pedida de mano | *les fiançailles* | |
| hacer la despedida de soltero/soltera | *enterrer sa vie de garçon/de jeune fille* | |
| el matrimonio | *le mariage* | **2.** *le couple marié* |
| casarse | *se marier* | ☞ **los recién casados :** les jeunes mariés |
| el cónyuge | *le conjoint* | ✍ **conyugal :** conjugal |
| el marido | *le mari* | Syn. **el esposo :** l'époux |
| la mujer | *la femme* | Syn. **la esposa :** l'épouse |
| la boda | *le mariage, la noce* | ☞ **las ~s de plata/oro :** les noces d'argent/d'or |
| la dama de honor | *la demoiselle d'honneur* | |
| el testigo | *le témoin* | |
| el invitado | *l'invité* | ✍ **la invitación :** le faire-part |
| el anillo (de boda) | *l'alliance* | Syn. **la alianza** |
| el traje de novia | *la robe de mariée* | |
| el viaje de novios | *le voyage de noces* | Syn. **la luna de miel** |

## ☞ Les droits des couples homosexuels

■ Le mariage homosexuel a été légalisé en Espagne en 2005, tout comme l'adoption d'enfants par des couples de même sexe.

| | | |
|---|---|---|
| la riña | *la dispute* | ✍ **reñir** (v. irr. e>i) : *se disputer* |
| la ruptura | *la rupture* | ✍ **romper :** *rompre* |
| la separación | *la séparation* | ✍ **separarse :** *se séparer* |
| el divorcio | *le divorce* | ✍ **divorciarse :** *divorcer* |

## ☞ Le divorce en Espagne

■ Le divorce a été légalisé en Espagne en 1981.

**Son tal para cual.** *Ils sont faits l'un pour l'autre.* • **Cada oveja con su pareja.**
*Chacun avec sa chacune.* • **mi media naranja** *(fam.)* : *ma moitié* • **el príncipe
azul** : *le prince charmant* • **¡Vivan los novios!** *Vive les mariés !*

▶ ## La sexualidad *La sexualité*

| | | |
|---|---|---|
| **el sexo** | *le sexe* | |
| **sexual** | *sexuel* | 🖝 **tener** (v. irr.) **relaciones ~es** : *avoir des rapports sexuels* |
| **el erotismo** | *l'érotisme* | ✐ **erótico** : *érotique* |
| **la fantasía sexual** | *le fantasme* | |
| **el deseo** | *le désir* | ✐ **desear** : *désirer* |
| **el amante** | *l'amant* | 🖝 **la ~** : *la maîtresse* |
| **la pasión** | *la passion* | ✐ **apasionado** : *passionné* |
| **sensual** | *sensuel* | |
| **la píldora** | *la pilule* | |
| **el preservativo** | *le préservatif* | Syn. **el condón** |
| **acostarse** (v. irr. o>ue) **con** *(fam.)* | *coucher avec* | |
| **hacer** (v. irr.) **el amor** | *faire l'amour* | |
| **la masturbación** | *la masturbation* | |
| **el placer** | *le plaisir* | |
| **la eyaculación** | *l'éjaculation* | ✐ **eyacular** : *éjaculer* |
| **el orgasmo** | *l'orgasme* | |

## Los hijos y su educación *Les enfants et leur éducation*

| | | |
|---|---|---|
| **tener** (v. irr.) **hijos** | *avoir des enfants* | → p. 11 (La naissance et la mort) |
| **el hijo único** | *l'enfant unique* | |
| **la madre soltera** | *la mère célibataire* | |
| **el huérfano** | *l'orphelin* | |
| **la adopción** | *l'adoption* | ✐ **adoptar** : *adopter* |
| **la educación** | *l'éducation* | ✐ **educar** : *éduquer, élever* |
| **criar** | *élever* | 2. *éduquer* |
| | | ≠ **gritar** : *crier* |
| **malcriar** | *mal élever* | ✐ **malcriado** : *mal élevé* |
| **mimar** | *gâter* | 2. *câliner* |
| | | ✐ **mimado** : *gâté* |
| **obedecer** (v. irr.) | *obéir* | Ant. **desobedecer** (v. irr.) : *désobéir* |
| **regañar** | *gronder, réprimander* | Syn. **reñir** (v. irr. e>i) |
| **castigar** | *punir* | ✐ **un castigo** : *une punition* |

# 12 Las relaciones con los demás
## Les relations avec autrui

El flechazo nos altera el corazón
Provoca ansiedad. Acelera el pulso. Quita el sueño. Reduce el apetito.
Disminuye la concentración...
Para unos San Valentín es una treta comercial, otros se emocionan en
este día y a muchos les da igual. Pero a lo que nadie escapa si siente un
flechazo es a los cambios que se producen en el organismo: se acelera el
pulso, cae el apetito... Eso sí, de amor, amor, no suele morirse nadie.

"¡Sonríe, hoy es San Valentín!" © Qué!, 2007.

*Le coup de foudre nous fait palpiter le cœur / Il provoque de l'anxiété. Il accélère le pouls. Il
empêche de dormir. Il coupe l'appétit. Il diminue la concentration... / Pour les uns la Saint-Valentin
est une astuce commerciale, d'autres sont émus ce jour-là et pour la plupart, ils s'en moquent.
Quand on a un coup de foudre, personne n'échappe aux changements qui se produisent dans
l'organisme : le pouls s'accélère, on perd l'appétit... Ceci dit, personne ne meurt d'amour.*

## El respeto *Le respect*

| | | |
|---|---|---|
| **respetar** | *respecter* | 🖋 **respetuoso** : *respectueux* |
| **los buenos modales** | *les bonnes manières* | |
| **la cortesía** | *la courtoisie, la politesse* | 🖋 **cortés** : *courtois* |
| **usted** (pl. **ustedes**) | *vous* [de politesse] | ☞ **tratar de** ~ : *vouvoyer* |

### ☞ Le tutoiement

■ Plus répandu en Espagne, le tutoiement n'est jamais ressenti comme un manque
de respect.

## La confianza *La confiance*

| | | |
|---|---|---|
| **la familiaridad** | *la familiarité* | |
| **tutear** | *tutoyer* | Syn. **tratar de tú** |
| | | 🖋 **el tuteo** : *le tutoiement* |
| **tú** | *tu, toi* | *Amér.* **vos** |
| **vosotros** | *vous* [« tu » collectif] | *Amér.* **ustedes** |
| **la confianza** | *la confiance* | ☞ **tener** (v. irr.) ~ **con alguien** : *être intime avec qqn* |

| confiar | confier | ☞ ~ **en** : avoir confiance en ou dans **2.** avoir bon espoir de |
| **la confidencia** | la confidence | ✎ **confidencial** : confidentiel |
| **fiarse (de)** | avoir confiance (en), se fier (à) | **2.** faire confiance (à) |
| **la lealtad** | la loyauté | ✎ **leal** : loyal |
| **el secreto** | le secret | |

➜ p. 265 (Exprimer la confiance, la méfiance)

## La admiración L'admiration

| **admirar** | admirer | ✎ **el admirador** : l'admirateur |
| **fascinar** | fasciner | ✎ **la fascinación** : la fascination |
| **idealizar** | idéaliser | ✎ **el ideal** : l'idéal |

➜ p. 272 (Exprimer l'admiration, le mépris)

## La amistad L'amitié

| **las amistades** | les amis, les relations | Syn. **el círculo de amigos** |
| **el amigo** | l'ami, le copain | ☞ **el ~ de toda la vida** : le vieux copain |
| **íntimo** | intime | ✎ **intimar (con)** : lier amitié (avec) |
| **el compañero** | le camarade, le collègue | ☞ **el ~ (sentimental)** : le compagnon |
| **el colega** (fam.) | le pote | **2.** le collègue |
| **el conocido** | la connaissance | ✎ **conocer** (v. irr.) **a alguien** : **1.** connaître qqn **2.** faire la connaissance de qqn |
| **caer** (v. irr.) **bien/mal** | aimer bien/ne pas aimer | Rem. **Juan me cae bien.** J'aime bien Juan. |
| **llevarse bien (con)** | bien s'entendre (avec) | Ant. **llevarse mal (con)** : ne pas s'entendre (avec) |

➜ p. 273 (Parler des relations entre personnes)

## El amor L'amour

| **querer** (v. irr. e>ie) | aimer | Syn. **amar** |
| **la caricia** | la caresse | ✎ **acariciar** : caresser |
| **el beso** | le baiser | ✎ **besar** : embrasser |
| **el abrazo** | l'accolade, l'étreinte | ✎ **abrazar** : serrer dans les bras |
| **romántico** | romantique | ✎ **el romanticismo** : le romantisme |
| **tierno** | tendre | ✎ **la ternura** : la tendresse |

| | | |
|---|---|---|
| **fiel** | *fidèle* | Aɴᴛ. **infiel** : *infidèle* |
| **gustarse** | *se plaire* | |
| **enamorarse** | *tomber amoureux* | ⌀ **enamorado** : *amoureux* |
| **el flechazo** | *le coup de foudre* | |
| **coquetear** | *flirter* | Rᴇᴍ. **tontear** *(fam.)* |
| **ligar** *(fam.)* | *draguer* | ⌀ **ligón** *(fam.)* : *dragueur* |
| **seducir** (v. irr.) | *séduire* | |
| **la declaración de amor** | *la déclaration d'amour* | ⌀ **declararse** : *faire une déclaration d'amour* |
| **la relación** | *la relation* | |
| **echar de menos** | *manquer* | **2.** *regretter*<br>Rᴇᴍ. **Te echo de menos.** *Tu me manques.* |

➜ p. 48 (La sexualité), ➜ p. 273 (Parler des relations entre personnes)

# El odio La haine

| | | |
|---|---|---|
| **odiar** | *haïr, détester* | Sʏɴ. **aborrecer** (v. irr.) |
| **la manía** *(fam.)* | *l'aversion* | ☞ **tener** (v. irr.) ~ **a alguien** *(fam.)* : *avoir une dent contre qqn*<br>☞ **coger** ~ **a alguien** *(fam.)* : *prendre qqn en grippe* |
| **la enemistad** | *l'inimitié* | ⌀ **el enemigo** : *l'ennemi* |

➜ p. 273 (Parler des relations entre personnes)

# La desconfianza La méfiance

| | | |
|---|---|---|
| **desconfiado** | *méfiant* | ⌀ **desconfiar (de)** : *se méfier (de)* |
| **la falta de confianza** | *le manque de confiance* | |
| **la traición** | *la trahison* | ⌀ **traicionar** : *trahir* |
| **el engaño** | *la tromperie* | ⌀ **engañar** : *tromper* |
| **la mentira** | *le mensonge* | Rᴇᴍ. **la trola** *(fam.)* |
| **mentir** (v. irr. e>ie) | *mentir* | ⌀ **mentiroso** : *menteur* |

➜ p. 265 (Exprimer la confiance, la méfiance)

# El desprecio Le mépris

| | | |
|---|---|---|
| **despreciar** | *mépriser* | Sʏɴ. **menospreciar** |
| **el desdén** | *le dédain* | ⌀ **desdeñar** : *dédaigner* |
| **la humillación** | *l'humiliation* | ⌀ **humillar** : *humilier*<br>⌀ **humillante** : *humiliant* |

➜ p. 272 (Exprimer l'admiration, le mépris)

# La envidia  La jalousie

| | | |
|---|---|---|
| **envidioso** | envieux, jaloux | ⚬ **envidiar** : envier, jalouser |
| **los celos** | la jalousie [possessivité affective] | ⚬ **dar** (v. irr.)/**tener** (v. irr.) ~ : rendre/être jaloux |
| | | ⚬ **celoso** : jaloux |

## Disputas y reconciliación
Querelles et réconciliation

| | | |
|---|---|---|
| **la pelea** | la querelle, la dispute | **2.** la bagarre |
| **pelearse** | se disputer | **2.** se bagarrer |
| | | Syn. **discutir, reñir** (v. irr. e>i) |
| **el enfado** | la fâcherie, la colère | Rem. **el mosqueo** (fam.) |
| **enfadarse** | se fâcher | Rem. **mosquearse** (fam.) : prendre la mouche, se vexer |
| **la bronca** (fam.) | l'engueulade | ⚬ **echar una ~** (fam.) : engueuler, passer un savon |
| **el insulto** | l'insulte | ⚬ **insultar** : insulter |
| **la palabrota** | le gros mot | Syn. **el taco** (fam.) |
| **la disculpa** | l'excuse | ⚬ **disculparse** : s'excuser |
| **el perdón** | le pardon | ⚬ **pedir** (v. irr. e>i) ~ : demander pardon, s'excuser |
| | | ⚬ **perdonar** : pardonner |
| **el rencor** | la rancune | ⚬ **guardar ~** : en vouloir à qqn |

→ p. 263 (Exprimer l'ennui, la colère)

## ☞ Expressions

**tomar muchas confianzas** : prendre trop de libertés • **tener una fe ciega en alguien** : avoir une confiance aveugle en qqn • **quedar como amigos** : rester amis • **hacer buenas migas** (fam.) : faire bon ménage • **Piensa mal y acertarás.** Méfiance est mère de sûreté. • **Esto me da mala espina.** (fam.) Cela m'a l'air louche. • **no hacer ni caso a alguien** : ignorer complètement qqn, se moquer éperdument de qqn • **estar de morros** (fam.) : faire la gueule, bouder • **no tragar a alguien** (fam.) : ne pas pouvoir saquer qqn

# 13 Las emociones
## Les émotions

Alejandro odia que le cuenten chistes, y si es el único destinatario, peor que peor. Le parece lo más incómodo del mundo, porque hay que reírse casi por obligación, si no te ríes, la cosa queda fatal, pero ¿cómo reírse, si los chistes pocas veces le hacen gracia, al menos tanta como para soltar una carcajada?

Martín Casariego Córdoba, *¡Qué poca prisa se da el amor!* © Anaya, 1997.

*Alejandro déteste qu'on lui raconte des blagues, et s'il est lui le seul auditeur, c'est encore pire. Cela le met très mal à l'aise car il faut rire sur commande, si tu ne rigoles pas, cela ne va pas, mais comment faire pour rigoler si les blagues le font rarement rire, tout du moins pas au point de s'esclaffer?*

| el sentimiento | le sentiment |
|---|---|

## La alegría y la felicidad  La joie et le bonheur

| | | |
|---|---|---|
| **alegre** | (estar) : content | **2.** (ser) : *gai, joyeux* |
| **alegrarse** | être content, se réjouir | |
| **contento** | (estar) : content | |
| **feliz** | (ser) : heureux | Syn. **dichoso** |
| **el entusiasmo** | l'enthousiasme | 🖉 **entusiasmarse** : s'enthousiasmer |
| **el ánimo** | le courage | 🖉 **estar animado** : avoir la forme |
| **el buen humor** | la bonne humeur | |
| **la risa** | le rire | 🗫 **el ataque de ~** : le fou rire |
| | | 🖉 **reír** (v. irr. e>i) : rire |
| | | 🖉 **risueño** : souriant |
| **la sonrisa** | le sourire | 🖉 **sonreír** (v. irr. e>i) : sourire |
| **la carcajada** | l'éclat de rire | |
| **gracioso** | drôle | ≠ **grácil** : gracieux |
| **afable** | affable | |
| **la broma** | la plaisanterie | 🗫 **en ~** : pour rire |
| | | 🖉 **bromear** : plaisanter |
| **el chiste** | l'histoire drôle | 🖉 **chistoso** : drôle |

→ p. 270 (Exprimer la surprise, la joie)

# La tristeza *La tristesse*

| | | |
|---|---|---|
| **triste** | triste | ✍ **tristón** : tristounet |
| **infeliz** | (ser) : malheureux | |
| **la pena** | la peine, le chagrin | **2.** *Amér.* la honte |
| **el sufrimiento** | la souffrance | ✍ **sufrir** : souffrir |
| **la desgracia** | le malheur | ✍ **desgraciado** : malheureux |
| **el disgusto** | la déception, la contrariété | ☞ **llevarse un ~** : être déçu, être contrarié |
| **el desengaño** | la désillusion, la déception | Syn. **la desilusión** |
| **la decepción** | la déception | Rem. **el chasco** *(fam.)* |
| **la depresión** | la déprime | **2.** la dépression |
| | | ✍ **deprimirse** : déprimer |
| **deprimido** | (estar) : déprimé | ✍ (ser) **deprimente** : déprimant |
| **el desánimo** | le découragement | ✍ **desanimarse** : se décourager |
| **la desesperación** | le désespoir | ✍ (estar) **desesperado** : désespéré |
| **la lágrima** | la larme | |
| **el llanto** | les pleurs | |
| **llorar** | pleurer | |
| **el sollozo** | le sanglot | ✍ **sollozar** : sangloter |
| **el desahogo** | le soulagement | ✍ **desahogarse** : s'épancher |
| **consolar** *(v. irr. o>ue)* | consoler | |

→ p. 267 (Exprimer la déception, la peine, la résignation)

# La sorpresa *La surprise*

| | | |
|---|---|---|
| **sorprenderse** | s'étonner, être surpris | ✍ (estar) **sorprendido** : surpris |
| | | ✍ (ser) **sorprendente** : surprenant |
| **extrañarse** | s'étonner | ✍ **extraño** : bizarre |
| **asombrarse** | s'étonner | Syn. **quedarse atónito** : rester sans voix |
| **el asombro** | l'étonnement | ✍ (estar) **asombrado** : étonné |
| | | ✍ (ser) **asombroso** : étonnant |
| **alucinar** *(fam.)* | halluciner | Syn. **flipar** *(fam.)* |
| **inesperado** | inespéré | |
| **imprevisto** | imprévu | |

→ p. 270 (Exprimer la surprise, la joie)

---

☞ **Expressions**

**partirse de risa** *(fam.)* : se tordre de rire • **estar de guasa** *(fam.)* : être d'humeur à rigoler • **a lágrima viva** : à chaudes larmes • **de pena** *(fam.)* : lamentable • **pillar por sorpresa** : prendre au dépourvu • **quedarse boquiabierto** : rester bouche bée

---

# La agresividad y la ira *L'agressivité et la colère*

| | | |
|---|---|---|
| **agresivo** | *agressif* | |
| **la violencia** | *la violence* | ✍ **violento** : *violent* |
| **la cólera** | *la colère* | Syn. **la ira** |
| | | ≠ **el cólera** : *le choléra* |
| **la rabia** | *la rage, la colère* | ✍ **rabiar** : *se mettre en colère* |
| **la rabieta** *(fam.)* | *la crise de nerfs* | ☞ **pillar una ~** : *piquer une crise* |
| **los nervios** | *les nerfs* | |
| **nervioso** | *(estar)* : *énervé* | **2.** *(ser)* : *nerveux* |
| | | ☞ **ponerse** (v. irr.) **~** : *s'énerver* |
| | | **2.** *être nerveux, stresser* |
| **irritable** | *(ser) irritable* | ✍ *(estar)* **irritado** : *irrité* |
| **gritar** | *crier* | Syn. **chillar** |
| **la bofetada** | *la gifle* | Syn. **el bofetón, la torta** *(fam.)* |
| | | ✍ **abofetear** : *gifler* |
| **pegar** | *frapper* | ✍ **pegarse** : *se battre* |

➜ p. 263 (Exprimer l'ennui, la colère)

# La vergüenza *La honte*

| | | |
|---|---|---|
| **sentir** (v. irr. e>ie) *ou* **pasar vergüenza** | *avoir honte* | |
| **dar** (v. irr.) **vergüenza** | *faire honte* | |
| **avergonzarse** (v. irr. o>ue) **(de)** | *avoir honte (de)* | |
| **sonrojarse** | *rougir* | Syn. **ponerse** (v. irr.) **rojo** |
| **la timidez** | *la timidité* | |

➜ p. 275 (Exprimer ses sensations)

# El miedo *La peur*

| | | |
|---|---|---|
| **miedoso** | *peureux* | Rem. **miedica** *(fam.)* : *trouillard* |
| **el susto** | *la peur, la frayeur* | ✍ **asustar** : *faire peur* |
| **el temor** | *la crainte* | ✍ **temer** : *craindre* |
| **la fobia** | *la phobie* | |

➜ p. 275 (Exprimer ses sensations)

## ☞ Expressions

**sacar a alguien de quicio** *(fam.)* : *faire sortir qqn de ses gonds* • **poner el grito en el cielo** *(fam.)* : *pousser les hauts cris*

# 14 Los estudios

## Les études

Aunque se le han atragantado los números, a Marielves le gustaría estudiar en el futuro una carrera universitaria de la rama de ciencias. "Lo que más me interesa es la física y la química". Precisamente, física y química son culpables, junto con las matemáticas, de que este año haya repetido curso. Y al llegar el verano... Otra vez las mates.

Quino Petit y Luz Sánchez-Mellado, "Verano en suspenso" © El País Semanal, 2006.

*Même si elle oppose quelques résistances aux mathématiques, plus tard Marielves aimerait faire des études scientifiques. « Ce qui m'intéresse le plus, c'est la physique et la chimie. » Et ce sont précisément la physique, la chimie et les mathématiques, qui sont responsables de son redoublement cette année. Et quand viendra l'été... elle fera à nouveau des maths.*

| | | |
|---|---|---|
| la escolaridad | la scolarité | |
| el alumno | l'élève | |
| el estudiante | l'étudiant | |
| el compañero | le camarade | 2. le voisin de banc |
| el maestro | l'instituteur, le maître | |
| el profesor | le professeur | REM. **el profe** *(fam.)* : le prof |
| el tutor | le professeur principal | 2. le précepteur |
| el catedrático | le professeur agrégé | |
| el director | le directeur | |

## El sistema escolar y universitario
## Le système scolaire et universitaire

| | | |
|---|---|---|
| el curso | l'année scolaire | 2. la promotion |
| la clase | le cours | 2. la salle de cours |
| los estudios | les études | |
| la carrera | les études universitaires | |
| la guardería | la crèche | |
| la escuela infantil | l'école maternelle | |
| la escuela | l'école | 2. le collège |
| | | SYN. **el colegio, el cole** *(fam.)* |
| el instituto | le lycée | |
| la universidad | l'université | |

| | | |
|---|---|---|
| la facultad | la faculté | |
| la academia | l'académie | ⮆ **la ~ de idiomas** : l'école de langues |
| la vuelta al cole *(fam.)* | la rentrée des classes | |
| la matrícula | l'inscription | 🗲 **matricularse** : s'inscrire |
| el diploma | le diplôme | |
| la licenciatura | la maîtrise | 🗲 **licenciarse** : avoir une maîtrise |
| el doctorado | le doctorat | 🗲 **doctorarse** : avoir un doctorat |
| la beca | la bourse | 🗲 **el becario** : le boursier |

### ⮆ Le système éducatif espagnol

■ En Espagne, l'école est obligatoire de 6 à 16 ans.
■ **La selectividad** est l'équivalent du baccalauréat en France.
■ **La educación universitaria**, réformée en Europe par l'accord de Bologne (1999), est divisée en **estudios de grado** (niveau d'études du premier et deuxième cycle universitaire), **posgrado** (niveau d'études du troisième cycle universitaire) et **doctorado** (doctorat).

# En el colegio À l'école

| | | |
|---|---|---|
| la secretaría | le secrétariat | ≠ **la secretaria** : la secrétaire |
| la sala de profesores | la salle de professeurs | |
| el gimnasio | le gymnase | |
| el patio (de recreo) | la cour de récréation | |
| la biblioteca | la bibliothèque | **2.** le CDI |
| el laboratorio | le laboratoire | |
| el comedor | la cantine | ⮆ **el ~ universitario** : le restau U |
| el salón de actos | la salle polyvalente | |

## ▶ El aula La salle de classe

| | | |
|---|---|---|
| la clase | le cours | **2.** la salle de classe |
| la pizarra | le tableau | **2.** l'ardoise |
| la tiza | la craie | |
| la cartera | le cartable | |
| el libro | le livre | → p. 112 (Le livre) |
| el cuaderno | le cahier | |
| la carpeta | le classeur | |
| la hoja (de papel) | la feuille de papier | Syn. **el folio** |
| la calculadora | la calculatrice | |
| el estuche | la trousse | |
| el bolígrafo | le stylo à bille | Rem. **el boli** *(fam.)* |

| la pluma | le stylo plume | Syn. **la estilográfica** |
| la tinta | l'encre | |
| el lápiz | le crayon (à papier) | Syn. **el lapicero** |
| el rotulador | le feutre | |
| la goma | la gomme | |
| la regla | la règle | |
| el pegamento | la colle | Syn. **la cola** |

# Materias y deberes Matières et travail scolaires

## ▶ Las asignaturas Les matières

| el horario | l'emploi du temps | |
| lengua y literatura | langue et littérature | |
| las matemáticas | les mathématiques | Rem. **las mates** *(fam.)* : les maths |
| la historia | l'histoire | |
| la geografía | la géographie | |
| el arte | l'art | |
| la filosofía | la philosophie | |
| la música | la musique | |
| la física | la physique | |
| la química | la chimie | |
| las ciencias naturales | les sciences naturelles, les SVT | |
| los idiomas | les langues | |
| la educación física | l'EPS | |
| el dibujo | le dessin | |
| los trabajos manuales | les travaux manuels | |
| la clase de prácticas | les TP | |

## ▶ Las actividades escolares Le travail scolaire

| la lección | la leçon | |
| el tema | le sujet | **2.** la leçon [chapitre] |
| | | ≠ **la traducción inversa** : le thème |
| el ejercicio | l'exercice | |
| el dictado | la dictée | |
| la redacción | la rédaction | ✍ **redactar** : rédiger |
| el resumen | le résumé | ✍ **resumir** : résumer |
| el comentario de texto | l'explication de texte | |
| los apuntes | les notes, les cours | ☞ **tomar ~** : prendre des notes |
| leer | lire | ✍ **la lectura** : la lecture |

| escribir | écrire | 🖉 la escritura : l'écriture |
|---|---|---|
| estudiar | étudier, travailler | ≠ trabajar : travailler [à l'usine, au bureau] |
| aprender | apprendre [acquérir une connaissance] | ≠ enseñar : apprendre [enseigner] |
| empollar *(fam.)* | potasser, bûcher | REM. hincar los codos *(fam.)* |
| repasar | réviser | 🖉 el repaso : la révision |
| los deberes | les devoirs | ☞ hacer los ~ : faire ses devoirs |

## ▶ Los exámenes y las notas Les examens et les notes

| la convocatoria | la convocation | |
|---|---|---|
| el examen | l'examen | 🖉 examinarse : passer un examen |
| corregir (v. irr. e>i) | corriger | |
| la evaluación | l'évaluation | |
| la chuleta *(fam.)* | l'antisèche | |
| copiar | copier | ☞ pillar a alguien copiando *(fam.)* : choper qqn en train de copier |
| el boletín (escolar) | le carnet de notes | |
| las notas | les notes [résultat] | ☞ sacar buenas/malas ~ : avoir de bonnes/mauvaises notes |
| un aprobado | une mention passable | |
| aprobar (v. irr. o>ue) | être reçu [à un examen] | |
| un suspenso | note en dessous de la moyenne | REM. un cate *(fam.)* |
| suspender [l'élève] | rater un examen | REM. catear *(fam.)* |
| repetir (v. irr. e>i) | redoubler | 2. répéter |
| convalidar | obtenir l'équivalence de | 2. homologuer |

### ☞ Les résultats scolaires

■ En Espagne, le système de notation est sur 10.
■ Il est possible de passer des examens en septembre pour rattraper les matières ratées en juin.
■ Voici les équivalences entre le système de notation espagnol et français :

| 0-4/10 | Insuficiente (Is) | ≈ En dessous de la moyenne |
|---|---|---|
| 5/10 | Suficiente (Sf) | ≈ Mention passable |
| 6/10 | Bien (Bi) | ≈ Mention assez bien |
| 7-8/10 | Notable (Nt) | ≈ Mention bien |
| 9-10/10 | Sobresaliente (Sb) | ≈ Mention très bien |
| Matrícula de honor (MH) | | ≈ Avec les félicitations du jury |

# La vie professionnelle

¿BUSCAS tu primer empleo? Trabaja de lunes a viernes. 200-300 € semanales. Continuamos proceso de selección por ampliación de plantilla. Personal de 18 a 30 años. Departamento de relaciones públicas. No necesaria experiencia. Buena imagen. ¿A qué esperas...? ¡Llámanos!

*À la recherche d'un premier emploi? Du lundi au vendredi. 200-300 euros par semaine. Recherchons personnel de 18 à 30 ans pour agrandir notre équipe du Département des relations publiques. Débutants acceptés. Bonne présentation. Alors, n'attendez pas, appelez-nous!*

## El mundo laboral Le monde du travail

| | | |
|---|---|---|
| **el trabajador** | le travailleur | |
| **el trabajo** | le travail | ⌀ **trabajar** : travailler |
| **el puesto (de trabajo)** | le poste (de travail) | |
| **la jornada (laboral)** | la journée de travail | ↦ **la ~ continua/partida** : la journée continue/discontinue |
| | | ↦ **a ~ completa/media ~** : à plein temps/mi-temps |
| **el día laborable** | le jour ouvrable | Ant. **el día festivo** : le jour férié |
| **el empleo** | l'emploi | ⌀ **emplear** : employer |
| **el empleado** | l'employé | |
| **el contrato** | le contrat | ⌀ **contratar** : embaucher |
| | | ↦ **el ~ fijo/temporal** : le CDI/CDD |
| | | ↦ **el ~ eventual/en prácticas** : le contrat en intérim/d'apprentissage |
| **el convenio colectivo** | la convention collective | |
| **la nómina** | le bulletin de salaire | |
| **las horas extras** | les heures sup. | |
| **cobrar** | percevoir son salaire | |
| **el salario** | le salaire | Syn. **el sueldo** |
| | | ⌀ **el asalariado** : le salarié |
| **el aumento** | l'augmentation | |
| **el ascenso** | la promotion, l'avancement | ⌀ **ascender** (v. irr. e>ie) : être promu |
| **la antigüedad** | l'ancienneté | |
| **la ETT** | l'agence d'intérim | Rem. sigle de **empresa de trabajo temporal** |

## ✎☞ Primes

■ **La paga extra** est une prime perçue par la plupart des salariés deux fois par an, au mois de juillet et à Noël. Elle équivaut à un mois de salaire et s'ajoute à la rémunération annuelle. En Espagne, les travailleurs sont donc payés, en général, sur quatorze mois.

## Buscar un empleo  Chercher un emploi

| | | |
|---|---|---|
| **la búsqueda** | *la recherche* | |
| **la oferta (de empleo)** | *l'offre (d'emploi)* | |
| **el currículum (vitae)** | *le CV* | Syn. **el currículo** |
| | | → p. 343 (Rédiger un CV) |
| **la carta de presentación** | *la lettre de motivation* | |
| **la entrevista de trabajo** | *l'entretien d'embauche* | |
| **el contrato de prácticas** | *le stage en entreprise* | |
| **el periodo de prueba** | *la période d'essai* | |

## En la empresa  Au sein de l'entreprise

| | | |
|---|---|---|
| **la empresa** | *l'entreprise* | ⌀ **el empresario** : *le chef d'entreprise* |
| **la multinacional** | *la multinationale* | |
| **la pyme** | *la PME* | Rem. acronyme de **pequeña y mediana empresa** |
| **la sede** | *le siège* | |
| **la filial** | *la filiale* | |
| **el sector** | *le secteur* | |
| **el capital** | *le capital* | ≠ **la capital** : *la capitale* |
| **invertir** (v. irr. e>ie) | *investir* | ⌀ **el inversor** : *l'investisseur* |
| | | ⌀ **la inversión** : *l'investissement* |
| **el accionista** | *l'actionnaire* | |
| **el socio** | *l'associé* | |
| **el comité de empresa** | *le comité d'entreprise* | |
| **la plantilla** | *le personnel* | Syn. **el personal** |
| **el volumen de ventas** | *le chiffre d'affaires* | Syn. **la cifra de negocios** |
| **el estudio de mercado** | *l'étude de marché* | |
| **la competencia** | *la concurrence* | **2.** *la compétence* |
| **la competitividad** | *la compétitivité* | |
| **el balance** | *le bilan* | ≠ **la balanza** : *la balance* |
| **el beneficio** | *le bénéfice, le profit* | |

| los **ingresos** | les recettes | **2.** les revenus |
| los **gastos** | les dépenses | **2.** les frais |
| | | ↗ **gastar :** dépenser |
| la **quiebra** | la faillite | ↗ **quebrar** (v. irr. e>ie) : faire faillite |
| la **negociación** | la négociation | |
| el **sindicato** | le syndicat | |
| la **CEOE** | ≈ le MEDEF | Rem. sigle de **Confederación Española de Organizaciones Empresariales** |
| | | Syn. **la patronal :** le patronat |

## ▶ Los departamentos de una empresa
Les services d'une entreprise

| la **dirección** | la direction | |
| la **contabilidad** | la comptabilité | |
| los **recursos humanos** | les ressources humaines | |
| el **marketing** | le marketing | → p. 133 (La publicité) |
| la **gestión** | la gestion | |

# Algunas profesiones  Quelques professions

| la **profesión** | la profession | **2.** le métier |
| | | ☞ **la ~ liberal :** la profession libérale |
| **desempeñar** | occuper [poste, charge] | **2.** remplir [fonction, mission] |
| el **autónomo** | le travailleur indépendant | |
| el **jefe** | le chef | **2.** le patron |
| el **directivo** | le dirigeant | |
| el **ejecutivo** | le cadre (supérieur) | |
| el **director general** | le P.-D.G. | |
| el **comercial** | le commercial | |
| el **asesor** | le conseiller | |
| el **informático** | l'informaticien | |
| el **contable** | le comptable | |
| el **secretario** | le secrétaire | |
| el **administrativo** | l'employé de bureau | Syn. **el oficinista** |
| el **recepcionista** | le standardiste | |
| el **técnico** | le technicien | |
| el **ingeniero** | l'ingénieur | |
| el **abogado** | l'avocat | |
| el **juez** | le juge | |
| el **arquitecto** | l'architecte | |
| el **fontanero** | le plombier | Amér. **el plomero** |

| | | | |
|---|---|---|---|
| el electricista | l'électricien | | |
| el pintor | le peintre | | |
| el peluquero | le coiffeur | ⌀ **la peluquería** : le salon de coiffure |
| el policía | le policier | ≠ **la policía** : la police |
| el bombero | le pompier | | |
| el barrendero | l'éboueur | | |
| el taxista | le chauffeur de taxi | | |

→ p. 29 (Le personnel médical), 127 (Produire un film), 142 (L'artisanat et les artisans)

## & Notez bien

■ Les noms de métiers ont pour la plupart un féminin.

**el médico, la médica** le docteur, la doctoresse

**el juez, la jueza** le juge, la juge

# La inactividad laboral  L'inactivité professionnelle

| | | | |
|---|---|---|---|
| **el día libre** | la journée de congé | | |
| **la dimisión** | la démission | ⌀ **dimitir** : démissionner |
| **despedir** (v. irr. e>i) | licencier | REM. **echar** (fam.) : virer |
| | | ⌀ **el despido** : le licenciement |
| **el paro** | le chômage | ⌸ **estar en ~** : être au chômage |
| | | ⌀ **el parado** : le chômeur |
| **la huelga** | la grève | SYN. **el paro laboral** |
| **el absentismo** | l'absentéisme | | |
| **la jubilación** | la retraite | ⌸ **la ~ anticipada** : la préretraite |
| **el jubilado** | le retraité | ⌀ **jubilarse** : prendre sa retraite |

## ☞ Expressions

**trabajar como un burro** (fam.) : trimer comme un âne • **un trabajo de negros** (fam.) : un travail de forçat • **un trabajo de chinos** (fam.) : un travail de fourmi • **trabajar codo con codo** : travailler coude à coude • **no llegar a fin de mes** : avoir du mal à joindre les deux bouts

# 16 Describir el entorno

## Décrire son environnement

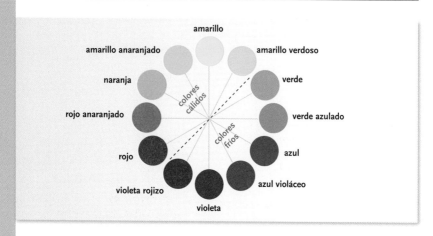

amarillo

amarillo anaranjado      amarillo verdoso

naranja       *colores cálidos*       verde

rojo anaranjado      verde azulado

     *colores fríos*

rojo       azul

violeta rojizo      azul violáceo

violeta

## Los colores Les couleurs

| | |
|---|---|
| **claro** | clair |
| **blanco** | blanc |
| **negro** | noir |
| **gris** | gris |
| **marrón** | marron |
| **rosa** | rose |
| **granate** | grenat |
| **beige, beis** | beige |

Ant. **oscuro** : *foncé*

☞ **en ~ y negro** : *en noir et blanc*

### & Notez bien

■ Les adjectifs de couleur en **-o**, s'accordent en genre et en nombre avec le nom qu'ils qualifient. Tous les autres sont invariables en genre.

### ☞ Expressions

**No hay color.** *(fam.)* Il n'y a pas photo. • **verlo todo de color de rosa** : voir tout en rose • **pasarlas moradas** *(fam.)* : en voir de toutes les couleurs • **poner verde a alguien** *(fam.)* : descendre qqn en flammes

# Las formas Les formes

| cuadrado | carré | | ⌂ el cuadrado : le carré |
|---|---|---|---|
| rectangular | rectangulaire | | ⌂ el rectángulo : le rectangle |
| triangular | triangulaire | | ⌂ el triángulo : le triangle |
| circular | circulaire | | ⌂ el círculo : le cercle |
| redondo | rond | | |
| recto | droit | | ⌂ la recta : la ligne droite |

# Las materias Les matières

| la madera | le bois | |
|---|---|---|
| el papel | le papier | |
| el cartón | le carton | ⌂ acartonado : cartonné |
| la piedra | la pierre | |
| el vidrio | le verre | Syn. el cristal |
| el plástico | le plastique | |
| el metal | le métal | ⌂ metálico : métalique |
| | | → p. 179 (Les ressources minérales) |
| el acero | l'acier | |

# Los números y las cifras Les nombres et les chiffres

→ p. 241 (Notez bien)

## ▶ Los números cardinales Les nombres cardinaux

| 0 cero | 10 diez | 20 veinte | 30 treinta | 100 cien |
|---|---|---|---|---|
| 1 uno(-a) | 11 once | 21 veintiuno(-a) | 31 treinta y uno(-a) | 101 ciento uno(-a) |
| 2 dos | 12 doce | 22 veintidós | 32 treinta y dos | 200 doscientos(-as) |
| 3 tres | 13 trece | 23 veintitrés | 33 treinta y tres... | 300 trescientos(-as) |
| 4 cuatro | 14 catorce | 24 veinticuatro | 40 cuarenta | 400 cuatrocientos(-as) |
| 5 cinco | 15 quince | 25 veinticinco | 50 cincuenta | 500 quinientos(-as) |
| 6 seis | 16 dieciséis | 26 veintiséis | 60 sesenta | 600 seiscientos(-as) |
| 7 siete | 17 diecisiete | 27 veintisiete | 70 setenta | 700 setecientos(-as) |
| 8 ocho | 18 dieciocho | 28 veintiocho | 80 ochenta | 800 ochocientos(-as) |
| 9 nueve | 19 diecinueve | 29 veintinueve | 90 noventa | 900 novecientos(-as) |

1 000 **mil**, 2 000 **dos mil**, 5 000 **cinco mil**...
1 000 000 **un millón**, 2 000 000 **dos millones**
1 000 000 000 **mil millones**

→ p. 239 (Chiffrer)

## ▶ Los números ordinales Les nombres ordinaux

1°/1ª **primero(-a)** (apoc. **primer**), 2°/2ª **segundo(-a)**, 3°/3ª **tercero(-a)** (apoc. **tercer**), 4°/4ª **cuarto(-a)**, 5°/5ª **quinto(-a)**, 6°/6ª **sexto(-a)**, 7°/7ª **séptimo(-a)**, 8°/8ª **octavo(-a)**, 9°/9ª **noveno(-a)**, 10°/10ª **décimo(-a)**.

À partir de 11ᵉ, on utilise davantage les adjectifs cardinaux.

# Cantidades Quantités

| | | |
|---|---|---|
| el peso | le poids | ✍ **pesar** : peser |
| el gramo | le gramme | |
| el kilo(gramo) | le kilo(gramme) | |
| la mitad | la moitié | |
| el doble | le double | |
| el triple | le triple | |
| | | |
| más | plus | ☞ **~ o menos** : à peu près |
| menos | moins | |
| mucho | beaucoup | |
| poco | peu | |
| bastante | assez | |
| demasiado | trop | |
| todo | tout | |
| nada | rien | |

## & Notez bien

**Mucho, poco, bastante** et **demasiado** s'accordent en genre et en nombre lorsqu'ils sont adjectifs.

**Ofrece muchas ventajas.** Il offre beaucoup d'avantages.

| | | |
|---|---|---|
| bastar | suffire | |
| faltar | manquer | **2.** rester [pour atteindre un but] |
| quedar | rester [une partie d'un tout] | |
| sobrar | rester [avoir en trop] | |

## ☞ Expressions

**hacer números** *(fam.)* : faire les comptes • **montar el número** *(fam.)* : faire son cinéma • **ser un cero a la izquierda** : être une nullité ; être un moins que rien • **de tres al cuarto** *(fam.)* : de rien du tout • **cada dos por tres** : à tout bout de champ • **ni gota** *(fam.)* : pas une once, que dalle

# Dimensiones Dimensions

| | | |
|---|---|---|
| la medida | la mesure | *medir* (v. irr. e>i) : mesurer |
| grande | grand | |
| mediano | moyen | |
| pequeño | petit | |
| la superficie | la surface | **2.** la superficie |
| la longitud | la longueur | |
| el ancho | la largeur | Syn. **la anchura** |
| la altura | la hauteur | ≠ **la altitud** : l'altitude |
| el milímetro | le millimètre | |
| el centímetro | le centimètre | |
| el metro | le mètre | |
| el kilómetro | le kilomètre | ☞ **~ por hora** : kilomètre à l'heure |

# Situar en el espacio Situer dans l'espace

| | | |
|---|---|---|
| estar | être [quelque part] | |
| encontrarse (v. irr. o>ue) | se trouver | Syn. **hallarse** |
| quedarse (en) | rester (à) | Syn. **permanecer** (v. irr.) |
| localizar | localiser | *la localización* : la localisation |

## & Notez bien

allí : là-bas

aquí : ici

ahí : là

| | | |
|---|---|---|
| dentro | dedans, à l'intérieur | ☞ **~ de** : dans |
| fuera | dehors | ☞ **~ de** : dehors, à l'extérieur de |
| encima | dessus | ☞ **~ de** : sur, au-dessus de |
| | | Syn. **sobre, en** : sur |
| debajo | dessous | ☞ **~ de** : sous |
| delante | devant | ☞ **~ de** : devant |
| enfrente | en face | ☞ **~ de** : en face de |
| detrás | derrière | ☞ **~ de** : derrière |
| al lado | à côté | ☞ **~ de** : à côté de |
| entre | entre, parmi | |
| en el medio | au milieu | Syn. **en el centro** |

LEXIQUE THÉMATIQUE

| | |
|---|---|
| **en** | en, dans, sur, à |
| **arriba** | en haut |
| **abajo** | en bas |
| **cerca** | près |
| **lejos** | loin |
| **hacia** | vers |
| **desde** | depuis, de |
| **hasta** | jusque, jusqu'à |

🌀 **acercarse (a)** : s'approcher (de)
🌀 **alejarse (de)** : s'éloigner (de)

## Orientarse en el espacio *S'orienter dans l'espace*

| | |
|---|---|
| **el lugar** | le lieu, l'endroit |
| **la esquina** | l'angle de la rue |
| **la rotonda** | le rond-point |
| **preguntar el camino** | demander son chemin |
| **cruzar** | traverser |
| **coger** *ou* **tomar una calle** | prendre une rue |

Syn. **el sitio**
🔖 **al doblar la ~** : au coin de la rue

🌀 **el cruce** : le carrefour

➜ p. 69 (Environnement urbain), ➜ p. 223 (Demander, donner un itinéraire)

**&** Notez bien

⬆ **ir** (v. irr.) *ou* **seguir** (v. irr. e>i) **todo recto :** aller tout droit

↱ **girar** *ou* **torcer** (v. irr. o>ue) **a la derecha :** tourner à droite

↰ **girar** *ou* **torcer** (v. irr. o>ue) **a la izquierda :** tourner à gauche

↩ **dar** (v. irr.) **media vuelta :** faire demi-tour

# 17 Entorno urbano
## Environnement urbain

¿A QUE NO SABEN PROHIBIDO QUÉ?

*Vous ne devinerez jamais ce qui est interdit !*

## Tipos de ciudad y estructura de una ciudad
### Types de ville et structure d'une ville

| | |
|---|---|
| **la metrópoli** | la métropole |
| **la capital** | la capitale |
| **la ciudad** | la ville |
| | |
| **el urbanismo** | l'urbanisme |
| | |
| **el centro urbano** | le centre-ville |
| **el casco antiguo** | le centre historique |
| **las afueras** | la banlieue |

≠ **el capital** : le capital

☞ **la ~ costera/de interior** : la ville côtière/d'intérieur

☞ **la ~ dormitorio** : la cité-dortoir

✄ **urbanizar** : urbaniser, aménager

| el suburbio | la banlieue défavorisée | Syn. **el barrio marginal** |
| el distrito | l'arrondissement | |
| el barrio | le quartier | |
| la manzana | le pâté de maisons | Amér. **la cuadra** |
| la plaza | la place | **2.** le marché |
| la avenida | l'avenue | |
| el paseo | la promenade | |
| el bulevar | le boulevard | Syn. **la rambla** |
| la calle | la rue | ✍ **el callejero** : le répertoire des rues |
| el callejón | la ruelle | ☞ **un ~ sin salida** : une impasse |

☞ **Le cœur des villes espagnoles**

■ Dans la plupart des villes on trouve **la plaza mayor,** la place du village. Située au centre de la ville et en forme de cloître, cette place entourée d'arcades est souvent le théâtre d'une grande activité commerciale et culturelle.

# Los elementos de un paisaje urbano
## Les éléments d'un paysage urbain

| la acera | le trottoir | |
| el bordillo | le bord du trottoir | |
| el vado | le bateau [du trottoir] | ☞ **"~ permanente"** : « sortie de véhicules » |
| la calzada | la chaussée | |
| el carril | la voie | ☞ **el ~ bus** : le couloir de bus |
| | | ☞ **el ~ bici** : la piste cyclable |
| el semáforo | le feu tricolore | ☞ **saltarse un ~** : brûler un feu rouge |
| el cruce | le carrefour | ✍ **cruzar** : traverser |
| la rotonda | le rond-point | |
| el paso de cebra | le passage piétons | Syn. **el paso de peatones** |
| el aparcamiento | le parking | ✍ **aparcar** : se garer, stationner |
| el parque | le parc | ≠ **el parqué** : le parquet |
| el banco | le banc | |
| la farola | le réverbère | |
| la papelera | la poubelle | **2.** la corbeille à papier |
| la fuente | la fontaine | **2.** la source |
| la alcantarilla | l'égout | |
| el buzón | la boîte aux lettres | |
| la cabina telefónica | la cabine téléphonique | |
| el quiosco, el kiosco | le kiosque | |

→ p. 68 (S'orienter dans l'espace)

## ▶ Los edificios Les bâtiments

| | |
|---|---|
| el rascacielos | le gratte-ciel |
| el bloque de pisos | l'immeuble |
| el monumento | le monument |
| el museo | le musée |
| el teatro | le théâtre |
| el palacio | le palais |
| el cementerio | le cimetière |
| el ayuntamiento | la mairie |
| la comisaría de policía | le commissariat de police |
| Correos | la Poste |
| el garaje | le garage [pour se garer] |
| el taller | le garage [pour réparer]    *Amér.* **la refaccionaria** |
| la tienda | le magasin, la boutique    → p. 146 (Les petits commerces) |
| el bar | le bar, le café |
| el estanco | le tabac |

## ▶ La gente Les gens

| | |
|---|---|
| el peatón | le piéton |
| el transeúnte | le passant |
| la muchedumbre | la foule    Syn. **la multitud** |
| el guardia urbano | l'agent de la circulation |

# Los transportes urbanos Les transports urbains

| | | |
|---|---|---|
| el transporte colectivo | les transports en commun | |
| el pasajero | le passager | |
| el usuario | l'usager | **2.** l'utilisateur |
| el metro | le métro | ☞ **la línea/estación/boca de ~ :** la ligne/la station/la bouche de métro |
| el autobús | l'autobus | Rem. **el bus** *(fam.)* : le bus |
| | | ☞ **la estación de autobuses :** la gare routière |
| la parada | l'arrêt | |
| el tranvía | le tramway | |
| el tren de cercanías | le train de banlieue | |
| la estación | la gare, la station | |
| el transbordo | la correspondance | |
| la taquilla | le guichet | Syn. **la ventanilla** |
| el billete | le ticket | *Amér.* **el boleto** |
| | | ☞ **picar el ~ :** oblitérer le ticket |

| el abono | l'abonnement | |
| (de transporte) | (de transport) | |
| el asiento | la place | ☞ el ~ reservado : la place réservée |
| el andén | le quai | |
| la bicicleta | la bicyclette | REM. la bici (fam.) : le vélo |
| el taxi | le taxi | ≠ el taxista : le chauffeur de taxi |
| el tráfico | la circulation | |
| el atasco | l'embouteillage | SYN. el embotellamiento |

## ☞ Expressions

**llevarse a alguien de calle** (fam.) : se mettre qqn dans la poche • **llevar** ou **traer a alguien por la calle de la amargura** : en faire voir de toutes les couleurs à qqn • **ser callejero** : être tout le temps dehors en vadrouille • **mandar** ou **enviar a alguien a paseo** (fam.) : envoyer qqn promener

# 18 Entorno natural
## Environnement naturel

La casa de mi abuela estaba situada en un valle corto y ancho detrás de una suave cordillera paralela al mar [...]. En cuanto el camino vecinal dejaba la carretera, y tras varias revueltas entre bosques de encinas y alcornoques, ascendía suavemente entre campos de maíz, cebada o trigo, algunas viñas en la ladera de una gran masía con una palmera junto a la entrada y un islote de monte bajo, y desembocaba en la parte más ancha y más fértil del valle donde el torrente corría paralelo al camino [...].

Rosa Regàs, *Memoria de Almator* © Destino, 1991.

*La maison de ma grand-mère était située dans une courte et large vallée, derrière une douce chaîne de montagnes, parallèle à la mer [...]. Dès que le chemin vicinal quittait la route, et après plusieurs tournants dans des bois de chênes verts et de chênes-lièges, il montait doucement parmi des champs de maïs, d'orge ou de blé, et de quelques vignes sur le flanc d'un grand mas avec un palmier à l'entrée et une petite garrigue; le chemin débouchait dans la partie la plus large et la plus fertile de la vallée où le torrent coulait le long du chemin [...].*

## El campo  La campagne

| | | |
|---|---|---|
| la naturaleza | la nature | |
| el campo | la campagne | 2. le champ |
| el campesino | le paysan | ⚹ **campestre** : champêtre |
| rural | rural | ☞ **la casa ~** : le gîte rural |
| rústico | rustique | |
| el pueblo | le village | 2. le peuple |
| la aldea | le petit village | 2. le hameau |
| el terreno | le terrain | |
| la finca | la propriété | |
| la parcela | la parcelle | |
| la tapia | le mur [de clôture] | |
| el chalé, el chalet | le pavillon, la villa | 2. le chalet [de style suisse] |
| la cabaña | la cabane | |
| la granja | la ferme | ⚹ **el granjero** : le fermier |
| el granero | le grenier | |

| | | |
|---|---|---|
| el corral | la basse-cour | |
| el gallinero | le poulailler | |
| el establo | l'étable | |
| la cuadra | l'écurie | **2.** *Amér.* le pâté de maisons |
| la pocilga | la porcherie | |
| el camino | le chemin | ♻ **caminar :** marcher |
| el sendero | le sentier | Syn. **la senda** |
| el pozo | le puits | |
| el molino (de viento) | le moulin (à vent) | |
| | | |
| la tierra | la terre | |
| el trigal | le champ de blé | |
| el maizal | le champ de maïs | |
| el prado | le pré | ♻ **la pradera :** la prairie |
| la hierba | l'herbe | |
| el bosque | le bois, la forêt | ≠ **el bosquecillo :** le bosquet |
| la leña | le bois [à brûler] | ♻ **el leñador :** le bûcheron |
| | | ≠ **la madera :** le bois [matériau] |

# El mar La mer

| | | |
|---|---|---|
| el marinero | le marin | Syn. **el marino** |
| marítimo | maritime | |
| la costa | la côte | Syn. **el litoral** |
| | | ♻ **costero :** côtier |
| la bahía | la baie | |
| la playa | la plage | |
| la orilla (del mar) | le bord de mer | |
| la cala | la crique | |
| la arena | le sable | ≠ **la plaza de toros :** l'arène |
| el puerto (de mar) | le port | ☞ **el ~ deportivo** *ou* **de recreo :** le port de plaisance |
| el muelle | le quai [maritime] | |
| el embarcadero | l'embarcadère | |
| el faro | le phare | |
| el malecón | la jetée | |
| el barco | le bateau | ☞ **el ~ de pesca :** le chalutier |
| la barca | la barque | |
| el velero | le voilier | |
| la vela | la voile | ☞ **izar ~s :** hisser les voiles |

→ p. 177 (L'eau sur la planète)

# La montaña *La montagne*

| | | |
|---|---|---|
| **montañoso** | montagneux | |
| **el cerro** | la colline | Syn. **la colina** |
| **la peña** | le rocher | |
| **la piedra** | la pierre | |
| **el monte** | le mont, la montagne | **2.** *le bois* [endroit] |
| **la cima** | le sommet | Syn. **la cumbre** |
| **la pendiente** | la pente | |
| **la ladera** | le versant | |
| **el puerto (de montaña)** | le col | |
| **el desfiladero** | le défilé, la gorge | |
| **el precipicio** | le précipice | Syn. **el barranco** |
| **la cueva** | la grotte | |
| **el refugio** | le refuge | |

## ✺☞ Expressions

**luchar contra molinos de viento** : lutter contre des ennemis imaginaires • **como una cuadra** *ou* **una pocilga** *(fam.)* : comme une porcherie • **a campo raso** *ou* **al raso** : à la belle étoile • **echar por tierra** *(fam.)* : abattre, ruiner • **poner tierra de por medio** : prendre le large • **echar leña al fuego** *(fam.)* : jeter de l'huile sur le feu • **a mares** *(fam.)* : abondamment, à flots • **llegar a buen puerto** : arriver à bon port • **a toda vela** : à pleines voiles • **mover montañas** : faire l'impossible • **hacerse una montaña de algo** *(fig. fam.)* : se faire un monde de qqch.

# 19 Los animales
## Les animaux

La Guardia Civil ya ha decomisado en Madrid, en lo que va de año, hasta 1.050 animales exóticos: todo tipo de loros y tucanes, así como tortugas vivas, dos tiburones disecados, pezuñas de rinoceronte, varios ejemplares de amazonas, yacos y 251 colmillos de jabalí africano. Las condiciones en las que viajan los animales no son las mejores: loros en los tubos de los mapas, guacamayos en cajas de galletas o pequeños monos ocultos entre la ropa del equipaje o en calcetines.

Teresa Amor, "Barajas, la patera de Noé" © Metro Directo, 2006.

*Depuis le début de l'année à Madrid, la garde civile espagnole a saisi près de 1 050 animaux exotiques : toutes sortes de perroquets, de toucans, ainsi que des tortues vivantes, deux requins empaillés, des sabots de rhinocéros, plusieurs exemplaires de fourmis amazonas, des loutres et 251 défenses de sangliers africains. Les conditions dans lesquelles voyagent ces animaux ne sont pas des meilleures : des perroquets dans des étuis à posters, des aras dans des boîtes de gâteaux, des petits singes à l'intérieur des valises, cachés entre les vêtements ou dans les chaussettes.*

| la fauna | la faune | |
|---|---|---|
| **doméstico** | domestique | ⚹ **domesticar :** domestiquer, apprivoiser |
| **la mascota** | la mascotte | |
| **el cachorro** | le petit, le jeune [animal] | |
| **la jaula** | la cage | ⚹ **enjaular :** mettre en cage |
| **salvaje** | sauvage | |
| **la fiera** | le fauve | |
| **el zoológico** | le parc zoologique | REM. **el zoo** *(fam.)* : le zoo |
| **el veterinario** | le vétérinaire | |

## Los mamíferos Les mammifères

| **el gato** | le chat | |
|---|---|---|
| **el perro** | le chien | |
| **el buey** | le bœuf | |
| **el toro** | le taureau | |
| **la vaca** | la vache | **2.** le bœuf [viande, aliment] |
| **el ternero** | le veau | |

| | | |
|---|---|---|
| el cordero | l'agneau | |
| la oveja | la brebis, le mouton | |
| la cabra | la chèvre | |
| el cerdo | le cochon [animal] | **2.** le porc [viande, aliment] |
| el conejo | le lapin | |
| el caballo | le cheval | REM. **la yegua** : la jument |
| el burro | l'âne | SYN. **el asno** |
| el mono | le singe | |
| el zorro | le renard | |
| el lobo | le loup | |
| el lince | le lynx | |
| el león | le lion | |
| el tigre | le tigre | |
| el oso | l'ours | |
| la rata | le rat | ✍ **el ratón** : la souris |
| el ciervo | le cerf | ✍ **la cierva** : la biche |
| el jabalí | le sanglier | |
| el camello | le chameau | |
| el elefante | l'éléphant | |
| la jirafa | la girafe | |
| el rinoceronte | le rhinocéros | |
| la foca | le phoque | |
| el murciélago | la chauve-souris | |
| el delfín | le dauphin | |
| la ballena | la baleine | |

# Las aves Les oiseaux

| | | |
|---|---|---|
| el pájaro | l'oiseau | |
| el gallo | le coq | **2.** la limande |
| la gallina | la poule | |
| el pollo | le poulet | |
| el pavo | le dindon | ✍ **el ~ real** : le paon |
| el pato | le canard | |
| el cisne | le cygne | |
| la golondrina | l'hirondelle | |
| el gorrión | le moineau | |
| la paloma | le pigeon | **2.** la colombe |
| la perdiz | la perdrix | |
| la codorniz | la caille | |
| el cuervo | le corbeau | |

| la urraca | la pie | |
| **el águila** (n. f.) | l'aigle | |
| **el buitre** | le vautour | |
| **el cóndor** | le condor | |
| **la cigüeña** | la cigogne | |
| **la gaviota** | la mouette | |
| **el loro** | le perroquet | SYN. **el papagayo** |
| **el flamenco** | le flamant | |
| **el avestruz** | l'autruche | |
| **el pingüino** | le pingouin | |

## Los peces  Les poissons

| **el atún** | le thon | SYN. **el bonito** |
| **el bacalao** | la morue | ✍ **el ~ fresco :** le cabillaud |
| **la merluza** | le colin | |
| **el besugo** | la daurade | |
| **la sardina** | la sardine | |
| **la anchoa** | l'anchois | SYN. **el boquerón** |
| **el lenguado** | la sole | |
| **el salmón** | le saumon | |
| **la trucha** | la truite | |
| **la raya** | la raie | |
| **el tiburón** | le requin | |

## Los reptiles  Les reptiles

| **la serpiente** | le serpent | |
| **la víbora** | la vipère | |
| **la culebra** | la couleuvre | |
| **el lagarto** | le lézard | ✍ **la lagartija :** le petit lézard |
| **el cocodrilo** | le crocodile | |
| **la tortuga** | la tortue | |

## Los batracios  Les batraciens

| **los anfibios** | les amphibiens | |
| **la rana** | la grenouille | |
| **el sapo** | le crapaud | |
| **el renacuajo** | le têtard | |
| **la salamandra** | la salamandre | |

# Los insectos Les insectes

| | | |
|---|---|---|
| el bicho | la bestiole | |
| la mosca | la mouche | |
| el mosquito | le moustique | ⌀ **la mosquitera** : la moustiquaire |
| la avispa | la guêpe | |
| la abeja | l'abeille | ⌀ **el abejorro** : le bourdon |
| la mariposa | le papillon | |
| la hormiga | la fourmi | ⌀ **el hormiguero** : la fourmilière |
| la cucaracha | le cafard | |
| la pulga | la puce | |
| el saltamontes | la sauterelle | |

# Otros invertebrados Autres invertébrés

| | | |
|---|---|---|
| el langostino | la grosse crevette | |
| la langosta | le homard | |
| la cigala | la langoustine | ≠ **la cigarra** : la cigale |
| la gamba | la crevette rose | |
| el cangrejo | le crabe | |
| la ostra | l'huître | |
| el mejillón | la moule | |
| el berberecho | la coque | |
| la almeja | la palourde | |
| la vieira | la coquille Saint-Jacques | |
| el caracol | l'escargot | |
| el calamar | le calamar | |
| el pulpo | le poulpe, la pieuvre | |
| la sepia | la seiche | |
| la medusa | la méduse | |
| el gusano | le ver | |
| la araña | l'araignée | ⌀ **la telaraña** : la toile d'araignée |

## ☞ Expressions

**Hay gato encerrado.** *(fam.)* Il y a anguille sous roche. • **tener un humor de perros** : être de mauvais poil • **ser la oveja negra** : être la brebis galeuse • **estar como una cabra** *(fam.)* : être complètement timbré • **matar dos pájaros de un tiro** : faire d'une pierre deux coups • **Cuando las ranas críen pelo.** *(fam.)* Quand les poules auront des dents. • **ser un bicho raro** *(fam.)* : être un drôle d'oiseau • **por si las moscas** *(fam.)* : au cas où • **aburrirse como una ostra** *(fam.)* : s'ennuyer comme un rat mort

# 20 **Las plantas**
## *Les plantes*

Las flores tienen un lenguaje propio que es toda una tradición. [...] Esta tradición se ha ido perdiendo en los tiempos modernos y sólo nos quedan ciertas formas que nos hacen compañía en los momentos más importantes de nuestra vida: el "dígaselo con flores", la rosa para la persona amada, el ramo de azahar para la novia, las coronas dedicadas a nuestros muertos.

Rita Schnitzer, *El lenguaje de las flores* © Ediciones Elfos, 1982.

*Les fleurs ont un langage bien particulier qui répond à une tradition. [...] De nos jours, celle-ci a disparu mais son empreinte demeure dans les moments les plus importants de notre vie : "dites-le avec des fleurs", la rose pour la personne aimée, le bouquet de fleurs d'oranger pour la mariée, les couronnes pour nos morts.*

## **Cultivar una planta** *Cultiver une plante*

| | | |
|---|---|---|
| **la flora** | *la flore* | |
| **la jardinería** | *le jardinage* | ✐ **el jardinero** : *le jardinier* |
| **el vegetal** | *le végétal* | ✐ **la vegetación** : *la végétation* |
| **la hoja** | *la feuille* | |
| **la raíz** | *la racine* | ✐ **enraizar** : *s'enraciner* |
| **la savia** | *la sève* | |
| **la semilla** | *la graine* | |
| **el esqueje** | *la bouture* | |
| **la maceta** | *le pot* | Syn. **el tiesto** |
| **el abono** | *l'engrais* | Syn. **el fertilizante** |
| **el vivero** | *la pépinière* | |
| **el invernadero** | *la serre* | |
| **plantar** | *planter* | ✐ **trasplantar** : *dépoter* |
| **regar** (v. irr. e>ie) | *arroser* | ✐ **la regadera** : *l'arrosoir* |
| **brotar** | *pousser* | ✐ **el brote** : *le bourgeon* |
| **florecer** (v. irr.) | *fleurir* | ✐ **la floración** : *la floraison* |
| **trasplantar** | *dépoter* | |
| **injertar** | *greffer* | ✐ **el injerto** : *la greffe* |
| **podar** | *élaguer, tailler* | ✐ **la poda** : *l'élagage, la taille* |
| **marchitarse** | *se faner* | ✐ **marchito** : *fané* |

# Los árboles Les arbres

| | |
|---|---|
| el tronco | le tronc |
| la corteza | l'écorce |
| la rama | la branche |
| la copa | la tête, la cime |

## ▶ Los árboles frutales Les arbres fruitiers

| | | |
|---|---|---|
| el naranjo | l'oranger | |
| el limonero | le citronnier | |
| el manzano | le pommier | |
| el peral | le poirier | |
| el ciruelo | le prunier | |
| la higuera | le figuier | |
| el cerezo | le cerisier | |
| el pino | le pin | |
| la palmera | le palmier | ☞ la ~ datilera : le dattier |
| el castaño | le châtaigner, le marronnier | |
| el olivo | l'olivier | |
| el almendro | l'amandier | |
| el avellano | le noisetier | |

→ p. 31 (Fruits et légumes)

## ▶ Otros árboles Autres arbres

| | | |
|---|---|---|
| el abeto | le sapin | |
| el ciprés | le cyprès | |
| el roble | le chêne | ✗ el robledal : la chênaie |
| el haya (n. f.) | le hêtre | ✗ el hayedo : le bois de hêtres |
| el abedul | le bouleau | |
| el ébano | l'ébène | |
| la caoba | l'acajou | |
| el álamo | le peuplier | ✗ la alameda : l'allée de peupliers |
| el chopo | le peuplier noir | ✗ la chopera : la peupleraie |
| el olmo | l'orme | ✗ el olmedo : l'ormaie |
| el sauce | le saule | ☞ el ~ llorón : le saule pleureur |

# Las flores Les fleurs

| | | |
|---|---|---|
| el ramo | le bouquet | ✗ el ramillete : le petit bouquet |
| el perfume | le parfum | SYN. el aroma : l'arôme |
| el capullo | le bouton | |

| el pétalo | le pétale |
|-----------|-----------|
| el polen | le pollen |
| el tallo | la tige |
| la espina | l'épine |

## ▶ Algunas flores  Quelques fleurs

| la rosa | la rose |   |
|---------|---------|---|
| el clavel | l'œillet | 🖉 **la rosaleda** : *la roseraie* |
| la margarita | la marguerite | |
| la amapola | le coquelicot | |
| la azucena | le lis, le lys | SYN. **el lirio blanco** |
| el lirio | l'iris | 🖙 **el ~ de los valles** : *le muguet* |
| el tulipán | la tulipe | |
| el jazmín | le jasmin | |
| el azahar | la fleur d'oranger | |
| la lavanda | la lavande | |
| la lila | le lilas | |
| el nenúfar | le nénuphar | |
| la orquídea | l'orchidée | |
| el girasol | le tournesol | |
| el geranio | le géranium | |

# Otras plantas  Autres plantes

| el trébol | le trèfle | |
|-----------|-----------|---|
| la hiedra | le lierre | |
| el helecho | la fougère | |
| el cáctus, el cacto | le cactus | |
| las gramíneas | les graminées | SYN. **los cereales** |
| | | → p. 139 (Les produits agricoles) |

---

🖙 **Expressions**

**echar raíces** : prendre racine • **arrancar** *ou* **cortar de raíz** : extirper • **dejar a alguien plantado** *(fam.)* : poser un lapin à qqn • **estar como una regadera** *(fam.)* : être complètement cinglé • **andarse** *ou* **irse por las ramas** *(fam.)* : tourner autour du pot • **dormir como un tronco** : dormir comme une souche • **estar hecho un roble** : être fort comme un chêne • **pedir peras al olmo** *(fam.)* : demander la lune • **echar flores a alguien** : faire des compliments à qqn • **la flor y nata** : la fine fleur • **ir de flor en flor** : papilloner • **¡Ni flores!** *(fam.)* Aucune idée !

---

# 21 Contaminación
# y defensa del medio ambiente

## Pollution et défense
## de l'environnement

BAJA

APAGA

RECICLA

CAMINA

El cambio climático es un problema global, pero cada uno de nosotros tiene la capacidad necesaria para influir sobre ello. Incluso los pequeños cambios en nuestro comportamiento cotidiano pueden contribuir a evitar emisiones de gases de efecto invernadero sin que ello afecte a nuestra calidad de vida. De hecho, nos pueden ayudar a ahorrar dinero.

Campaña "¿Cómo puedes controlar tú el cambio climático?" © Comisión Europea, 2006

Le changement climatique est un problème global mais chacun de nous a le pouvoir d'y remédier. Ne serait-ce qu'en modifiant légèrement notre comportement au quotidien, nous pouvons contribuer à limiter les émissions de gaz à effet de serre, sans que notre qualité de vie en soit affectée. Ces petits changements peuvent, en effet, nous aider à faire des économies.

LEXIQUE THÉMATIQUE

| el medio ambiente, el medioambiente | l'environnement | ♂ **medioambiental :** environnemental |
|---|---|---|
| **la biodiversidad** | la biodiversité | |
| **el ecosistema** | l'écosystème | |
| **la especie** | l'espèce | ▷ **la ~ protegida/en vías de extinción :** l'espèce protégée/ en voie de disparition |
| **los recursos naturales** | les ressources naturelles | |
| **agotar** | épuiser | |
| **la energía** | l'énergie | → p. 144 (La production d'énergie) |
| | | ▷ **el ahorro de ~ :** les économies d'énergie |
| **el desarrollo** | le développement | ▷ **el ~ limpio/sostenible :** le développement propre/durable |
| **el combustible** | le combustible | ♂ **el biocombustible :** le biocombustible |

# El planeta en peligro  La planète en danger

| **la contaminación** | la pollution | Syn. **la polución** |
|---|---|---|
| | | ▷ **la ~ atmosférica/acústica :** la pollution atmosphérique/acoustique |
| **contaminar** | polluer | ♂ **contaminado :** pollué |
| | | ♂ **contaminante :** polluant |
| **la emisión de gases** | l'émission de gaz | |
| **emitir** | émettre | |
| **el dióxido de carbono** | le dioxyde de carbone | Syn. **el $CO_2$** |
| **tóxico** | toxique | |
| **el vertido** | le déchet | ♂ **el vertedero :** la décharge |
| **los residuos** | les déchets | |
| **el herbicida** | le désherbant | |
| **el pesticida** | le pesticide | |
| **la lluvia ácida** | la pluie acide | |
| **la nube tóxica** | le nuage toxique | |
| **la radi(o)actividad** | la radioactivité | ♂ **radi(o)activo :** radioactif |
| **la capa de ozono** | la couche d'ozone | ▷ **el agujero de la ~ :** le trou dans la couche d'ozone |
| **el efecto invernadero** | l'effet de serre | |
| **el cambio climático** | le changement climatique | |

| el calentamiento | le réchauffement | ☞ **el ~ global** : le réchauffement climatique |
| **la sequía** | la sécheresse | |
| **la desertificación** | la désertification | |

## ☞ La désertification

■ Selon l'ONU et Greenpeace, l'Espagne est le territoire le plus aride d'Europe et le plus menacé par la désertification. Presque 70% de la péninsule Ibérique présente un risque élevé de désertification.

| la deforestación | la déforestation, le déboisement | |
| **la sobreexplotación** | la surexploitation | |
| **la caza furtiva** | le braconnage | |
| **el incendio forestal** | l'incendie de forêt | |
| **la marea negra** | la marée noire | |
| **la catástrofe natural** | la catastrophe naturelle | → p. 180 (Les phénomènes volcaniques et sismiques) |
| **el desorden climático** | le dérèglement climatique | → p. 182 (Les phénomènes météorologiques) |
| **la inundación** | l'inondation | |
| **la riada** | la crue | |
| **el deshielo** | le dégel, la fonte | |
| **el casquete glaciar** | la calotte polaire | Syn. **el casquete polar** |

# La defensa del medio ambiente
## La défense de l'environnement

| la ecología | l'écologie | ✑ **ecológico** : écologique |
| **los ecologistas** | les écologistes | Syn. **los verdes** |
| **preservar** | préserver | |
| **el reciclaje** | le recyclage, le tri | ✑ **reciclar** : recycler, trier |
| **reciclable** | recyclable | |
| **reciclado** | recyclé | |
| **desechable** | jetable | Syn. **de usar y tirar** |
| **biodegradable** | biodégradable | |
| **el envase** | le conditionnement, l'emballage | ☞ **el ~ retornable** : la bouteille consignée |
| **la basura** | les ordures | ☞ **el cubo de la ~** : la poubelle |

| los residuos | les déchets | |
|---|---|---|
| **el contenedor** | le conteneur | ☞ **el ~ de vidrio/papel :** le conteneur à verre/à papier |
| | | ☞ **el ~ de envases :** conteneur à plastiques, briques alimentaires et cannettes, entre autres |
| **la recogida selectiva** | le tri sélectif | |
| **los productos ecológicos** | les produits bio | Syn. **los productos biológicos** |
| **la reforestación** | le reboisement | |

## ☞ Le tri sélectif

■ En Espagne, pour favoriser le tri sélectif de déchets, il existe des conteneurs de différentes couleurs destinés aux déchets organiques, au verre, au papier et au carton, aux plastiques, etc. On trouve aussi des **puntos limpios** (points propres) à différents endroits de la ville destinés à d'autres déchets : piles, médicaments, huiles, gravats, etc.

# 22 Juegos y deportes
## Jeux et sports

Todo empezó con un célebre 5 a 1, el resultado de un partido de fútbol en el que los mozos del pueblo vapulearon a los veraneantes. Miguel había jugado como delantero centro del equipo perdedor, que se negó a aceptar la legitimidad de su derrota, acusando a los ganadores, y entre ellos a Porfirio, que solía ocupar el puesto de defensa central, de haber comprado al árbitro [...].

Almudena Grandes, *Malena es un nombre de tango* © Tusquets Editores, 1994.

*Tout a commencé par un célèbre 5 à 1, résultat d'un match de football au cours duquel les gars du village remportèrent une victoire écrasante sur les vacanciers. L'équipe perdante, dans laquelle Miguel avait joué comme avant-centre, refusa d'accepter la légitimité de sa défaite et accusa les vainqueurs, dont Porfirio, qui occupait comme à l'accoutumée le poste de défenseur central, d'avoir acheté l'arbitre.*

→ p. 334 (Les loisirs)

## Los juguetes *Les jouets*

| | | |
|---|---|---|
| el balón | le ballon | |
| la muñeca | la poupée | |
| la bicicleta | la bicyclette | REM. **la bici** *(fam.)* : le vélo |
| los patines (de ruedas) | les patins à roulettes | ☞ **los ~ en línea** : les rollers |
| el videojuego | le jeu vidéo | |

## Los juegos *Les jeux*

| | | |
|---|---|---|
| jugar (v. irr. u>ue) | jouer | ✍ **el jugador** : le joueur |
| ganar | gagner | ✍ **el ganador** : le gagnant |
| perder (v. irr. e>ie) | perdre | ✍ **el perdedor** : le perdant |
| aburrirse | s'ennuyer | ✍ **el aburrimiento** : l'ennui |
| divertirse (v. irr. e>ie) | s'amuser | SYN. **pasarlo bien, disfrutar** |

| | | |
|---|---|---|
| el pasatiempo | le passe-temps | |
| el juego de mesa | le jeu de société | |
| el ajedrez | les échecs | |
| la baraja | le jeu de cartes | ✍ **barajar** : battre les cartes |
| la carta | la carte | SYN. **el naipe** |

| el columpio | la balançoire | |
|---|---|---|
| el tobogán | le toboggan | |
| el tiovivo | le manège | SYN. **los caballitos** |
| el escondite | le cache-cache | ∅ **esconderse :** se cacher |

▶ **Los juegos de azar** Les jeux de hasard

| la apuesta | le pari | ∅ **apostar** (v. irr. o>ue) : parier |
|---|---|---|
| el sorteo | le tirage au sort | ∅ **sortear :** tirer au sort |
| el premio | le prix [récompense, gain] | ≠ **el precio :** le prix [tarif] |
| tocar | gagner un prix | REM. **Me ha tocado la lotería.** J'ai gagné au Loto. |
| acertar (v. irr. e>ie) | trouver [la réponse] | |
| la quiniela | le Loto sportif | ☞ **la ~ hípica :** ≈ le PMU |
| la lotería | le Loto national | **2.** la loterie |
| la (lotería) primitiva | le Loto | SYN. **la loto** |
| la máquina tragaperras | la machine à sous | Amér. **la máquina traganíqueles** |

---

☞ **La ONCE**

■ **La ONCE (Organización Nacional de Ciegos Españoles)** est une institution qui intégre les non-voyants et les malvoyants dans la société en leur trouvant un emploi.

■ Un système de loto très populaire appelé **el cupón** a été mis en place en 1981 ; il connaît depuis un succès grandissant.

---

## Los deportes Les sports

| el deportista | le sportif | ∅ **deportivo :** sportif |
|---|---|---|
| el equipo | l'équipe | |
| el entrenamiento | l'entraînement | ∅ **el entrenador :** l'entraîneur |
| el partido | le match | |
| la jugada | le coup, l'action | |
| la liga | la ligue | |
| el torneo | le tournoi | |
| la competición | la compétition | |
| la meta | la ligne d'arrivée | **2.** le but |
| el campeonato | le championnat | ∅ **el campeón :** le champion |
| la victoria | la victoire | |
| la derrota | la défaite | |
| el empate | le match nul | ∅ **empatar :** faire match nul |
| el marcador | le score | |
| el resultado | le score final | |

| la medalla | la médaille | |
|---|---|---|
| los Juegos Olímpicos | les jeux Olympiques | Rᴇᴍ. Le sigle est **los JJ OO**. |
| el polideportivo | la salle omnisports | |
| el gimnasio | le gymnase | ≠ **la gimnasia** : la gymnastique |
| aficionado | amateur | |
| el hincha | le supporter | Sʏɴ. **el forofo, el seguidor** |
| el árbitro | l'arbitre | |

## ▶ Los deportes de pelota  Les sports de balle

| el fútbol | le football | 🖙 **el campo de ~** : le terrain de foot |
|---|---|---|
| | | ✍ **el futbolista** : le footballeur |
| la portería | le but [l'endroit] | ✍ **el portero** : le gardien de but |
| el gol | le but [l'action] | 🖙 **meter un ~** : marquer un but |
| el tenis | le tennis | 🖙 **la cancha de ~** : le court de tennis |
| | | ✍ **el tenista** : le joueur de tennis |
| el voleibol | le volley-ball | |
| el baloncesto | le basket-ball | Sʏɴ. **el básquet**, *Amér.* **el basquetbol** |
| el balonmano | le handball | |
| el rugby | le rugby | |
| el golf | le golf | |

## ▶ Los deportes de invierno  Les sports d'hiver

| el esquí | le ski | ✍ **esquiar** : faire du ski |
|---|---|---|
| el telesilla | le télésiège | |
| el trineo | la luge | **2.** le traîneau |
| el patinaje | le patinage | 🖙 **la pista de ~** : la patinoire |

## ▶ Los deportes de montaña  Les sports de montagne

| el senderismo | la randonnée | Sʏɴ. **la marcha** |
|---|---|---|
| el alpinismo | l'alpinisme | ✍ **el alpinista** : l'alpiniste |
| la escalada | l'escalade | ✍ **escalar** : escalader |

## ▶ Los deportes acuáticos  Les sports nautiques

| la natación | la natation | ✍ **nadar** : nager |
|---|---|---|
| la piscina | la piscine | *Amér.* **la alberca** |
| la vela | la voile | |
| el esquí acuático | le ski nautique | |
| el buceo | la plongée | Sʏɴ. **el submarinismo** |
| | | ✍ **bucear** : faire de la plongée (sous-marine) |
| el remo | l'aviron | **2.** la rame |
| el piragüismo | le canoë-kayak | |

## ▶ Los deportes de riesgo Les sports à risque

| | | |
|---|---|---|
| el paracaidismo | le parachutisme | ✍ **el paracaídas** : le parachute |
| el parapente | le parapente | |
| el ala delta | le deltaplane | |
| el puenting | le saut à l'élastique | |
| la espeleología | la spéléologie | |

## ▶ Otros deportes Autres sports

| | | |
|---|---|---|
| el ciclismo | le cyclisme | |
| el ciclista | le cycliste | ☞ **la vuelta ~** : le tour (cycliste) |
| el atletismo | l'athlétisme | ✍ **el atleta** : l'athlète |
| la carrera | la course | ☞ **la ~ pedestre** : la course à pied |
| el ou la maratón | le marathon | |
| el salto | le saut | ☞ **el ~ de altura/longitud** : le saut en hauteur/longueur |
| las artes marciales | les arts martiaux | |
| el judo | le judo | |
| el kárate | le karaté | |
| el boxeo | la boxe | |
| la equitación | l'équitation | Syn. **la hípica** : le hippisme |

## ☞ Expressions

**jugar a cara o cruz** : jouer à pile ou face • **jugar una mala pasada** (fam.) : jouer un mauvais tour • **no dejar meter baza** (fam.) : ne pas laisser placer un mot • **jaque mate** : échec et mat • **ser un as (de)** : être un génie (de) • **¿A quién le toca?** À qui le tour ?, C'est à qui de jouer ? • **tener mal perder** : être mauvais perdant • **perder los estribos** : perdre les pédales • **tomar carrera** ou **carrerilla** : prendre de l'élan • **hacer la pelota** (fam.) : cirer les pompes • **jugar limpio** : jouer franc-jeu • **jugar sucio** : tricher ; (fig.) faire des coups bas

# 23 El turismo y los medios de transporte

## Le tourisme et les moyens de transport

En los hoteles que les acogen en los puntos de destino (Benidorm, Torremolinos...) todo está programado para que [los jubilados] disfruten de un ambiente relajado, o muy animado si así lo prefieren. Bailes, conferencias, visitas culturales, petanca, mus, gimnasia, etc. llenan el tiempo de ocio de los más activos. Paseos, largas charlas, siestas, TV y lectura ocuparán a los más sedentarios.

"Viajar en la Tercera Edad: Temporada alta para los mayores" © Fundación Eroski, 1998.

*Dans les hôtels qui les accueillent à leur arrivée sur place (Benidorm, Torremolinos...), tout est programmé afin que les retraités profitent, selon leurs envies, d'une ambiance détendue ou très animée. Bals, conférences, visites culturelles, pétanque, jeux de carte, gymnastique, etc. occupent l'emploi du temps des plus actifs. Promenades, longues discussions, siestes, TV et lecture distrairont les plus sédentaires.*

## El tiempo libre Le temps libre

| | | |
|---|---|---|
| el ocio | le loisir | **2.** l'oisiveté |
| pasárselo bien | bien s'amuser | Ant. **pasárselo mal :** s'ennuyer |
| la siesta | la sieste | ☞ **echarse una ~ :** faire la sieste |
| el descanso | le repos | ⌀ **descansar :** se reposer |
| el puente | le pont | ☞ **hacer** (v. irr.) **~ :** faire le pont |
| las vacaciones | les vacances | ☞ **estar de ~ :** être en vacances |

*de*

## Ir de viaje Partir en voyage

| | | |
|---|---|---|
| viajar | voyager | |
| el viaje | le voyage | ☞ **la agencia de ~ :** l'agence de voyages |
| | | ☞ **el ~ organizado :** le voyage organisé |
| el turista | le touriste | |
| la temporada alta | la haute saison | Ant. **la temporada baja :** la basse saison |

LEXIQUE THÉMATIQUE

| | | |
|---|---|---|
| alquilar | louer | ✐ **de alquiler :** *de ou* en location |
| **la reserva** | la réservation | *Amér.* **la reservación** |
| | | ✐ **reservar :** *faire une réservation* |
| **el billete** | le billet | *Amér.* **el boleto** |
| | | ✆ **el ~ de ida y vuelta :** *le billet aller-retour* |
| **la salida** | le départ | **2.** *la sortie* |
| | | ✐ **salir** (v. irr.) **:** *partir, sortir* |
| **la llegada** | l'arrivée | ✐ **llegar :** *arriver* |
| **el equipaje** | les bagages | ✆ **el ~ de mano :** *les bagages à main* |
| | | ≠ **la tripulación :** *l'équipage* |
| **la maleta** | la valise | *Amér.* **la valija** |
| **el retraso** | le retard | *Amér.* **el retardo** |
| | | ✐ **retrasarse :** *être en retard* |
| **la cancelación** | l'annulation | ✐ **cancelar :** *annuler* |
| **el destino** | la destination | |
| **la diferencia horaria** | le décalage horaire | |
| **el mar** | la mer | → p. 74 (La mer) |
| **la montaña** | la montagne | → p. 75 (La montagne) |
| **el campo** | la campagne | → p. 73 (La campagne) |

▶ **Los trámites** Les formalités

| | | |
|---|---|---|
| **el pasaporte** | le passeport | |
| **el visado** | le visa | *Amér.* **la visa** |
| **la aduana** | la douane | |
| **declarar** | déclarer | |
| **la vacuna** | le vaccin | ✐ **vacunarse :** *se vacciner* |
| **el cambio** | le change | ✆ **la oficina de ~ :** *le bureau de change* |

▶ **Visitando** Sur place

| | | |
|---|---|---|
| **la visita** | la visite | ✐ **visitar :** *visiter* |
| **la oficina de turismo** | l'office du tourisme | |
| **el guía** | le guide [personne] | ≠ **la guía :** *le guide* [ouvrage] |
| **el folleto** | la brochure | |
| **el plano (de la ciudad)** | le plan (de la ville) | |
| **el mapa** | la carte | |
| **el recorrido** | le parcours | ✐ **recorrer :** *parcourir* |
| **la excursión** | l'excursion | |

→ p. 304 (Dans une agence de voyages)
→ p. 69 (Environnement urbain)

# El alojamiento *L'hébergement*

| | | |
|---|---|---|
| **alojarse** | *loger* | |
| **la estancia** | *le séjour* | |
| **el parador** | *≈ le relais-château* | → p. 315 (Les *paradores nacionales*) |
| **el balneario** | *la station balnéaire* | |
| **el hotel** | *l'hôtel* | |
| **la recepción** | *la réception* | **2.** *l'accueil* |
| **la media pensión** | *la demi-pension* | |
| **la pensión completa** | *la pension complète* | |
| **el hostal** | *l'hôtel non classé* | |
| **la pensión** | *la pension* | |
| **la casa rural** | *le gîte rural* | |
| **el albergue** | *l'auberge de jeunesse* | |
| **el camping** | *le camping* | Syn. **la acampada** |
| **la tienda de campaña** | *la tente* | |

→ p. 313 (À l'hôtel)

# Los medios de transporte
*Les moyens de transport*

▶ **En la carretera** *Sur la route*

| | | |
|---|---|---|
| **el coche** | *la voiture* | Syn. **el automóvil :** *l'automobile* <br> Amér. **el carro** |
| **conducir** (v. irr.) | *conduire* | Amér. **manejar** |
| **el motor** | *le moteur* | |
| **las luces** | *les feux* | **2.** *les lumières* |
| **el intermitente** | *le clignotant* | |
| **la señal (de tráfico)** | *le panneau (de signalisation)* | |
| **la autovía** | *la voie rapide* | |
| **la autopista** | *l'autoroute* | |
| **la curva** | *le virage* | |
| **el arcén** | *la bande d'arrêt d'urgence* | |
| **el carril** | *la voie* | ☞ **el ~ rápido :** *la voie rapide* |
| **el peaje** | *le péage* | |
| **el área** (n. f.) **de descanso** | *l'aire de repos* | |
| **la gasolinera** | *la pompe à essence* | ✍ **la gasolina :** *l'essence* |

| | | |
|---|---|---|
| la velocidad | la vitesse | |
| la multa | l'amende | |
| la avería | la panne | |
| pinchar | crever | *ℬ* **el pinchazo** : la crevaison |
| el accidente | l'accident | |
| la grúa | la dépanneuse | **2.** le camion de la fourrière |

→ p. 311 (Sur la route)

## ▶ En la estación À la gare

| | | |
|---|---|---|
| el ferrocarril | le chemin de fer | |
| el tren | le train | |
| la vía | la voie | |
| el andén | le quai | |
| la consigna | la consigne | |
| la taquilla | le guichet | Syn. **la ventanilla** |
| el vagón | le wagon | **2.** la voiture |
| el coche cama | le wagon lit | |
| el asiento | la place | **2.** le siège |
| el revisor | le contrôleur | |
| el enlace | la correspondance | |

→ p. 306 (À la gare)

## ▶ En el aeropuerto À l'aéroport

| | | |
|---|---|---|
| el avión | l'avion | |
| el vuelo | le vol | *ℬ* **volar** (v. irr. o>ue) : voler |
| | | *☞* **el ~ chárter** : le vol charter |
| la compañía aérea | la compagnie aérienne | |
| el mostrador | le comptoir | |
| la ventanilla | le guichet | **2.** le hublot |
| la facturación | l'enregistrement | *ℬ* **facturar** : enregistrer |
| el embarque | l'embarquement | *☞* **la tarjeta de ~** : la carte d'embarquement |
| | | *ℬ* **embarcar** : embarquer |
| el piloto | le pilote | |
| la azafata | l'hôtesse de l'air | |
| el auxiliar de vuelo | le steward | |
| la tripulación | l'équipage | ≠ **el equipaje** : les bagages |
| el despegue | le décollage | *ℬ* **despegar** : décoller |
| el aterrizaje | l'atterrissage | *ℬ* **aterrizar** : atterrir |
| la escala | l'escale | |

→ p. 309 (À l'aéroport)

# ▶ El transporte fluvial y marítimo
## Le transport fluvial et maritime

| | |
|---|---|
| navegar | naviguer |
| zarpar | lever l'ancre |
| atracar | accoster |
| embarcar | embarquer |
| el puerto | le port |
| el muelle | le quai |
| el barco | le bateau |
| el yate | le yacht |
| el crucero | la croisière |
| la travesía | la traversée |
| el camarote | la cabine |
| a bordo | à bord |
| en cubierta | sur le pont |

⌕ **navegable** : navigable

≠ **acostar** : coucher, allonger

## ☞ Expressions

**perder el tren de algo** *(fig.)* : passer à côté de qqch. • **estar como un tren** *(fam.)* : être canon • **vivir a todo tren** : mener grand train • **hacer algo volando** : faire qqch. en vitesse • **volar con sus propias alas** : voler de ses propres ailes

*le taxi*

*être huelga*

# 24 **Fiestas y tradiciones**
## Fêtes et traditions

Alcorisa / Fêtes patronales 2007 /
du 12 au 16 septembre

Sur cette affiche, quelques figures typiques du folklore espagnol :
**los gigantes**, des figures géantes qui représentent des personnages
populaires ou mythologiques (on reconnaît ici, Don Quichotte et
Dulcinée), un toréador et un taureau rappelant l'omniprésence des
corridas dans les fêtes populaires, un ballon de foot, une fanfare
– animation de tout village en fête – et quelques costumes
traditionnels.

## Fiestas y comidas festivas
### Fêtes et repas de fête

| | | |
|---|---|---|
| **la fiesta** | la fête | **2.** le jour férié |
| **los festejos** | les festivités | ✍ **festejar** : fêter |
| **festivo** | festif | **2.** férié |
| **la celebración** | la célébration | ✍ **celebrar** : célébrer, fêter |
| **la tradición** | la tradition | ✍ **tradicional** : traditionnel |
| **el folclore, el folclor** | le folklore | |
| **trasnochar** | passer une nuit blanche | |
| **el banquete** | le banquet | |
| **el anfitrión** | l'hôte [qui reçoit] | ≠ **el huésped** : l'hôte [qui est reçu] |
| **la degustación** | la dégustation | ➜ p. 32 (Boissons), ➜ p. 35 (Au restaurant) |

# El calendario festivo *Le calendrier des fêtes*

## ❯ Les Rois Mages (6 janvier)

■ Le 5 janvier au soir, un grand défilé appelé **la cabalgata** a lieu dans la plupart des villes espagnoles, et **los Reyes Magos**, *les Rois Mages* (**Melchor, Gaspar** et **Baltasar**), vont à la rencontre des enfants.

■ Le lendemain, jour férié, les enfants découvrent **los regalos**, *les cadeaux*, dès leur réveil.

## ❯ Le Carnaval (février)

■ Fête d'origine païenne, **el Carnaval** a été assimilé aux fêtes chrétiennes qui annoncent le début du jeûne lors du carême.

■ Après avoir été interdit sous la dictature de Franco, il est redevenu une fête populaire. Dans beaucoup de villes, lors des défilés, on porte des **disfraces**, *déguisements*, et des **máscaras**, *masques*.

## ❯ Les « Fallas » de Valencia (du 12 au 19 mars)

■ Les **Fallas de Valencia** débutent le 12 mars. Pendant une semaine, on expose des **ninots**, sculptures en papier mâché que l'on brûle lors de la *cremá*. Ces sculptures sont des satires de personnages publics et/ou la mise en scène d'événements qui se sont déroulés dans l'année.

■ À la fin de la semaine, le 19 mars, fête de **San José**, toutes ces figures sont brûlées lors de la cérémonie appelée en valencien *Nit del Foc* (« Nuit du feu »), à l'exception de l'élue, conservée dans le **Museo de las Fallas**.

■ Lors de cette fête, **el fuego**, *le feu*, est à l'honneur avec **las hogueras**, *feux de joie* et *bûchers*, **los fuegos artificiales**, *feux d'artifice*, **los petardos**, *pétards*...

## ❯ La semaine sainte (mars-avril)

■ **La Semana Santa** est une fête religieuse marquée par **las procesiones**, *les processions*, pour commémorer la **Pasión**, la *Passion du Christ*. La célébration diffère d'une ville à l'autre : austérité et silence dans les villages de Castille et fête, lumière et musique dans la tradition andalouse. Les processions sont marquées par **los pasos**, sculptures qui représentent la Passion. **Los nazarenos** défilent avec **los capirotes**, leurs *capuches* aux couleurs de leur **hermandad**, leur *confrérie*, suivis par **los penitentes**, croyants qui défilent en portant des bougies, des chaînes, des croix...

■ On entend aussi à cette occasion **las saetas**, des chants dédiés à la Vierge ou au Christ.

## ❯ La nuit de la Saint-Jean (23 juin)

■ **La noche de San Juan** est une fête aux origines lointaines très répandue dans toute l'Espagne. Le feu sous toutes ses formes (feux de joie, bûchers, pétards...) célèbre la nuit du 23 au 24 juin, qui correspond au solstice d'été.

## ◗ Les sanfermines (du 6 au 14 juillet)

■ **Los sanfermines** est une fête tauromachique qui se déroule à Pampelune (Navarre) en l'honneur de **San Fermín**, patron de la ville.

■ **El encierro** est une course où les jeunes courent devant des taureaux jusqu'aux arènes où ont lieu **las corridas**. Elle se déroule chaque matin du 7 au 17 juillet et dure entre 2 et 3 minutes.

## ◗ La fête de l'Hispanité (12 octobre)

■ Le 12 octobre 1492, après une longue traversée, Christophe Colomb débarque sur les terres du continent américain.

■ En Espagne, c'est un jour férié qui coïncide avec les fêtes de la Vierge du *Pilar*, la sainte patronne de l'Espagne ; on l'appelle **Día de la Hispanidad**, *fête de l'Hispanité*.

■ Dans plusieurs pays d'Amérique latine, cette journée porte généralement le nom de **Día de la Raza**, *fête de la Race*, pour célébrer la naissance d'une nouvelle identité euro-indienne.

## ◗ La Toussaint (1<sup>er</sup> novembre)

■ Le 1<sup>er</sup> novembre, jour de **Todos los Santos**, on rend hommage aux *défunts*, **los difuntos**.

■ Les croyants vont à la messe et se rendent à **el cementerio**, *le cimetière*, fleurir **las tumbas**, *les tombes*.

■ Au Mexique, le 2 novembre, on fête **el Día de los Muertos**, *la fête des morts*.

## ◗ La nuit de Noël (24 décembre)

■ En Espagne, comme dans la plupart des pays chrétiens, on fête tout particulièrement **la Nochebuena**.

■ Dans les maisons, on met en place **el belén**, *la crèche*, et **el árbol de Navidad**, *le sapin de Noël*.

■ Le 24 décembre, il est fréquent d'organiser **la cena de Nochebuena**, *le réveillon de Noël*, un dîner en famille avec des plats tels que **el cochinillo**, *du cochon de lait*, ou **el cordero**, *de l'agneau*, et des desserts typiques, comme **el turrón**, *sorte de nougat*, **mazapán**, *du massepain*, **polvorones**, *des gâteaux sablés faits avec du saindoux, de la farine et du sucre*... et on chante **los villancicos**, *les chants de Noël*.

■ Deux jours avant a lieu **la lotería de Navidad**, une loterie traditionnelle qui marque en quelque sorte l'entrée dans les festivités de Noël. Le gros lot est appelé **el gordo**.

## ◗ Noël (25 décembre)

■ Pour **Navidad**, Noël, les Espagnols ont pour habitude de déjeuner en famille.

■ De plus en plus souvent, **Papá Noel**, *le Père Noël*, vient dans les foyers pour distribuer les cadeaux aux enfants, mais cette tradition n'est pas aussi répandue que dans d'autres pays.

■ Les Espagnols attendent généralement le 6 janvier pour la distribution des cadeaux, selon la tradition de **los Reyes Magos**, *les Rois Mages*.

### ▶ Le jour des saints Innocents (28 décembre)

■ Le jour de **los Santos Inocentes** correspond à peu près au 1$^{er}$ avril en France, les gens se font des farces et des plaisanteries appelées **inocentadas**.

### ▶ La nuit de la Saint-Sylvestre (31 décembre)

■ **La Nochevieja**, littéralement *vieille nuit*, s'appelle ainsi car il s'agit de la dernière nuit de l'année.

■ À minuit, toutes les horloges des villes et des villages d'Espagne sonnent **las campanadas**, *les douze coups de minuit* et, à ce moment précis, tout le monde mange douze grains de raisin, **las uvas de la suerte**.

■ La fête se prolonge jusqu'au petit matin, moment où on l'on prend le traditionnel **chocolate con churros**.

# La tauromaquia  *La tauromachie*

| | | |
|---|---|---|
| **el toro** | *le taureau* | ⌒ **los ~s :** *la corrida* |
| **torear** | *toréer* | Syn. **lidiar** |
| **el torero** | *le toréador* | Syn. **el matador, el diestro** |
| **la banderilla** | *la banderille* | |

### ⌒ La corrida

■ **La corrida**, *la corrida*, est un spectacle né au XVIII$^e$ siècle au cours duquel un ou plusieurs toréadors luttent contre un taureau, selon des règles strictes.

■ Elle a lieu dans une enceinte fermée, généralement circulaire et à ciel découvert, appelée **la plaza de toros**, *l'arène*.

### ⌒ Expressions

**ver los toros desde la barrera** *(fam.)* **:** *se tenir loin du danger, ne pas se mouiller* • **coger al toro por los cuernos** *(fam.)* **:** *prendre le taureau par les cornes* • **Nos va a pillar el toro.** *(fam.) On va être à la bourre.* • **torear a alguien** *(fam.) : se payer la tête de qqn*

## 25 Las ciencias

### Les sciences

¿Cómo se calcula el volumen de una vaca?
**Ingeniero:** Metemos la vaca dentro de una gran cuba de agua y la diferencia de volumen es el de la vaca.
**Matemático:** Parametrizamos la superficie de la vaca y se calcula el volumen mediante una integral triple.
**Físico:** Supongamos que la vaca es esférica...

http://ciencianet.com/chistesvarios.html

*Comment calcule-t-on le volume d'une vache ? / Ingénieur : Nous faisons rentrer la vache dans une grande cuve d'eau et la différence de volume équivaut à celui de la vache. / Mathématicien : Nous paramétrons la surface de la vache et on calcule le volume grâce à une triple intégrale. / Physicien : Supposons que la vache est sphérique...*

## El enfoque científico  *L'approche scientifique*

| | | | |
|---|---|---|---|
| **la ciencia** | la science | | *⌀* **científico :** scientifique |
| **la investigación** | la recherche | | *⌀* **el investigador :** le chercheur |
| **el laboratorio** | le laboratoire | | |
| **el microscopio** | le microscope | | |
| **el experimento** | l'expérience | | **2.** l'expérimentation |
| | | | *⌀* **experimentar :** expérimenter |
| **la deducción** | la déduction | | *⌀* **deducir** (v. irr.) **:** déduire |
| **la observación** | l'observation | | *⌀* **observar :** observer |
| **el análisis** | l'analyse | | *⌀* **analizar :** analyser |
| **la hipótesis** | l'hypothèse | | |
| **la prueba** | la preuve | | *⌀* **probar** (v. irr. o>ue) **:** prouver |
| **la teoría** | la théorie | | *⌀* **teórico :** théorique |
| **el descubrimiento** | la découverte | | *⌀* **descubrir :** découvrir |
| **el invento** | l'invention | | *⌀* **inventar :** inventer |
| **la fórmula** | la formule | | *⌀* **formular :** formuler |

### ✐ Expressions

**a ciencia cierta :** à coup sûr • **tener la ciencia infusa :** avoir la science infuse • **tener poca ciencia** *(fam.)* **:** être facile comme bonjour

# Las ciencias exactas Les sciences exactes

## ▶ Las matemáticas Les mathématiques

| | |
|---|---|
| el matemático | le mathématicien |
| el álgebra (n. f.) | l'algèbre |
| la aritmética | l'arithmétique |
| la geometría | la géométrie |
| calcular | calculer |
| contar (v. irr. o>ue) | compter |
| sumar | additionner |
| restar | soustraire |
| multiplicar | multiplier |
| | |
| dividir | diviser |
| el número | le nombre, le numéro |
| la raíz cuadrada | la racine carrée |

🗲 **el cálculo** : le calcul
🗲 **la cuenta** : le compte
🗲 **la suma** : l'addition
🗲 **la resta** : la soustraction
🗲 **la multiplicación** : la multiplication

🗲 **la división** : la division
→ p. 65 (Les nombres et les chiffres)

## ▶ La estadística La statistique

| | |
|---|---|
| el dato | la donnée |
| el índice | le taux |
| el porcentaje | le pourcentage |
| el promedio | la moyenne |
| la tabla | le tableau |
| el gráfico | le graphique |
| la curva | la courbe |

Syn. **la tasa**
🗲 **por ciento** : pour cent
Syn. **la media**

# Las ciencias de la naturaleza
Les sciences de la nature

## ▶ La física La physique

| | |
|---|---|
| el físico | le physicien |
| la mecánica | la mécanique |
| la óptica | l'optique |
| la acústica | l'acoustique |
| | |
| la energía | l'énergie |
| la materia | la matière |
| la masa | la masse |
| la gravedad | la gravité |

LEXIQUE THÉMATIQUE

| la fuerza | la force |
| la presión | la pression |
| el movimiento | le mouvement |
| la velocidad | la vitesse |

## ▶ La química  La chimie

| el químico | le chimiste |
| el átomo | l'atome |
| el ácido | l'acide |
| el óxido | l'oxyde | ✄ oxidar : oxyder |
| la partícula | la particule |

## ▶ La biología  La biologie

| el ser vivo | l'être vivant |
| la especie | l'espèce | ≠ la especia : l'épice |

| la célula | la cellule |
| la molécula | la molécule |
| la neurona | le neurone |
| la hormona | l'hormone |

| la genética | la génétique | ✄ el gen : le gène |
| el cromosoma | le chromosome |
| hereditario | héréditaire |
| el embrión | l'embryon |
| el feto | le fœtus |

## ▶ La geología  La géologie

➜ p. 178 (Le relief)

# Las ciencias humanas y sociales
## Les sciences humaines et sociales

## ▶ La (p)sicología y el (p)sicoanálisis
La psychologie et la psychanalyse

| el (p)sicólogo | le psychologue |
| la conducta | le comportement | Syn. el comportamiento |
| el trastorno | le trouble |
| la inhibición | le refoulement |
| el complejo | le complexe |
| el estímulo | le stimulus |

| | | |
|---|---|---|
| **la pulsión** | *la pulsion* | |
| **el consciente** | *le conscient* | |
| **el inconsciente** | *l'inconscient* | |
| **el subconsciente** | *le subconscient* | |
| **el ego** | *l'égo* | Sʏɴ. **el yo :** *le moi* |
| **el superego** | *le surmoi* | Sʏɴ. **el superyó** |

## ▶ La filosofía  La philosophie

| | | |
|---|---|---|
| **la ética** | *l'éthique* | |
| **la metafísica** | *la métaphysique* | |
| **la dialéctica** | *la dialectique* | |
| | | |
| **el sujeto** | *le sujet* | |
| **el objeto** | *l'objet* | |
| **la paradoja** | *le paradoxe* | ✍ **paradójico :** *paradoxal* |
| **la verdad** | *la vérité* | |
| **el ser** | *l'être* | |
| **la nada** | *le néant* | |
| **la duda** | *le doute* | |
| **el juicio** | *la raison, l'esprit* | **2.** *le jugement* |

## ▶ La historia  L'histoire

➔ p. 173 (Les grandes périodes de l'histoire)

## ▶ La geografía  La géographie

➔ p. 177 (Caractéristiques géologiques de notre planète), ➔ p. 184 (Continents et pays),
➔ p. 159 (La population mondiale), ➔ p. 181 (Le temps qu'il fait)

## ▶ La arqueología  L'archéologie

➔ p. 173 (La Préhistoire)

## ▶ La lingüística  La linguistique

➔ p. 25 (Le langage)

LEXIQUE THÉMATIQUE

# 26 Religiones y creencias
## Religions et croyances

Nazarenos, sadhus, hindúes, penitentes musulmanes o budistas... Millones de devotos de las diversas religiones del mundo desfilan en honor a sus dioses y santos cuando lo marca el calendario. Son las procesiones, un fenómeno universal que mezcla el fervor con la espectacularidad.

Artículo de *Muy interesante* © GyJ España Ediciones, S.L., 2007.

*Nazaréens, sâdhus, hindous, pénitents musulmans ou bouddhistes... Des millions de croyants des différentes religions du monde défilent en l'honneur de leurs dieux et de leurs divinités lorsque le calendrier l'indique. Ce sont les processions, phénomène universel qui mêle la ferveur au spectaculaire.*

## La fe, la falta de fe y el laicismo
## La foi, l'absence de foi et la laïcité

| | | |
|---|---|---|
| la religión | la religion | ⚥ **religioso** : religieux |
| el dios | le dieu | ⚥ **la diosa** : la déesse |
| Dios | Dieu | |
| la divinidad | la divinité | ⚥ **divino** : divin |
| sagrado | sacré | ANT. **profano** : profane |
| la eternidad | l'éternité | ⚥ **eterno** : éternel |
| el alma (n. f.) | l'âme | |
| el rezo | la prière | ⚥ **rezar** : prier |
| el creyente | le croyant | ⚥ **creer** : croire |
| el practicante | le pratiquant | |
| el pecado | le péché | ⚥ **pecar** : pécher |
| el paraíso | le paradis | |
| el infierno | l'enfer | |
| la salvación | le salut | ⚥ **salvar** : sauver |
| laico | laïc | ⚥ **el laicismo** : la laïcité |
| el ateo | l'athée | ⚥ **el ateísmo** : l'athéisme |
| el agnóstico | l'agnostique | ⚥ **el agnosticismo** : l'agnosticisme |
| la secta | la secte | ⚥ **sectario** : sectaire |
| el lavado de cerebro | le lavage de cerveau | |

104

# El cristianismo *Le christianisme*

| | | |
|---|---|---|
| el cristiano | le chrétien | |
| el catolicismo | le catholicisme | ✎ **el católico** : le catholique |
| el protestantismo | le protestantisme | ✎ **el protestante** : le protestant |
| el calvinismo | le calvinisme | ✎ **el calvinista** : le calviniste |
| la creación | la création | ✎ **crear** : créer |
| | | |
| **Jesucristo** | Jésus-Christ | Sʏɴ. **Jesús** |
| el Cielo | le Ciel, les Cieux | |
| el Diablo | le Diable | Sʏɴ. **Lucifer, Satán** |
| el milagro | le miracle | ✎ **milagroso** : miraculeux |
| la Biblia | la Bible | ✎ **bíblico** : biblique |
| el Evangelio | l'Évangile | |
| el mandamiento | le commandement | ⌦ **los diez ~s** : les dix commandements |
| | | |
| la misa | la messe | |
| la eucaristía | l'eucharistie | |
| el bautismo | le baptême | ✎ **bautizar** : baptiser |
| el catecismo | le catéchisme | |
| la comunión | la communion | ✎ **comulgar** : communier |
| el sacramento | le sacrement | |
| **confesarse** (v. irr. e>ie) | se confesser | ✎ **la confesión** : la confession |
| el sacerdote | le prêtre | Sʏɴ. **el cura** : le curé |
| el pastor | le pasteur | |
| el pope | le pope | |
| el Papa | le pape | ✎ **papal** : papal |
| el apóstol | l'apôtre | |
| el santo | le saint | ✎ **la santidad** : la sainteté |
| | | |
| la catedral | la cathédrale | |
| la iglesia | l'église | |
| la capilla | la chapelle | |
| el templo | le temple | |
| el altar | l'autel | |

## ⌦ L'Espagne, pays catholique ?

■ L'Espagne, malgré sa forte tradition catholique, est un État aconfessionnel. Cependant, l'enseignement de la religion catholique fait partie du programme scolaire en tant que matière optionnelle.

# El islam  L'islam

| | |
|---|---|
| islámico | islamique |
| el musulmán | le musulman |
| Alá | Allah |
| Mahoma | Mahomet |
| el profeta | le prophète |
| el Corán | le Coran |
| la mezquita | la mosquée |
| el imán | l'imam |
| La Meca | la Mecque |
| el ramadán | le ramadan |

# El judaísmo  Le judaïsme

| | | |
|---|---|---|
| el judío | le juif | |
| el pueblo elegido | le peuple élu | |
| el Mesías | le Messie | |
| Jehová | Yahvé, Jéhovah | |
| la Torá | la Thora | |
| el Talmud | le Talmud | |
| el rabino | le rabbin | |
| la sinagoga | la synagogue | |
| Pésaj | Pessah | Syn. la Pascua Judía |

# Otras religiones y creencias
Autres religions et croyances

| | | |
|---|---|---|
| el paganismo | le paganisme | ∅ el pagano : le païen |
| el hinduismo | l'hindouisme | ∅ el hinduista : l'hindouiste |
| el gurú | le gourou | Syn. el guía espiritual : le guide spirituel |
| la casta | la caste | |
| el karma | le karma | |
| el nirvana | le nirvana | |
| el budismo | le bouddhisme | ∅ el budista : le bouddhiste |
| la reencarnación | la réincarnation | |
| el confucianismo, el confucionismo | le confucianisme | |

| | | |
|---|---|---|
| los **Testigos de Jehová** | les Témoins de Jéhovah | |
| la **cienciología** | la scientologie | ✒ el **cienciólogo** : le scientologue |
| el **espiritismo** | le spiritisme | |
| el **animismo** | l'animisme | |
| la **brujería** | la sorcellerie | ✒ el **brujo** : le sorcier |
| la **santería** | culte afro-cubain, mélange de catholicisme et de religions africaines | |
| el **satanismo** | le satanisme | |
| la **magia** | la magie | ✒ **mágico** : magique |
| el **vudú** | le vaudou | |
| la **astrología** | l'astrologie | |
| la **superstición** | la superstition | ✒ **supersticioso** : superstitieux |
| el **amuleto** | l'amulette | |

## Mitos, cuentos y leyendas
Mythes, contes et légendes

| | | |
|---|---|---|
| la **mitología** | la mythologie | |
| el **hada** (n. f.) | la fée | |
| el **duende** | le lutin | SYN. **el gnomo** |
| la **sirena** | la sirène | |
| el **dragón** | le dragon | |
| el **unicornio** | la licorne | |
| el **fantasma** | le fantôme | |
| el **vampiro** | le vampire | |

### ✐ Expressions

**¡Vaya por Dios!** Nous voilà bien ! • **Dios dirá.** On verra bien ! • **como Dios manda** : comme il faut • **írsele a alguien el santo al cielo** (fam.) : perdre le fil (de ses pensées) • **No es santo de mi devoción.** (fam.) Je ne le porte pas dans mon cœur. • **¡Jesús!** [lorsqu'on éternue] À tes souhaits ! • **¡Gracias a Dios!** Dieu merci !, Heureusement ! • **¡Por Dios!** Je t'en/vous en prie. • **ir a misa** (fam. fig.) : être parole d'évangile • **mandar a alguien al diablo** (fam.) : envoyer qqn promener

# 27 La creación y los estilos artísticos

## La création et les styles artistiques

"Celebración del Arte. Medio siglo de la Fundación Juan March" es el título de la exposición que ahora presentamos. [...] describe un itinerario por las principales vanguardias [...]. Las experiencias del impresionismo [...] darán origen a otros movimientos como el cubismo [...], la abstracción [...], el dadaísmo [...] y el surrealismo, representado aquí por Magritte, Miró, Dalí y Max Ernst.

Folleto informativo de la exposición © Fundación Juan March, 2005.

« Célébration de l'Art. Un demi-siècle de la Fondation Juan March », c'est le titre de l'exposition que nous vous présentons en ce moment. [...] elle décrit l'itinéraire des principaux mouvements d'avant-garde [...]. L'impressionnisme [...] est à l'origine d'autres mouvements comme le cubisme [...], l'art abstrait [...], le mouvement dada [...], et le mouvement surréaliste, représenté ici par des œuvres de Magritte, Miró, Dalí et Marx Ernst.

| | | |
|---|---|---|
| **el arte** (n. m. ou f.) | l'art | REM. Généralement masculin au singulier, ce terme est féminin au pluriel : **el arte egipcio**, **las artes decorativas**.<br>☞ **las bellas ~s :** *les beaux-arts* |
| **el artista** | l'artiste | ✑ **artístico :** *artistique* |
| **la obra** | l'œuvre | **2.** *l'ouvrage*<br>☞ **la ~ de arte :** *l'œuvre d'art*<br>☞ **la ~ maestra :** *le chef-d'œuvre* |
| **crear** | créer | ≠ **creer :** *croire* |
| **la belleza** | la beauté | |
| **estético** | esthétique | |
| **el genio** | le génie | |
| **el talento** | le talent | |
| **la inspiración** | l'inspiration | ✑ **inspirarse (en) :** *s'inspirer (de)*<br>✑ (estar) **inspirado :** *inspiré* |
| **la musa** | la muse | |
| **el modelo** | le modèle | |
| **el taller** | l'atelier | SYN. **el estudio** |
| **imitar** | imiter | |

| copiar | copier | |
|---|---|---|
| falsificar | falsifier | ♪ **la falsificación** : la falsification |
| | | **2.** le faux |
| **la corriente** | le courant | |
| **la fama** | la célébrité | SYN. **la celebridad** |
| | | ♪ **famoso** : célèbre |
| **el crítico (de arte)** | le critique (d'art) | ♪ **la crítica** : la critique |
| **la subasta** | la vente aux enchères | ♪ **subastar** : vendre aux enchères |

## ◗ Los movimientos y estilos artísticos
Les mouvements et les styles artistiques

| rupestre | rupestre |
|---|---|

### ⟩☞ Les origines de l'art

■ **Las cuevas de Altamira,** les grottes d'Altamira (région Cantabrique) constituent, avec les grottes de Lascaux, la plus ancienne représentation de l'art. Leur origine remonte à 17 000 ans environ.

| antiguo | antique | ♪ **la Antigüedad** : l'Antiquité |
|---|---|---|
| clásico | classique | |
| prerrománico | préroman | ♪ **el Prerrománico** : l'art préroman |
| románico | roman | ♪ **el Románico** : l'art roman |
| gótico | gothique | ♪ **el Gótico** : l'art gothique |
| mudéjar | mudéjar | |
| precolombino | précolombien | |
| renacentista | de la Renaissance | ♪ **el Renacimiento** : la Renaissance |
| plateresco | platteresque | ♪ **el Plateresco** : le platteresque |
| manierista | maniériste | ♪ **el Manierismo** : le maniérisme |
| barroco | baroque | ♪ **el Barroco** : le baroque |
| rococó | rococo | ♪ **el Rococó** : le rococo |
| neoclasicista | néoclassique | ♪ **el Neoclasicismo** : le néoclassicisme |
| romántico | romantique | ♪ **el Romanticismo** : le romantisme |
| realista | réaliste | ♪ **el Realismo** : le réalisme |
| naturalista | naturaliste | ♪ **el Naturalismo** : le naturalisme |
| modernista | art nouveau | ♪ **el Modernismo** : l'art nouveau |
| impresionista | impressionniste | ♪ **el Impresionismo** : l'impressionnisme |
| vanguardista | d'avant-garde | ♪ **el Vanguardismo, la Vanguardia** : l'art d'avant-garde |
| cubista | cubiste | ♪ **el Cubismo** : le cubisme |

| expresionista | expressionniste | ⌀ el **Expresionismo** : l'expressionnisme |
| **futurista** | futuriste | ⌀ el **Futurismo** : le futurisme |
| **dadaísta** | dada | ⌀ el **Dadaísmo** : le dadaïsme |
| **surrealista** | surréaliste | ⌀ el **Surrealismo** : le surréalisme |
| **abstracto** | abstrait | ANT. **figurativo** : figuratif |
| **moderno** | moderne | |
| **contemporáneo** | contemporain | |
| **original** | original | |
| **innovador** | innovateur | |

## ✄☞ Expressions

**por amor al arte** : pour l'amour de l'art • **No tengo arte ni parte en ello.** Je n'y suis pour rien. • **por** ou **con malas artes** : par des moyens malhonnêtes • **por arte de magia** : comme par magie

# 28 La literatura y la lectura
## La littérature et la lecture

Todos los géneros poseen sus normas [...]. No puedes escribir una obra de teatro como si fuera un ensayo, porque probablemente sería aburridísima; y no debes escribir un ensayo como si fuera poesía, porque es muy posible que le falte rigor. Del mismo modo, no puedes escribir una novela como si fuera periodismo, o harás una mala novela, o periodismo como si fuera ficción, porque harás mal periodismo.

Rosa Montero, *La loca de la casa* © Alfaguara, 2003.

Tous genres littéraires possèdent des normes [...]. On ne peut pas écrire une pièce de théâtre comme s'il s'agissait d'un essai, parce que celle-ci serait probablement très ennuyeuse ; on ne peut pas non plus écrire un essai comme si c'était de la poésie parce qu'il est fort possible que celui-ci manquerait alors de rigueur. De la même façon, on ne peut pas écrire un roman comme on fait du journalisme, ou alors ce serait un mauvais roman, ou bien du journalisme comme de la fiction, parce qu'on ferait du mauvais journalisme.

| | | |
|---|---|---|
| **literario** | littéraire | |
| **el literato** | l'homme de lettres | SYN. **el hombre de letras** |
| **la obra** | l'ouvrage | 2. l'œuvre |
| **el argumento** | l'argument | SYN. **la trama** |
| **el personaje** | le personnage | |
| **el protagonista** | le héros, le personnage principal | |
| **el narrador** | le narrateur | |
| **la narración** | la narration | ✍ **narrar** : raconter |
| **el relato** | le récit | ✍ **relatar** : raconter, relater |
| **la descripción** | la description | ✍ **describir** : décrire |

## Los géneros literarios Les genres littéraires

### ▶ La prosa La prose

| | | |
|---|---|---|
| **la novela** | le roman | ≠ **la novela corta** : la nouvelle<br>☞ **la ~ policíaca/rosa** : le roman policier/à l'eau de rose<br>✍ **el novelista** : le romancier |
| **la picaresca** | le roman picaresque | |

| el cuento | le conte | ☞ **el ~ de hadas :** le conte de fées |
| **la leyenda** | la légende | ✒ **legendario :** légendaire |
| **el ensayo** | l'essai | |
| **las memorias** | les mémoires | |
| **la biografía** | la biographie | ✒ **la autobiografía :** l'autobiographie |

## ▶ La poesía La poésie

| **la lírica** | la lyrique | |
| **el poema** | le poème | |
| **el poeta** | le poète | ✒ **la poetisa :** la poétesse |
| **poético** | poétique | Syn. **lírico :** lyrique |
| **el verso** | le vers | |
| **la rima** | la rime | ✒ **rimar :** rimer |
| **recitar** | réciter | |
| **la metáfora** | la métaphore | |
| **el romance** | récit en vers | ✒ **el romancero :** le recueil de « romances » |
| **la fábula** | la fable | ✒ **el fabulista :** le fabuliste |
| **el refrán** | le proverbe | ✒ **el refranero :** le recueil de proverbes |

## ▶ El teatro Le théâtre

➔ p. 122 (Le théâtre)

---

### ☞ Le Siècle d'or de la littérature espagnole

■ **El Siglo de Oro,** le Siècle d'or de la littérature espagnole, correspond aux XVIe et XVIIe siècles.

■ Les auteurs les plus importants de cette période sont **Garcilaso de la Vega, Góngora** et **Quevedo** pour la poésie, **Lope de Vega** et **Calderón de la Barca** pour le théâtre. Cette époque correspond aussi à la création du *Don Quijote de la Mancha*, de **Miguel de Cervantes**, considéré comme le roman le plus important jamais écrit en espagnol.

■ Cette période est également celle de **la picaresca,** le roman picaresque, genre littéraire qui raconte de façon réaliste le parcours de **un pícaro,** héros d'origine modeste, qui traverse des aventures aux allures de parcours initiatique. Ce terme désigne de nos jours quelqu'un de malin.

---

## El libro Le livre

| **el escritor** | l'écrivain | Syn. **el autor :** l'auteur |
| **el lector** | le lecteur | |
| **el traductor** | le traducteur | ✒ **traducir** (v. irr.) **:** traduire |

| la publicación | la publication | *publicar* : publier |
| la edición | l'édition | *el editor* : l'éditeur |
| la editorial | la maison d'édition | *editar* : publier |
| la imprenta | l'imprimerie | *la impresión* : l'impression |
| | | *imprimir* : imprimer |
| | | *el impresor* : l'imprimeur |
| la librería | la librairie | **2.** la bibliothèque [meuble] |
| | | ⌦ **la ~ de viejo** : la librairie d'occasion |

## ▶ Tipos de libros *Types de livres*

| el libro de texto | le manuel scolaire | Syn. **el manual** |
| el libro de bolsillo | le livre de poche | |
| el diccionario | le dictionnaire | |
| el audiolibro | le livre audio | |
| la enciclopedia | l'encyclopédie | |
| la antología | le recueil | |
| el cómic | la BD | Syn. **el tebeo** |

### ☞ La Journée internationale du livre

■ **El Día Internacional del Libro** est une journée promue par l'UNESCO. Cet événement a lieu en Espagne tous les 23 avril, en commémoration de la mort de Cervantès et de Shakespeare en avril 1616.

■ Traditionnellement, et plus particulièrement en Catalogne, c'est l'occasion pour chacun d'offrir des livres et des roses à ses proches.

## ▶ Las partes del libro *Les parties du livre*

| la tapa | la couverture | Syn. **la cubierta** |
| la portada | la couverture | **2.** la une [de journal] |
| la encuadernación | la reliure | *encuadernar* : relier |
| el título | le titre | *el subtítulo* : le sous-titre |
| el índice | la table des matières | **2.** le sommaire |
| el prólogo | la préface | Syn. **el prefacio** |
| la introducción | l'introduction | |
| la bibliografía | la bibliographie | |
| la página | la page | ⌦ **la nota a pie de ~** : la note en bas de page |
| la línea | la ligne | |
| el párrafo | le paragraphe | ≠ **la rúbrica** : le paraphe |
| el capítulo | le chapitre | |
| el epílogo | l'épilogue | |

## ▶ La tipografía  La typographie

| la ortografía | l'orthographe |
| la letra | la lettre [signe] |
| la (letra) negrita | le gras |
| la (letra) cursiva | l'italique |
| la puntuación | la ponctuation |
| la errata | l'erratum, la coquille |

≠ **la carta** : la lettre [correspondance]

Syn. **la (letra) itálica**

Rem. **el gazapo** *(fam.)*
≠ **la fe de erratas** : l'errata

### & Notez bien

■ **El signo de exclamación (¡ !)**, le point d'exclamation, et **el signo de interrogación (¿ ?)**, le point d'interrogation, se placent respectivement au début et à la fin des phrases exclamatives et interrogatives, sans espace avant, contrairement au français.
■ Autres signes de ponctuation :
**el punto** (le point), **el punto y coma** (le point-virgule), **la coma** (la virgule), **las comillas** (les guillemets), **el paréntesis** (la parenthèse), **los puntos suspensivos** (les points de suspension), **los dos puntos** (les deux-points).

## En la biblioteca  À la bibliothèque

| el bibliotecario | le bibliothécaire |
| el catálogo | le catalogue |
| el archivo | l'archive |
| la búsqueda | la recherche |
| el préstamo | le prêt |
| sacar un libro | emprunter un livre |
| la devolución | le retour |

Syn. **el fichero** : le fichier

🖉 **buscar** : rechercher

2. publier un livre

🖉 **devolver** (v. irr. o>ue) : rendre, restituer

### ☞ Expressions

**hablar** *ou* **explicarse como un libro abierto** *(fam. fig.)* : s'exprimer très bien •
**echar** *ou* **soltar una parrafada sobre algo** *(fam.)* : sortir tout un topo sur qqch. •
**leer entre líneas** : lire entre les lignes • **ser el cuento de nunca acabar** *(fam.)* :
être une histoire à n'en plus finir • **no venir a cuento** *(fam.)* : ne pas venir à propos,
ne rimer à rien • **dejarse de cuentos** *(fam.)* : arrêter de raconter des histoires •
**tener mucho cuento** *(fam.)* : jouer la comédie

# 29 Las bellas artes y la arquitectura
## Les beaux-arts et l'architecture

Este formidable cuadro, que conocemos hoy como Las Meninas [...] es, sin duda, la obra cumbre de este genial pintor y la pieza central del Museo del Prado. [...]
En el primer término, [...] nos encontramos con el autorretrato del propio Velázquez, armado de paleta y pincel y frente a un gran lienzo de espaldas.

Francisco Calvo Serraler, *Guía de sala Obras Maestras del Museo del Prado*
© Fundación Amigos del Museo del Prado, 2005.

Ce magnifique tableau (de Vélasquez) connu aujourd'hui sous le nom des « Ménines » [...] est, sans aucun doute, le chef-d'œuvre de ce peintre extraordinaire mais également le tableau le plus célèbre du Musée du Prado [...]. Au premier plan, [...] on observe l'autoportrait du peintre lui-même, arborant sa palette et son pinceau, face à une grande toile.

## La pintura La peinture

| | | |
|---|---|---|
| el pintor | le peintre | ✑ pictórico : pictural |
| pintar | peindre | |
| el óleo | l'huile | ☞ al ~ : à l'huile |
| la acuarela | l'aquarelle | |
| el carboncillo | le fusain | |
| el temple | la détrempe | Syn. la témpera |
| el cuadro | le tableau | |
| el marco | le cadre | |
| el lienzo | la toile | Syn. la tela |
| el caballete | le chevalet | |
| el pincel | le pinceau | ✑ la pincelada : la touche, le coup de pinceau |
| la paleta | la palette | |

| | | |
|---|---|---|
| el boceto | l'esquisse | SYN. **el esbozo, el bosquejo** |
| el dibujo | le dessin | *el dibujante* : le dessinateur |
| dibujar | dessiner | |
| el estudio | l'atelier | **2.** l'étude [dessin] |
| el color | la couleur | *colorear* : colorier |
| | | → p. 64 (Les couleurs) |
| el claroscuro | le clair-obscur | |
| la perspectiva | la perspective | |
| la composición | la composition | |
| el retrato | le portrait | *el autorretrato* : l'autoportrait |
| el paisaje | le paysage | *el paisajista* : le paysagiste |
| el bodegón | la nature morte | |
| la marina | la marine [tableau] | |
| el fresco | la fresque | |

## ☞ Quelques musées espagnols

■ Le musée espagnol le plus connu dans le monde est le **Museo del Prado,** qui présente des œuvres de **Velázquez, Goya, Murillo** et d'autres peintres étrangers célèbres. Ce musée constitue, avec le **Museo Nacional Centro de Arte Reina Sofía** et le **Museo Thyssen-Bornemisza,** ce que l'on appelle **El Paseo del Arte** (La promenade de l'art) ou **El triángulo del arte** à Madrid.

■ On peut citer aussi le **Museo Picasso** à Malaga, le **Museo Dalí** à Figueras ou le **Museo Guggenheim,** le musée d'art moderne et contemporain de Bilbao.

## La escultura La sculpture

| | | |
|---|---|---|
| el escultor | le sculpteur | *escultórico* : sculptural |
| esculpir | sculpter | |
| la estatua | la statue | SYN. **la escultura** : la sculpture |
| el pedestal | le piédestal | |
| el altorrelieve | le haut-relief | |
| el bajorrelieve | le bas-relief | |
| la talla | la sculpture (en bois) | *tallar* : sculpter **2.** tailler |
| el bronce | le bronze | |
| fundir | faire fondre | |
| el mármol | le marbre | |
| el cincel | le ciseau | |
| la arcilla | l'argile | |
| modelar | modeler | |
| el torno | le tour | |
| el molde | le moule | *moldear* : mouler |
| la escayola | le plâtre | |

# La arquitectura  L'architecture

| | | |
|---|---|---|
| **el arquitecto** | l'architecte | ⚡ **arquitectónico** : architectonique |
| **la planta** (de un edificio) | le plan [forme] | **2.** l'étage |
| | | ☞ **la ~ de cruz griega/latina** : le plan en croix grecque/latine |
| **el sillar** | la pierre de taille | |
| **el contrafuerte** | le contrefort | |
| **el pilar** | le pilier | |
| **la columna** | la colonne | |
| **el capitel** | le chapiteau | |
| **el arco** | l'arc | |
| | | ☞ **el ~ de medio punto/de herradura/ojival** : l'arc en plein cintre/en fer à cheval/en ogive |
| **la bóveda** | la voûte | ☞ **la clave de ~** : la clé de voûte |
| **la cúpula** | la coupole | |
| **la torre** | la tour | |
| **el pórtico** | le portique, le portail | |

# En el museo  Au musée

| | | |
|---|---|---|
| **la pinacoteca** | la pinacothèque | |
| **la galería de arte** | la galerie d'art | |
| **la sala** | la salle | |
| **la exposición** | l'exposition | ⚡ **exponer** (v. irr.) : exposer |
| **la colección** | la collection | ⚡ **el coleccionista** : le collectionneur |
| **la entrada** | le ticket | **2.** l'entrée<br>*Amér.* **el boleto** |
| **la visita guiada** | la visite guidée | |
| **el visitante** | le visiteur | |
| **el guía** | le guide [personne] | ≠ **la guía** : le guide [ouvrage] |
| **el restaurador** | le restaurateur | ⚡ **restaurar** : restaurer |

## ☞ Expressions

**quedar que ni pintado** : aller à merveille • **no pintar nada** *(fam.)* : n'avoir rien à voir • **no poder ver a alguien ni en pintura** *(fam.)* : ne pas pouvoir voir qqn en peinture • **ir hecho un pincel** *(fam.)* : être tiré à quatre épingles • **ser el vivo retrato de alguien** *(fam.)* : être le portrait tout craché de qqn

# La musique

Durant la Préhistoire, l'homme inventa la musique en soufflant dans des cornes et en frappant sur des troncs d'arbres creux. / Les troubadours et les ménestrels du Moyen Âge ont contribué à sa diffusion… / Les maîtres luthiers ont construit des instruments uniques… / Les génies du classicisme ont composé les meilleures symphonies. / Les plus illustres chefs d'orchestre les ont dirigées. / Tant de siècles de perfectionnement pour arriver aujourd'hui à… / « Écoute !! la sonnerie de son portable, c'est Mozart !! »

| el músico | le musicien | ♪ **musical** : musical |
| el compositor | le compositeur | ♪ **componer** (v. irr.) : composer |
| el sonido | le son | |
| el ritmo | le rythme | |
| la melodía | la mélodie | |
| el equipo (estéreo) | la chaîne hi-fi | Syn. **la cadena de música** |
| el casete | le magnétophone | Syn. **el magnetófono,** *Amér.* **la grabadora** |
| el altavoz | le haut-parleur | |
| los auriculares | les casques | Syn. **los cascos** |
| el disco | le disque | |
| la cinta | la cassette | Syn. **el** *ou* **la casete** |
| grabar | enregistrer | ♪ **la grabación** : l'enregistrement |
| piratear | pirater | ♪ **pirata** (adj.) : piraté |

# Los géneros musicales  Les genres de musique

## La música clásica  La musique classique

| la sinfonía | la symphonie | ♪ **sinfónico** : symphonique |

## La ópera  L'opéra

➜ p. 123 (L'opéra)

## La música moderna  La musique moderne

| la canción | la chanson | ♪ **cantar** : chanter |
| el cantante | le chanteur | ♪ **el cantautor** : l'auteur interprète |
| la letra | les paroles | |
| el estribillo | le refrain | |
| la balada | la ballade | |
| el pop | la pop | |
| el rock | le rock | |
| el jazz | le jazz | |
| el rap | le rap | |
| el tecno | la techno | |

### ☞ La tuna

■ **La tuna** est un groupe d'étudiants universitaires habillés en troubadours qui jouent de la musique dans les rues ou au cours de soirées, pour s'amuser et gagner de l'argent.
■ Cette tradition médiévale est répandue dans toute l'Espagne, notamment dans les villes universitaires telles que Salamanque ou Saint-Jacques-de-Compostelle.

# Practicar un instrumento Jouer d'un instrument

| | | |
|---|---|---|
| **tocar** | jouer de [un instrument] | |
| **afinar** | accorder | |
| **el conservatorio** | le conservatoire | |
| **la nota** | la note | |
| **la escala (musical)** | la gamme | |
| **la partitura** | la partition | |
| **el compás** | la mesure | **2.** le rythme |

## ▶ Los instrumentos de cuerda Les instruments à cordes

| | | |
|---|---|---|
| **el violín** | le violon | ♪ **el violinista :** le violoniste |
| **la guitarra** | la guitare | ♪ **el guitarrista :** le guitariste |
| **el arpa** (n. f.) | la harpe | |
| **el piano** | le piano | ♪ **el pianista :** le pianiste |

## ▶ Los instrumentos de viento Les instruments à vent

| | | |
|---|---|---|
| **la trompeta** | la trompette | ♪ **el trompetista :** le trompettiste |
| **el saxofón** | le saxophone | REM. **el saxo** (fam.) : le saxo |
| | | ♪ **el saxofonista :** le saxophoniste |
| **el clarinete** | la clarinette | |
| **la flauta** | la flûte | ♪ **el flautista :** le flûtiste |
| **la armónica** | l'harmonica | |
| **la gaita** | la cornemuse | ♪ **el gaitero :** le joueur de cornemuse |
| **el órgano** | l'orgue | |

## ▶ Los instrumentos de percusión Les instruments à percussion

| | | |
|---|---|---|
| **el tambor** | le tambour | ➛ **tocar el ~ :** battre le tambour |
| **las maracas** | les maracas | |
| **la batería** | la batterie | ♪ **el batería :** le batteur |
| **la pandereta** | le tambourin | |
| **las castañuelas** | les castagnettes | |

# En el concierto Au concert

| | | |
|---|---|---|
| **la sala de conciertos** | la salle de concerts | |
| **el auditorio** | l'auditorium | **2.** l'auditoire |
| **el recital** | le récital | |
| **la orquesta** | l'orchestre | ➛ **el director de ~ :** le chef d'orchestre |
| **dirigir** | diriger | |
| **la batuta** | la baguette | |

| | | |
|---|---|---|
| **desafinar** | chanter faux | **2.** jouer faux de [un instrument] |
| **el solista** | le soliste | |
| **el coro** | le chœur | |
| **el grupo** | le groupe | |
| **el telonero** | artiste ou groupe qui passe en première partie | |
| **el micrófono** | le microphone | Rᴇᴍ. **el micro** *(fam.)* : le micro |
| **la gira** | la tournée | Sʏɴ. **la turné** |
| **el bis** | le rappel | |
| **el aplauso** | l'applaudissement | ✑ **aplaudir** : applaudir |
| **el abucheo** | les huées | ✑ **abuchear** : huer |

## ☞ Expressions

**irse con la música a otra parte** *(fam. fig.)* : ficher le camp • **ser coser y cantar** *(fam.)* : être simple comme bonjour • **cantarle a alguien las cuarenta** *(fam.)* : dire ses quatre vérités à qqn • **llevar la voz cantante** : mener la danse • **a todo volumen** : à fond la caisse • **parecer un disco rayado** *(fam.)* : rabâcher toujours la même chose • **dar el cante** *(fam.)* : se faire remarquer • **estar más contento que unas castañuelas** *(fam.)* : être gai comme un pinson

# 31 Las artes escénicas

## Les arts du spectacle

Después de vivir varias etapas como bailarín, maestro, coreógrafo y director de su propia escuela, Víctor Ullate encarna la pasión por la danza, cualquiera que sea su lenguaje. [...]
– ¿El público español demanda ballet?
– En España existe un folclore muy amplio, es el único país con una variedad exquisita de bailes regionales.

"Víctor Ullate. La danza como leit motiv" © Joya Moda, 2007.

Après avoir été successivement danseur, professeur, chorégraphe et directeur de sa propre école de danse, Víctor Ullate incarne, à lui seul, la passion pour la danse, quel que soit son langage. [...]
– Le public espagnol est-il friand de ballet ?
– Il existe, en Espagne, un folklore très diversifié, c'est le seul pays à posséder une si grande variété de danses folkloriques.

## El teatro  Le théâtre

| | |
|---|---|
| **teatral** | théâtral |
| **la obra de teatro** | la pièce de théâtre |
| **el dramaturgo** | le dramaturge |
| **la tragedia** | la tragédie |
| **la comedia** | la comédie |
| **el drama** | le drame |
| **la función** | la séance |
| | |
| **el cartel** | l'affiche |
| | |
| **la taquilla** | le guichet |
| **la entrada** | le billet (d'entrée) |
| **la localidad** | la place [dans une salle de spectacle] |
| **el patio de butacas** | l'orchestre |
| **el palco** | la loge [pour le public], la tribune |
| **la platea** | le parterre |
| **la fila** | le rang |
| **la butaca** | le fauteuil |

🔸 **trágico** : tragique
🔸 **cómico** : comique
🔸 **dramático** : dramatique
Syn. **la representación**

➤ **estar/mantenerse** (v. irr.) **en ~** : être/rester à l'affiche

| el acomodador | le placeur | &#9998; la acomodadora : l'ouvreuse |
| el camerino | la loge [des acteurs] | |
| el acto | l'acte | |
| el entreacto | l'entracte | |
| el escenario | la scène [lieu] | &ne; el guion, el guión : le scénario |
| la escena | la scène [lieu, fragment] | &#9758; salir (v. irr.) a ~ : entrer en scène |
| las tablas | les planches | |
| el telón | le rideau | |
| el decorado | le décor | &#9998; decorar : décorer |
| la tramoya | la machinerie | |
| | | |
| la compañía | la troupe | |
| el actor | l'acteur | &#9998; la actriz : l'actrice |
| el galán | le jeune premier | |
| actuar | jouer | Syn. interpretar |
| la interpretación | l'interprétation | &#9998; interpretar : interpréter |
| el papel | le rôle | &#9758; hacer (v. irr.) el ~ de : jouer le rôle de |
| ensayar | répéter | &#9998; el ensayo : la répétition |
| el director de teatro | le metteur en scène | Syn. el escenógrafo |
| la escenografía | la mise en scène | |
| el apuntador | le souffleur | |
| el público | le public | |
| la ovación | l'ovation | |
| el estreno | la première | &#9998; el preestreno : l'avant-première |
| la reposición | la reprise | &#9998; reponer (v. irr.) : reprendre |
| el repertorio | le répertoire | |
| la gira | la tournée | Syn. la turné |

## La ópera  L'opéra

| operístico | relatif à l'opéra |
| el soprano | le soprano |
| el tenor | le ténor |
| el barítono | le baryton |

### &#9758; La zarzuela

■ Appelée aussi **el género chico**, **la zarzuela** est un genre dramatique et musical semblable à l'opérette et qui alterne les couplets chantés et parlés. *La Revoltosa* ou *La verbena de la Paloma* figurent parmi les **zarzuela** les plus connues.

# La danza clásica La danse classique

| el bailarín | le danseur | *bailar* : danser |
| el ballet | le ballet | |
| la coreografía | la chorégraphie | *el coreógrafo* : le chorégraphe |

## ▶ El baile La danse

| el baile regional | la danse folklorique | Syn. el baile folclórico |
| el baile de salón | la danse de salon | |
| el tango | le tango | |
| el vals | la valse | |
| la salsa | la salsa | |

---

### ☞ Le flamenco

■ **Le flamenco** ou **cante jondo** obéit à un déroulé précis : **el cantaor** chante *a capella*, puis la guitare l'accompagne, auxquels se joignent les battements de mains, **las palmas**, et la danse de **el bailaor** ; **el tablao**, le plancher sur lequel se produisent les danseurs, fait résonner **el taconeo**, les claquements de talons.

■ Le terme **duende (tener duende)** désigne la magie d'un artiste lorsqu'il réussit à séduire son public avec son art.

---

# El circo Le cirque

| el payaso | le clown | |
| el malabarista | le jongleur | |
| el acróbata | l'acrobate | |
| el mago | le magicien | Syn. el prestidigitador |
| el trapecista | le trapéziste | |
| el domador | le dompteur | *domar* : dompter |
| el látigo | le fouet | |

# 32 La fotografía y el cine
## La photographie et le cinéma

La cola de esta noche no tiene final, / dos horas confiando que no colgarán / dichoso cartelito de completo está el local. / Logré cruzar la puerta diez duritos van, / no me ponga delante ni tampoco detrás, / eterno en la pantalla está el "Visite nuestro bar"./ Las luces se apagaron esto va a empezar, / la chica de la antorcha ya ocupó su lugar, / preludio de que algo emocionante va a pasar. / Sobre la foto fija de una gran ciudad, / los nombres y apellidos de los que serán / actores, directores, productores y demás.

Mecano, "El cine" en *Descanso dominical* © Ariola, 1987.

Ce soir la file d'attente est sans fin,/ deux heures à attendre dans l'espoir /que le maudit panneau n'affiche pas « Complet ». / J'ai réussi à passer la porte, je donne un pourboire, / pas trop près de l'écran mais pas au fond de la salle non plus, / sur l'écran, l'éternel message « Venez découvrir notre bar ». / Les lumières se sont éteintes, ça commence, / la fille à la torche[1] prend sa place, / c'est le signe que quelque chose d'émouvant va se produire. / Sur l'image fixe d'une grande ville, /(défilent) les noms et prénoms de ceux qui sont sans doute, / les acteurs, les directeurs, les producteurs et autres.

1. Cette image fait référence non pas à l'ouvreuse mais à la femme portant une torche, l'effigie des films Columbia.

## La fotografía La photographie

| | | |
|---|---|---|
| la foto *(fam.)* | la photo | ☞ la ~ en blanco y negro : la photo en noir et blanc |
| el fotógrafo | le photographe | |
| hacer (v. irr.) *ou* sacar una foto | prendre une photo | Syn. fotografiar |

## La cámara fotográfica L'appareil photo

| | | |
|---|---|---|
| digital | numérique | |
| el trípode | le trépied | |
| el carrete | la pellicule | Syn. el rollo |
| el negativo | le négatif | |
| el objetivo | l'objectif | |
| la resolución | la résolution | |
| la tarjeta de memoria | la carte mémoire | |
| el enfoque | la mise au point | ✐ enfocar : faire la mise au point |

## ▶ El estudio fotográfico Le studio photographique

| | | |
|---|---|---|
| **el revelado** | le développement | ✐ **revelar :** développer |
| **brillante** | brillant | Ant. **mate :** mat |
| **nítido** | net | Ant. **borroso :** flou |
| **la copia** | le tirage | |
| **la ampliación** | l'agrandissement | |
| **el álbum** | l'album | |

## El cine Le cinéma

| | | |
|---|---|---|
| **el cine** | le cinéma [lieu] | Syn. **la sala de cine** |
| **cinematográfico** | cinématographique | |
| **el cinéfilo** | le cinéphile | |
| **la película** | le film | Rem. **la peli** *(fam.)* |
| ✗ **poner** (v. irr.) | passer, être à l'affiche | Rem. **¿Qué ponen en el Plaza?** Quel film passe-t-on au cinéma Plaza ? |
| **la pantalla** | l'écran | ≠ **la pequeña pantalla** *(fam.)* **:** le petit écran [la télé] |
| **la sesión** | la séance (de cinéma) | Syn. **la función** |
| **la cartelera** | les films à l'affiche | |
| ✗ **la cola** | la file d'attente, la queue | |
| **el espectador** | le spectateur | |
| **la película taquillera** | le film qui cartonne | Syn. **el éxito de taquilla** |
| **el bodrio** *(fam.)* | le navet | |
| **el séptimo arte** | le septième art | |
| **la VO** | la VO | Rem. sigle de **versión original** |
| **la VOSE** | la VO sous-titrée en espagnol | Rem. sigle de **versión original subtitulada en español** |
| **subtitulado** | sous-titré | Syn. **con subtítulos** |

## ▶ Los géneros cinematográficos Les genres cinématographiques

| | | |
|---|---|---|
| **el largometraje** | le long-métrage | |
| **el cortometraje** | le court-métrage | Rem. **el corto** *(fam.)* |
| **el cine** | le cinéma [art] | ☞ **el ~ mudo/negro/independiente/ de autor :** le cinéma muet/noir/ indépendant/d'auteur |
| **la película** | le film | ☞ **la ~ de risa/de terror** *ou* **de miedo/de arte y ensayo :** le film comique/d'horreur/d'art et essai ☞ **la ~ policíaca/del Oeste/de animación :** le polar/le western/ les dessins animés |

| | | |
|---|---|---|
| la comedia | la comédie | ☞ **la ~ romántica :** la comédie romantique |
| el festival de cine | le festival de cinéma | |

## ▶ Producir una película  Produire un film

| | | |
|---|---|---|
| el cineasta | le cinéaste | |
| el director de cine | le metteur en scène | |
| el productor | le producteur | |
| el reparto | la distribution | |
| la estrella de cine | la star, la vedette | |
| el protagonista | l'acteur principal, le personnage principal | |
| el (actor) secundario | le second rôle | |
| el extra | le figurant | Syn. **el figurante** |
| el doble | la doublure | |
| el especialista | le cascadeur | |
| el vestuario | les costumes | |
| el guion, el guión | le scénario | ∅ **el guionista :** le scénariste |
| | | ≠ **el escenario :** la scène |
| el rodaje | le tournage | Syn. **la filmación** |
| rodar (v. irr. o>ue) | tourner | Syn. **filmar** |
| la cámara | la caméra | ≠ **el cámara :** le cameraman |
| el plano | le plan | ☞ **el primer ~ :** le gros plan |
| la secuencia | la séquence | |
| los efectos especiales | les effets spéciaux | |
| la banda sonora | la bande sonore | |
| el montaje | le montage | |
| el doblaje | le doublage | ∅ **doblar :** doubler |
| la proyección | la projection | ∅ **proyectar :** projeter |
| | | ∅ **el proyector :** le projecteur |
| el estreno | la première | ∅ **estrenar :** projeter la première [d'un film] |

*(annotation manuscrite : avoir un rôle / tener un papel / actores)*

## ☞ Le cinéma espagnol

■ Parmi les metteurs en scène les plus importants du cinéma espagnol, on peut nommer : **Luis Buñuel** *(La vía láctea)*, **Alejandro Amenábar** *(Mar adentro)* et **Pedro Almodóvar** *(Todo sobre mi madre* et *Hable con ella)*, qui ont tous reçu un Oscar pour les films cités.

■ En Espagne, les prix équivalents aux Oscars et aux Césars, sont les **Goyas** qui représentent le buste du célèbre peintre espagnol.

# 33 Los medios de comunicación
## Les médias

¿Cómo preparan sus piezas los reporteros de informativos?
Marco Rocha, de Reporteros Telecinco, nos cuenta: " El proceso comienza con la propuesta de temas, que llega en la mayoría de ocasiones de nuestra parte, pero también de nuestros superiores, de los propios espectadores... Después de las reuniones de trabajo, salimos a grabar con un cámara [...]. De vuelta a la redacción, el redactor edita su pieza, digitalizando la cinta en el ordenador y, con un programa de edición, locuta y monta. Después de una supervisión de realización (por cuestiones técnicas), la pieza está lista para ser emitida".

Alberto Velázquez, Rúbrica "Pregúntame (lo que quieras... sobre tv)"
© Taller de Editores, 2007.

*Comment les journalistes d'investigation préparent-ils leurs reportages ?*
*Marco Rocha, de « Reporteros Telecinco », nous raconte : « La procédure débute par la recherche de sujets proposés généralement par nous, mais aussi par nos supérieurs hiérarchiques ou par des spectateurs... Après les réunions de travail, nous sortons filmer avec un caméraman [...].*
*De retour à la rédaction, le rédacteur écrit son article, numérise le film dans l'ordinateur et effectue le montage à l'aide d'un logiciel d'édition. Une fois la réalisation supervisée (pour les questions techniques), le film est prêt à être diffusé. »*

## La profesión de periodista
## Le métier de journaliste

| | | |
|---|---|---|
| la prensa | la presse | |
| el periodista | le journaliste | &#x1F58B; el periodismo : le journalisme |
| el corresponsal | le correspondant | |
| el reportero | le reporter | &#x1F589; el ~ especial : le grand reporter |
| el redactor | le rédacteur | &#x1F58B; la redacción : la rédaction |
| la actualidad | l'actualité | |
| la información | l'information | |
| la noticia | la nouvelle | &#x2260; las noticias : les infos |
| el reportaje | le reportage | |
| la entrevista | l'interview | &#x1F58B; entrevistar : interviewer |
| la exclusiva | l'exclusivité | |
| la rueda de prensa | la conférence de presse | |

# La prensa escrita *La presse écrite*

| | | |
|---|---|---|
| el periódico | *le journal* | Syn. **el diario** : *le quotidien* |
| la publicación | *la publication* | ✍ **publicar** : *publier* |
| la revista | *le magazine* | |
| la prensa especializada | *la presse spécialisée* | |
| la prensa deportiva | *la presse sportive* | |
| la prensa sensacionalista | *la presse à sensation* | Syn. **la prensa amarilla** |
| la prensa del corazón | *la presse people* | Syn. **la prensa rosa** |
| la prensa gratuita | *la presse gratuite* | |
| | | |
| la tirada | *le tirage* | |
| el lector | *le lecteur* | ✍ **leer** : *lire* |
| la suscripción | *l'abonnement* | ✍ **suscribirse** : *s'abonner* |
| | | |
| el artículo | *l'article* | ✍ **el articulista** : *le chroniqueur* |
| la crónica | *la chronique* | |
| la primera página | *la une, la couverture* | Syn. **la portada** |
| la cabecera | *la manchette* | |
| los titulares | *les gros titres* | |
| la sección | *la rubrique* | |
| la columna | *la colonne* | |
| sucesos | *faits divers* | ≠ **el éxito** : *le succès* |
| las cartas al director | *le courrier des lecteurs* | |
| el anuncio | *l'annonce* | **2.** *la publicité* |
| | | ☞ **los ~s por palabras** : *les petites annonces* |

---

## ☞ Principaux journaux nationaux espagnols

■ *El País* (journal indépendant de tendance pro-européenne), *El Mundo* (journal à tendance centre-droite), *ABC* (journal conservateur), *La Vanguardia* (journal d'information générale édité à Barcelone mais écrit en castillan), *Marca* (principal journal de la presse sportive).

---

# La televisión *La télévision*

| | | |
|---|---|---|
| la tele *(fam.)* | *la télé* | ☞ **ver** (v. irr.) **la ~** : *regarder la télé* |
| | | |
| la pantalla | *l'écran* | |
| la cadena | *la chaîne* | Syn. **el canal** |
| | | |
| el programa | *l'émission* | **2.** *le programme* |
| la programación | *la programmation* | |

| el telediario | le journal télévisé | Syn. **el informativo** |
| el documental | le documentaire | |
| el debate | le débat | |
| el concurso | le jeu télévisé | |
| la telerrealidad | la télé-réalité | |
| la serie (televisiva) | la série (télévisée) | |
| la telenovela | le feuilleton | Rem. **el culebrón** *(fam. péj.)* |
| la telebasura *(fam. péj.)* | la télé poubelle | |
| los anuncios | la pub | |
| | | |
| **encender** (v. irr. e>ie) | allumer | Ant. **apagar :** éteindre |
| el presentador | le présentateur | **2.** *l'animateur* |
| el telespectador | le téléspectateur | |
| el público | le public | |
| la audiencia | l'audience | ☞ **el índice de ~ :** l'Audimat® |
| el mando a distancia | la télécommande | |
| el zapeo | le zapping | Syn. **el zapping** |

## ☞ La télévision en Espagne

■ Les télévisions locales et régionales occupent une place importante dans le paysage télévisuel espagnol. Les émissions de télévision sont interrompues régulièrement par des pages de publicité.

■ La redevance audiovisuelle n'existe pas en Espagne.

# La radio *La radio*

| radiofónico | radiophonique | |
| la emisora | la station radio | ✗ **emitir :** émettre |
| el dial | la fréquence | **2.** *le cadran* |
| el locutor | l'animateur de radio | |
| el oyente | l'auditeur | |
| el boletín informativo | le flash info | |
| la tertulia | le programme de débat | **2.** *la table ronde* |

## ☞ La radio en Espagne

■ L'Espagne, pays de grande tradition radiophonique, compte une multitude de stations de radio. Les plus connues sont **Radio Nacional de España 1**, **Cadena Ser**, **Cope**, **Onda Cero**... Elles émettent des programmes d'information générale, de sport, de divertissement, de culture...

# 34 Las técnicas de comunicación
## Les techniques de communication

CORREO ELECTRÓNICO: Fantasía informática según la cual escribes una cosa en tu ordenador y aparece en el de un señor de Buenos Aires. En la práctica, es muy difícil de llevar a cabo porque el servidor casi nunca responde. *Vicente intentó ponerme un correo electrónico, pero el servidor no estaba dispuesto.*

Juan José Millás, "La utilidad de los nuevos objetos" © El País, 2001.

COURRIER ÉLECTRONIQUE : Fantaisie informatique selon laquelle tu écris une chose dans ton ordinateur et elle apparaît dans l'ordinateur de quelqu'un d'autre à Buenos Aires. Dans la pratique, il est très difficile que cela aboutisse car le serveur ne répond presque jamais. « Vicente a essayé de m'envoyer un courrier électronique, mais le serveur était indisponible ».

## El correo postal *Le courrier postal*

| Correos | La Poste | ≠ **el correo** : le courrier |
| **la oficina de correos** | le bureau de poste | → p. 318 (À la poste) |
| **la carta** | la lettre | ☞ **la ~ certificada** : la lettre recommandée |
| | | ☞ **mandar una ~** : envoyer une lettre |
| **la postal** | la carte postale | |
| **el paquete** | le colis | |
| **el impreso** | le formulaire | ☞ **rellenar un ~** : remplir un formulaire |
| **el sobre** | l'enveloppe | |
| **la dirección** | l'adresse | SYN. **las señas** |
| **el código postal** | le code postal | |
| **el destinatario** | le destinataire | |
| **el remitente** | l'expéditeur | |
| **el sello** | le timbre | 2. le cachet |
| **enviar** | envoyer, expédier | ♂ **el envío** : l'envoi |
| **el buzón** | la boîte aux lettres | ☞ **echar una carta al ~** : poster une lettre |
| **el cartero** | le facteur | |

### ☞ Correos y Telégrafos

Cet organisme qui prend en charge les services de télécommunication propose également un service de banque postale appelé **Bancorreos**.

# La telefonía  La téléphonie

| el teléfono | le téléphone | ☞ el ~ fijo/inalámbrico : le téléphone fixe/sans fil |
| el móvil | le portable | Amér. el celular |
| el número | le numéro | |
| el prefijo | l'indicatif | |
| marcar | composer [un numéro] | |
| llamar (por teléfono) | appeler, téléphoner | |
| la llamada | l'appel | Amér. el llamado |
| | | ☞ la ~ a cobro revertido : l'appel en PCV |
| el (mensaje de) texto | le SMS | Syn. el SMS |
| descolgar (v. irr. o>ue) | décrocher | Ant. colgar (v. irr. o>ue) : raccrocher |
| el contestador | le répondeur | Syn. el buzón de voz |
| el mensaje | le message | |
| la cabina | la cabine | |
| la tarjeta telefónica | la carte téléphonique | |
| el locutorio | ≈ le Taxiphone® | |

➜ p. 319 (Au téléphone)

# Internet  Internet

| la Web | le web | |
| la red | la toile | 2. le réseau |
| el servidor | le serveur | |
| la conexión | la connexion | ✍ conectarse : se connecter |
| navegar (por) | surfer (sur) | |
| el buscador | le moteur de recherche | |
| el portal | le portail | |
| el sitio (web) | le site (web) | |
| la página (web) | la page (web) | |
| el enlace | le lien | Syn. el vínculo |
| el correo electrónico | le courrier électronique | Syn. el mail |
| el nombre de usuario | le nom d'utilisateur | |
| la contraseña | le mot de passe | |
| el fichero adjunto | la pièce jointe | |
| el chat | le chat | ✍ chatear : tchater |
| el foro | le forum | |
| el blog | le blog | ✍ el blogger : le blogueur |
| descargar | télécharger | Syn. bajar |

## ▶ El material informático  *Le matériel informatique*

| | | |
|---|---|---|
| **el ordenador** | l'ordinateur | *Amér.* **la computadora** |
| | | ☞ **el portátil** : le portable |
| **la pantalla** | l'écran | |
| **el teclado** | le clavier | 🖉 **la tecla** : la touche |
| **el ratón** | la souris | |
| **el cursor** | le curseur | |
| **la impresora** | l'imprimante | 🖉 **imprimir** : imprimer |
| **el escáner** | le scanner | 🖉 **escanear** : scanner |
| **cliquear** | cliquer | Syn. **clicar, hacer** (v. irr.) **clic, pinchar** *(fam.)* |
| **el escritorio** | le bureau | |
| **"mi PC"** | « poste de travail » | |
| **el programa** | le programme | 2. le logiciel |
| **la barra de herramientas** | la barre d'outils | |
| **la carpeta** | le dossier | |
| **el archivo** | le fichier | Syn. **el fichero** |
| **encender** (v. irr. e>ie) | allumer | Ant. **apagar** |
| **copiar y pegar** | copier-coller | |
| **cortar** | couper | |
| **arrastrar** | glisser | |

## La publicidad  *La publicité*

| | | |
|---|---|---|
| **publicitario** | publicitaire | |
| **el publicista** | le publicitaire | |
| **el marketing** | le marketing | Syn. **la mercadotecnia** |
| **el eslogan** | le slogan | |
| **el anunciante** | l'annonceur | |
| **el patrocinador** | le sponsor | |
| **la muestra** | l'échantillon | |
| **el folleto** | la brochure | |
| **el prospecto** | le prospectus | |
| **la campaña** | la campagne | |
| **la propaganda** | la publicité | |

LEXIQUE THÉMATIQUE

# 35 Economía y finanzas
## Économie et finance

➜ p. 162 (L'économie mondiale)

> Invertir en Bolsa ha pasado de cosa de unos pocos a asunto de casi
> todos. [...] Se calcula que entre un 30% y un 50% de las familias
> españolas que ahorran deposita su dinero en acciones y fondos de
> inversión (incluyendo renta fija y variable).
>
> Fernando Trías de Bes, "La Bolsa, ¿juegas o inviertes?" © El País Semanal, 2005.

> *Autrefois, investir en Bourse était l'affaire de quelques privilégiés. Aujourd'hui, c'est devenu*
> *celle de Monsieur Tout-le-monde. [...] On estime que 30 à 50 % des familles espagnoles qui épar-*
> *gnent placent leur argent en titres de valeur et fonds d'investissement (à taux fixe et variable).*

## La vida económica  La vie économique

| | | |
|---|---|---|
| el economista | l'économiste | |
| la banca | la banque [activité, secteur] | ≠ **el banco :** la banque [établissement] |
| los negocios | les affaires | ☞ **dedicarse a los ~ :** être dans les affaires |
| el capitalismo | le capitalisme | ∅ **el capitalista :** le capitaliste |
| el poder adquisitivo | le pouvoir d'achat | |
| la renta per cápita | le revenu par habitant | |

### ▶ La bolsa  La Bourse

| | | |
|---|---|---|
| bursátil | boursier | |
| el corredor de bolsa | le courtier | |
| la cotización | le cours | ∅ **cotizar :** coter |
| las acciones | les actions | Syn. **los valores mercantiles :** les titres |
| el depósito de valores | le dépôt de titres | |
| invertir (v. irr. e>ie) | investir, placer | ∅ **la inversión :** l'investissement, le placement |
| las ganancias | les profits, les gains | ∅ **ganar :** gagner |
| las pérdidas | les pertes | ∅ **perder** (v. irr. e>ie) **:** perdre |
| los dividendos | les dividendes | |
| el rendimiento | le rendement | |
| la especulación | la spéculation | ∅ **especular :** spéculer |

# La moneda, el dinero *La monnaie, l'argent*

| | | |
|---|---|---|
| **la moneda** | *la pièce de monnaie* | **2.** *la monnaie [devise]* |
| **monetario** | *monétaire* | |
| **acuñar** | *frapper* | |
| **el dinero** | *l'argent* | Amér. **la plata** |
| | | Rem. **la pasta** *(fam.)* : *le fric* |
| **el dineral** | *la grosse somme* | |
| **el billete (de banco)** | *le billet (de banque)* | |
| **el (dinero) suelto** | *les pièces de monnaie* | ☞ **tener** (v. irr.) ~ : *avoir la monnaie* |
| **la calderilla** | *la ferraille* [petite monnaie] | |
| **el cambio** | *la monnaie [qu'on rend]* | **2.** *le change* |
| | | ☞ **tener** (v. irr.) ~ : *avoir la monnaie* |
| **la vuelta** | *la monnaie [rendue]* | Amér. **el vuelto** |
| | | ☞ **dar** (v. irr.) **la** ~ : *rendre la monnaie* |
| **costar** (v. irr. o>ue) | *coûter* | ✑ **el coste, el costo** : *le coût* |
| **el precio** | *le prix* | |
| **el importe** | *le montant* | **2.** *la somme* |
| **el PVP** | *le prix de vente* | Rem. sigle de **precio de venta al público** |

## ▶ Las divisas *Les devises*

| | | |
|---|---|---|
| **el euro** | *l'euro* | |
| **el céntimo** | *le centime* | |
| **el dólar** | *le dollar* | |
| **la libra esterlina** | *la livre sterling* | |
| **el rublo** | *le rouble* | |
| **el yuan** | *le yuan* | Syn. **el renminbi** |
| **el yen** | *le yen* | |
| **cambiar** | *changer* | |
| **la oficina de cambio** | *le bureau de change* | |

## ☞ Les monnaies des pays hispanophones

**el balboa** (Panamá) • **el bolívar** (Venezuela) • **el boliviano** (Bolivia) • **el colón** (Costa Rica, El Salvador) • **el córdoba** (Nicaragua) • **el dólar** (Ecuador, Puerto Rico) • **el guaraní** (Paraguay) • **el lempira** (Honduras) • **el peso** (Argentina, Chile, Colombia, Cuba, México, República Dominicana) • **el nuevo sol** (Perú) • **el quetzal** (Guatemala)

LEXIQUE THÉMATIQUE

## ☞ Anciennes monnaies espagnoles

■ Les termes **peseta** (ancienne unité monétaire espagnole) et **duro** (pièce de cinq pesetas) ont donné lieu à un grand nombre d'expressions qui, malgré la disparition de ces monnaies et leur remplacement par l'euro, persistent dans la langue : **ser un pesetero** *(fam.)* : être un grippe-sou, **no tener ni un duro** *(fam.)* : être sans le sou, etc.

## ▶ Los modos de pago *Les moyens de paiement*

| | | |
|---|---|---|
| **pagar** | *payer* | 🔌 **el pago :** *le paiement* |
| **al contado** | *comptant* | |
| **en efectivo** | *en espèces* | SYN. **en metálico** |
| **a plazos** | *à crédit* | ≠ **el plazo :** *le délai* |
| **el cheque** | *le chèque* | SYN. **el talón** |
| | | ☞ **cobrar un ~ :** *encaisser un chèque* |
| **el talonario de cheques** | *le carnet de chèques* | *Amér.* **la chequera** |
| **la tarjeta de crédito** | *la carte de crédit* | |
| **gratuito** | *gratuit* | SYN. **gratis** |

➡ p. 327 (Au moment de payer)

## ▶ En el banco *À la banque*

| | | |
|---|---|---|
| **el banco** | *la banque* [établissement] | SYN. **la entidad bancaria** |
| | | 🔌 **bancario :** *bancaire* |
| | | ≠ **la banca :** *la banque* [activité, secteur] |
| **el banquero** | *le banquier* | |
| **la caja** | *la caisse* | ☞ **la ~ de ahorros :** *la caisse d'épargne* |
| | | ☞ **la ~ fuerte** *ou* **de seguridad :** *le coffre-fort* |
| **el cajero** | *le distributeur (de billets)* | **2.** *le caissier* |
| **el ahorro** | *l'épargne* | ☞ **los ~s :** *les économies* |
| | | 🔌 **ahorrar :** *épargner, économiser* |
| **la cuenta** | *le compte* | ☞ **la ~ corriente/de ahorros :** *le compte courant/ d'épargne* |
| **ingresar dinero** | *verser de l'argent, déposer de l'argent* | |
| **sacar dinero** | *retirer de l'argent* | |
| **la transferencia bancaria** | *le virement bancaire* | SYN. **el giro** |
| **el interés** | *l'intérêt* | ☞ **el tipo de ~ :** *le taux d'intérêt* |
| **el préstamo** | *le prêt* | |
| **el crédito** | *le crédit* | |

| el aval | l'aval, le garant | **2.** la garantie |
| la deuda | la dette | |
| la hipoteca | l'hypothèque | |

➜ p. 321 (À la banque)

## ▶ La propiedad, los ingresos, los impuestos
La propriété, les revenus, les impôts

| el patrimonio | le patrimoine | ⌀ **patrimonial** : patrimonial |
| los bienes | les biens | |
| los ingresos | les revenus | **2.** les recettes |
| la fortuna | la fortune | |
| el impuesto | l'impôt | ☞ **libre de ~s** : sans taxes, non imposable |
| Hacienda | le Trésor public | Syn. **el Tesoro Público** |
| la renta | le revenu | |
| el IRPF | l'IRPP, l'impôt sur le revenu | Rem. sigle de **impuesto sobre la renta de las personas físicas** |
| el IVA | la TVA | Rem. sigle de **impuesto sobre el valor añadido** ou Amér. **impuesto sobre el valor agregado** |
| el fraude (fiscal) | la fraude (fiscale) | ⌀ **defraudar** : frauder |

## ☞ Expressions

**pagar con la misma moneda** : rendre à qqn la monnaie de sa pièce • **el dinero negro** : les revenus non déclarés au fisc • **andar mal** ou **escaso de dinero** : être à court d'argent • **ganar dinero a espuertas** : gagner de l'argent à la pelle • **contante y sonante** : sonnant et trébuchant • **pagar a toca teja** *(fam.)* : payer rubis sur ongle • **estar podrido de dinero, estar forrado** *(fam.)* : être plein aux as • **de gorra** *(fam.)* : gratis • **rascarse el bolsillo** *(fam.)* : raquer • **poner de su bolsillo** : payer de sa poche • **estar sin blanca** *(fam.)* : ne pas avoir un rond • **estar en números rojos** : être à découvert

# 36

# Los recursos naturales

## Les ressources naturelles

La agricultura moderna requiere campos extensos, con suministro regular de agua, energía y abonos [...]. Hoy en día, la mayor parte de los alimentos que consume la humanidad provienen directa o indirectamente (a través del pienso para ganado) del cultivo de cereales. [...] suelen cultivarse por métodos intensivos que consumen abundantes recursos.

Glover, Jerry D., Cox, Cindy M. y Reganold, John P., "Vuelta a la agricultura perenne"
© Investigación y Ciencia, 2007.

*L'agriculture moderne exige de vastes terres bien approvisionnées en eau, en énergie et en engrais [...]. De nos jours, la plupart des aliments que les gens consomment proviennent directement ou indirectement (à partir du fourrage pour le bétail) de la culture des céréales. [...] Elles sont généralement cultivées selon des méthodes intensives qui utilisent d'abondantes ressources.*

**el sector primario** — *le secteur primaire*

## La agricultura  *L'agriculture*

| | | |
|---|---|---|
| **el agricultor** | *l'agriculteur* | ⌀ **agrícola :** *agricole* |
| **la huerta** | *le jardin potager* | Syn. **el huerto** |
| **la plantación** | *la plantation* | |
| **el cultivo** | *la culture* [des champs] | ☞ **el ~ intensivo/extensivo :** *la culture intensive/extensive* |
| | | ⌀ **cultivar :** *cultiver* |
| | | ≠ **la cultura :** *la culture* [connaissances] |
| **el regadío** | *les terres irriguées* | |
| **la acequia** | *le canal d'irrigation* | Syn. **el canal de riego** |
| **el secano** | *les terres non irriguées, le champ de culture sèche* | |
| **el barbecho** | *la jachère* | |
| **el OMG** | *l'OGM* | Rem. sigle de **organismo modificado genéticamente** |
| **transgénico** | *transgénique* | |

➔ p. 80 (Les plantes)

## ▶ Las labores del campo  Les tâches agricoles

| los trabajos agrícolas | les tâches agricoles | |
|---|---|---|
| la labranza | le labourage | 🌾 **el labrador** : le cultivateur |
| | | 🌾 **labrar** : labourer |
| el abono | l'engrais | 🌾 **abonar** : fertiliser |
| la siembra | le semis | 🌾 **los sembrados** : la terre cultivée |
| | | 🌾 **sembrar** (v. irr. e>ie) : semer |
| el riego | l'arrosage | 🌾 **regar** (v. irr. e>ie) : arroser |
| la cosecha | la récolte | 🌾 **cosechar** : récolter |
| la trilla | le battage | 🌾 **trillar** : battre [céréales] |
| la recogida | la cueillette | Syn. **la recolección** |
| | | 🌾 **coger** : cueillir |
| la siega | la moisson | 🌾 **segar** (v. irr. e>ie) : moissonner, faucher |

## ▶ Los productos agrícolas  Les produits agricoles

| el grano | le grain | ≠ **la semilla** : la graine |
|---|---|---|
| el cereal | la céréale | |
| el trigo | le blé | |
| el maíz | le maïs | |
| la cebada | l'orge | |
| el centeno | le seigle | |
| la avena | l'avoine | |
| el heno | le foin | |

➜ p. 31 (Fruits et légumes), ➜ p. 32 (Légumes secs et autres aliments)

## ▶ La viticultura  La viticulture

| el viticultor | le viticulteur | |
|---|---|---|
| la viña | la vigne | 🌾 **el viñedo** : le vignoble |
| la parra | la treille | |
| la vendimia | la vendange | 🌾 **el vendimiador** : le vendangeur |
| | | 🌾 **vendimiar** : vendanger |
| la barrica | le tonneau | Syn. **el tonel** |

## ▶ Herramientas y maquinaria  Les outils et les machines

| el arado | la charrue | 🌾 **arar** : labourer |
|---|---|---|
| la hoz | la faucille | |
| la guadaña | la faux | |
| la mecanización | la mécanisation | |
| el tractor | le tracteur | |
| la cosechadora | la moissonneuse | |
| la trilladora | la batteuse | |

# La ganadería L'élevage

| el ganado | le bétail | ♂ **el ganadero** : l'éleveur |
|---|---|---|
| criar | élever | ≠ **gritar** : crier |
| la cría | l'élevage [action] | ≠ **la ganadería** : l'élevage [secteur] |
| bovino | bovin | Syn. **vacuno** |
| porcino | porcin | |
| equino | chevalin | |
| ovino | ovin | |
| caprino | caprin | |
| el pastor | le berger | |
| el pasto | le pâturage | ♂ **pastar** : paître |
| el pienso | la pâture sèche | |
| cebar | engraisser | **2.** gaver |
| el rebaño | le troupeau | |

→ p. 76 (Les mammifères)

## ▶ Cría de otros animales Autres élevages

| la avicultura | l'aviculture |
|---|---|
| las aves de corral | les oiseaux de basse-cour → p. 77 (Les oiseaux) |
| la cunicultura | la cuniculture |
| el conejo | le lapin |
| la apicultura | l'apiculture |
| la abeja | l'abeille |

# La pesca La pêche

| pescar | pêcher | |
|---|---|---|
| el pescador | le pêcheur | ≠ **el pescadero** : le poissonnier |
| el pez | le poisson [animal] | ≠ **el pescado** : le poisson [aliment] |
| | | → p. 78 (Les poissons) |
| la flota | la flotte | |
| la red | le filet | **2.** le réseau |
| la piscicultura | la pisciculture | |
| la ostricultura | l'ostréiculture | |

# La madera Le bois [matériau]

| la silvicultura | la sylviculture | |
|---|---|---|
| el bosque | le bois [lieu] | ≠ **el bosquecillo** : le bosquet |
| la tala | la coupe | ♂ **talar** : couper, abattre |
| el aserradero | la scierie | |

# La minería  L'industrie minière

| | | |
|---|---|---|
| **la mina** | la mine | ✎ **el minero** : le mineur |
| **el pozo (minero)** | le puits (de mine) | |
| **la galería** | la galerie | |
| **explotar** | exploiter | **2.** exploser |
| **excavar** | creuser | |
| **extraer** (v. irr.) | extraire | ✎ **la extracción** : l'extraction |

➜ p. 179 (Les ressources minérales)

## ☞ Expressions

**llevarse a alguien al huerto** *(fam.)* : [tromper] entuber qqn ; [sexuel] coucher avec qqn • **de su propia cosecha** *(fam.)* : de son cru • **ir al grano** : aller droit au but • **No es trigo limpio.** [une affaire] C'est louche. ; [une personne] Il n'est pas net. • **subirse a la parra** *(fam.)* : monter sur ses grands chevaux • **un pez gordo** *(fam.)* : un gros bonnet • **ser una mina** *(fam.)* : être un filon

# 37

# Las actividades de transformación

## Les activités de transformation

"Entiéndase por artesanía todo objeto utilitario o decorativo para la vida cotidiana del hombre, producido en forma independiente, elaborado con materiales en su estado natural y/o procesados industrialmente, utilizando instrumentos y máquinas en los que la destreza manual del hombre sea imprescindible y fundamental para imprimir al objeto o creación una característica propia de expresión artística que refleje la personalidad del individuo o de todo un grupo."

Artesanos de la Feria de San Isidro © Artesanos S-I,. 2004.
http://www.artesanos-sanisidro.com.ar/

L'artisanat désigne l'art de créer tout objet utilitaire ou décoratif de la vie quotidienne de l'homme. L'objet est produit de façon indépendante, élaboré avec des matériaux à leur état naturel et/ou selon un procédé industriel, pour lequel sont utilisés des instruments et des machines. L'habilité manuelle de l'homme est indispensable, voire fondamentale à cet objet ou création afin d'y imprimer une caractéristique propre d'expression artistique, qui reflète la personnalité de l'individu ou d'un groupe.

| | | |
|---|---|---|
| **el sector secundario** | le secteur secondaire | SYN. **el sector industrial :** le secteur industriel |

## La artesanía y los artesanos
## L'artisanat et les artisans

| | | |
|---|---|---|
| **el oficio** | le métier | |
| **la mano de obra** | la main-d'œuvre | |
| **hecho a mano** | fait main | ⊘ **manual :** manuel |
| **la herramienta** | l'outil | |
| **tradicional** | traditionnel | |
| **el gremio** | la corporation, le corps de métier | |
| **el maestro** | le maître | |
| **el aprendiz** | l'apprenti | ⊘ **el aprendizaje :** l'apprentissage |
| **el obrero** | l'ouvrier | ⋈ **el ~ cualificado :** l'ouvrier qualifié |

| | | |
|---|---|---|
| **el albañil** | le maçon | |
| **el carpintero** | le menuisier | **2.** le charpentier |
| **el tapicero** | le tapissier | |
| **el ebanista** | l'ébéniste | |
| **el herrero** | le forgeron | |
| **el cerrajero** | le serrurier | |
| **el relojero** | l'horloger | |
| **el joyero** | le joaillier | |
| **el alfarero** | le potier | |
| **el zapatero** | le cordonnier | |

## ☞ Expressions

**tener mucho oficio** : avoir du métier • **no tener oficio ni beneficio** *(fam.)* : ne rien avoir du tout • **En casa del herrero cuchillo de palo.** Les cordonniers sont toujours les plus mal chaussés. • **Zapatero a tus zapatos.** Chacun son métier, les vaches seront bien gardées.

# La industria *L'industrie*

| | | |
|---|---|---|
| **industrial** | industriel | |
| **la fábrica** | l'usine | Syn. **la planta** |
| | | ⚙ **la fabricación** : la fabrication |
| | | ⚙ **fabricar** : fabriquer |
| **el polígono industrial** | la zone industrielle | |
| **la máquina** | la machine | |
| **la tecnología** | la technologie | |
| **la producción** | la production | ⚙ **la productividad** : la productivité |
| **la transformación** | la transformation | |
| **la manufactura** | la manufacture | ⚙ **manufacturado** : manufacturé |
| **el mantenimiento** | la maintenance | |
| **el sector** | le secteur | ☞ **el ~ ferroviario/del automóvil :** le secteur ferroviaire/automobile |
| | | ☞ **el ~ naval/aeronáutico :** le secteur naval/aéronautique |
| | | ☞ **el ~ agroalimentario/textil/ farmacéutico :** le secteur agroalimentaire/textile/ pharmaceutique |
| **la metalurgia** | la métallurgie | |
| **la siderurgia** | la sidérurgie | |
| **la construcción** | la construction | |

# La producción energética
## La production d'énergie

| | |
|---|---|
| la energía | l'énergie |

🡒 la ~ alternativa/renovable : l'énergie alternative/renouvelable

| | |
|---|---|
| la central | la centrale |
| el generador | le générateur |
| el combustible | le combustible |
| el carburante | le carburant |
| el ahorro de energía | les économies d'énergie |

| | |
|---|---|
| la energía fósil | l'énergie fossile |
| el petróleo | le pétrole |
| el gas | le gaz |
| el carbón | le charbon |
| la refinería | la raffinerie |

| | |
|---|---|
| la energía eléctrica | l'énergie électrique |
| la electricidad | l'électricité |

🖉 la red eléctrica : le réseau électrique

| | |
|---|---|
| la corriente | le courant |
| el circuito | le circuit |
| el acumulador | le cumulateur |

| | |
|---|---|
| la energía nuclear | l'énergie nucléaire |
| el reactor | le réacteur |
| el residuo | le résidu |
| la radi(o)actividad | la radioactivité |
| la radiación | la radiation |

**2.** le déchet
🖉 radi(o)activo : radioactif

| | |
|---|---|
| la energía térmica | l'énergie thermique |
| el calor | la chaleur |

| | |
|---|---|
| la energía solar | l'énergie solaire |
| el panel solar | le panneau solaire |

| | |
|---|---|
| la energía eólica | l'éolienne |
| el viento | le vent |
| el aerogenerador | l'aérogénérateur |
| el parque eólico | le parc d'éoliennes |

| | |
|---|---|
| la energía hidráulica | l'énergie hydraulique |
| el embalse | le barrage |
| la presa | la digue |

**2.** le réservoir

# 38 El comercio y los servicios
## Le commerce et les services

En muchos lugares no se admiten pagos con un billete de 500 euros [...]. En muchas ocasiones ciertos comercios no están preparados para recibir tal cuantía en un solo pago, ya que ni siquiera su volumen de negocio diario alcanza para dar "vueltas" de tal cantidad. Es el caso de pequeños comercios como supermercados de barrio, farmacias, quioscos de prensa, papelerías, panaderías, cines, teatros y servicios públicos, como el transporte (metro, autobús, etc.).

Gracia Terrón, "Pagar con un billete de 500: conozca sus derechos" © Fundación Eroski, 2007.

*Certains établissements refusent tout règlement en billets de 500 euros [...]. La plupart du temps, ces commerces ne peuvent pas recevoir une telle somme en une seule fois, puisque la recette du jour n'est pas toujours suffisante pour rendre la monnaie. C'est le cas de petits commerces tels que les supérettes, les pharmacies, les kiosques à journaux, les papeteries, les boulangeries, les salles de cinéma, les théâtres et certains services publics comme les transports en commun (métro, bus...).*

| | |
|---|---|
| **el sector terciario** | *le secteur tertiaire* |

## La actividad comercial *L'activité commerciale*

| | | |
|---|---|---|
| **el negocio** | *le commerce* | **2.** *l'affaire* |
| | | ➣ **poner** (v. irr.) **un ~ :** *monter une affaire* |
| **establecerse** (v. irr.) | *s'établir* | ➣ **~ por su cuenta :** *s'établir à son compte* |
| **la Cámara de Comercio** | *la chambre de commerce et d'industrie* | |
| **la franquicia** | *la franchise* | |
| **el traspaso** | *la cession, le pas-de-porte* | **2.** *la reprise* |
| | | ⚘ **traspasar :** *céder* |
| | | ⚘ **"se traspasa" :** « *bail à céder* » |
| **el contrato comercial** | *le bail commercial* | |
| **el comerciante** | *le commerçant* | |
| **el propietario** | *le patron* | |
| **el empleado** | *l'employé* | |
| **el dependiente** | *le vendeur* | |
| **el cliente** | *le client* | ⚘ **la clientela :** *la clientèle* |

LEXIQUE THÉMATIQUE

145

| el consumidor | le consommateur | *🔵 **el consumo** : la consommation* |
| la venta | la vente | *▷ **la ~ a domicilio/por correo** : la vente à domicile/par correspondance* |
| la compra | l'achat | *🔵 **la telecompra** : le téléachat* |
| el servicio pos(t)venta | le service après-vente | |

## ▶ La mercancía  *La marchandise*

| el proveedor | le fournisseur | |
| el minorista | le détaillant | *🔵 **al por menor** : au détail* |
| el mayorista | le grossiste | *🔵 **al por mayor** : en gros* |
| el pedido | la commande | *▷ **hacer un ~** : passer une commande* |
| abastecer (v. irr.) | approvisionner | |
| las existencias | le stock | |
| el producto | le produit | |
| el almacenaje | le stockage | SYN. **el almacenamiento** <br> *🔵 **almacenar** : stocker* |
| el inventario | l'inventaire | |
| el precio de coste | le prix de revient | |
| la distribución | la distribution | |
| el suministro | l'approvisionnement | |
| la caducidad | la péremption | *🔵 **caducar** : périmer* |

## ▶ Los pequeños comercios  *Les petits commerces*

| la tienda (de ultramarinos) | l'épicerie | SYN. **la tienda de comestibles** <br> *ou Amér.* **de abarrotes** <br> *🔵 **el tendero** : l'épicier* |
| la panadería | la boulangerie | *🔵 **el panadero** : le boulanger* |
| la carnicería | la boucherie | *🔵 **el carnicero** : le boucher* |
| la pescadería | la poissonnerie | *🔵 **el pescadero** : le poissonnier* |
| la frutería | l'étal de fruits | |
| la peluquería | le salon de coiffure | *🔵 **el peluquero** : le coiffeur* |

## ▶ Las grandes superficies  *Les grandes surfaces*

| los grandes almacenes | les grands magasins | |
| el centro comercial | le centre commercial | |
| el supermercado | le supermarché | REM. **el súper** *(fam.)* |
| el hipermercado | l'hypermarché | REM. **el híper** *(fam.)* |

### ▷ Les grands magasins

■ **El Corte Inglés** est une chaîne espagnole de grands magasins répartis sur tout le territoire national dans lesquels on trouve toutes sortes de départements : la mode, la maison, le sport, l'électronique, l'alimentation, les voyages, etc.

▶ **El marketing y la publicidad** Le marketing et la publicité

➜ p. 133 (La publicité)

## El transporte de mercancías
### Le transport de marchandises

| | | |
|---|---|---|
| el camión | le camion | ✍ **el camionero :** le chauffeur routier |
| el vehículo pesado | le poids lourd | |
| el remolque | la remorque | ✍ **el remolcador :** le remorqueur |
| el flete | le fret | ✍ **fletar :** fréter |
| el navío de carga | le cargo | |

➜ p. 93 (Les moyens de transport)

## Los servicios Les services

| | | |
|---|---|---|
| la infraestructura | l'infrastructure | |
| la hostelería | l'hôtellerie | ➜ p. 93 (L'hébergement) |
| la restauración | la restauration | ➜ p. 35 (Au restaurant) |
| la educación | l'éducation | ➜ p. 56 (Les études) |
| la banca | la banque [activité, secteur] | ➜ p. 136 (À la banque) |
| las finanzas | la finance | ➜ p. 134 (Économie et finance) |
| la justicia | la justice | ➜ p. 153 (Le pouvoir judiciaire) |
| los seguros | les assurances | |
| la sanidad | la santé publique | ➜ p. 28 (À l'hôpital) |
| el turismo | le tourisme | ➜ p. 91 (Le tourisme et les moyens de transport) |
| el transporte | le transport | ➜ p. 93 (Les moyens de transport) |
| las telecomunicaciones | les télécommunications | ➜ p. 131 (Les techniques de communication) |

## La administración pública La fonction publique

| | | |
|---|---|---|
| el funcionario | le fonctionnaire | |
| la oposición | le concours | ≠ **el concurso :** le concours [jeu] |
| opositar | passer un concours | **2.** préparer un concours |
| | | Syn. **presentarse a unas oposiciones** |

# Naciones y Estados
## Nations et États

**PROVINCIAS**

A Coruña
Lugo
Pontevedra
Orense
Asturias
Santander
Vizcaya
Guipúzcoa
León
Palencia
Álava
Navarra
Zamora
Burgos
La Rioja
Huesca
Gerona
Valladolid
Soria
Zaragoza
Lérida
Barcelona
Salamanca
Segovia
Guadalajara
Tarragona
Ávila
Madrid
Teruel
Cáceres
Toledo
Cuenca
Castellón
Valencia
Baleares
Ciudad Real
Albacete
Badajoz
Alicante
Córdoba
Jaén
Murcia
Huelva
Sevilla
Granada
Almería
Cádiz
Málaga
Santa Cruz
de Tenerife
Las Palmas
Ceuta
Melilla

**COMUNIDADES AUTÓNOMAS**

Galicia
Principado de Asturias
Cantabria
País Vasco
La Rioja
Comunidad Foral de Navarra
Aragón
Cataluña
Comunidad Valenciana
Región de Murcia
Castilla - La Mancha
Comunidad de Madrid
Castilla y León
Extremadura
Andalucía
Islas Baleares
Islas Canarias

## Territorios y nacionalidades Territoires et nationalités

| | | |
|---|---|---|
| **el estado** | l'État | ✍ **estatal** : d'état |
| **la nación** | la nation | ✍ **el nacionalismo** : le nationalisme |
| | | ✍ **nacionalista** : nationaliste |
| **nacional** | national | |
| **internacional** | international | |
| **la administración** | l'administration | ➣ **la ~ territorial** : l'administration territoriale |
| **la frontera** | la frontière | ➣ **la ~ natural** : la frontière naturelle |
| | | ✍ **fronterizo** : frontalier |
| **las aguas territoriales** | les eaux territoriales | Syn. **las aguas jurisdiccionales** |
| **la aduana** | la douane | |
| **el país** | le pays | |
| **la región** | la région | |
| **la autonomía** | la communauté autonome | Syn. **la comunidad autónoma** |

| la provincia | ≈ le département | |
|---|---|---|
| el municipio | la commune | ♂ **municipal** : municipal |
| la capital | la capitale | |
| la ciudad | la ville | |
| el pueblo | le village | **2.** le peuple |
| la aldea | le bourg | **2.** le hameau |
| la patria | la patrie | ♂ **el patriotismo** : le patriotisme |
| patriótico | patriotique | ♂ **patriota** : patriote |
| el himno nacional | l'hymne national | |
| la bandera | le drapeau | |
| la población | la population | |
| el habitante | l'habitant | |
| el nativo | le natif | |
| la nacionalidad | la nationalité | |
| la lengua materna | la langue maternelle | |
| el ciudadano | le citoyen | **2.** le citadin |
| el súbdito | le ressortissant | |
| la embajada | l'ambassade | ♂ **el embajador** : l'ambassadeur |
| el consulado | le consulat | ♂ **el cónsul** : le consul |
| el **Ministerio de Asuntos Exteriores** | ≈ le ministère des Affaires étrangères | |
| la emigración | l'émigration | → p. 160 (Les mouvements de population) |

## ☞ La division du territoire espagnol

■ Le territoire espagnol est divisé en dix-sept **Comunidades Autónomas**, des communautés autonomes, qui peuvent être composées d'une ou de plusieurs provinces, chacune ayant ses propres institutions : parlement autonome, président de communauté, conseillers, etc.

■ Il existe deux villes autonomes au nord de l'Afrique : **Ceuta** et **Melilla**.

## ▶ La Unión Europea L'Union européenne

| el Estado miembro | l'État membre |
|---|---|
| la Comisión Europea | la Commission européenne |
| el Parlamento Europeo | le Parlement européen |
| el Banco Central Europeo | le Banque centrale européenne |
| Bruselas | Bruxelles |
| la ampliación | l'élargissement |
| la adhesión | l'adhésion |
| el país candidato | le pays candidat |

LEXIQUE THÉMATIQUE

# Sistemas y regímenes políticos
## Systèmes et régimes politiques

| | | |
|---|---|---|
| la democracia | la démocratie | ⌀ democrático : démocratique |
| la dictadura | la dictature | ⌀ dictatorial : dictatorial |
| | | ⌀ el dictador : le dictateur |
| el absolutismo | l'absolutisme | ⌀ absolutista : absolutiste |
| el totalitarismo | le totalitarisme | ⌀ el régimen totalitario : le régime totalitaire |
| el fascismo | le fascisme | ⌀ fascista : fasciste |
| la república | la république | ⌀ republicano : républicain |
| el socialismo | le socialisme | ⌀ socialista : socialiste |
| el marxismo | le marxisme | ⌀ marxista : marxiste |
| el comunismo | le communisme | ⌀ comunista : communiste |
| el anarquismo | l'anarchisme | ⌀ anarquista : anarchiste |

## ▶ La monarquía La monarchie

| | | |
|---|---|---|
| monárquico | monarchique | |
| la corona | la couronne | |
| el reino | le royaume | ⌀ el reinado : le règne |
| | | ⌀ reinar : régner |
| el rey | le roi | ⌀ la reina : la reine |
| real | royal | |
| el príncipe | le prince | ⌀ la princesa : la princesse |
| | | ⌀ el principado : la principauté |
| el infante | l'infant | ≠ el niño : l'enfant |

---

## ✍ L'héritier de la Couronne espagnole

■ L'héritier de la Couronne porte le titre de **Príncipe de Asturias**.
■ Il est également le président d'honneur de la fondation du même nom qui décerne chaque année un prestigieux prix à des personnalités ou institutions s'étant distinguées dans les domaines scientifique, culturel ou social.

---

## ✍ Expressions

**A rey muerto, rey puesto.** Le roi est mort, vive le roi ! • **vivir a cuerpo de rey :** vivre comme un pacha • **ser tratado a cuerpo de rey :** être comme un coq en pâte • **Hablando del rey de Roma (por la puerta asoma).** Quand on parle du loup (on en voit la queue).

---

# 40 El funcionamiento de una democracia

## Le fonctionnement d'une démocratie

**Artículo 6**
Los partidos políticos expresan el pluralismo político, concurren a la formación y manifestación de la voluntad popular y son instrumento fundamental para la participación política. Su creación y el ejercicio de su actividad son libres dentro del respeto a la Constitución y a la ley. Su estructura interna y funcionamiento deberán ser democráticos.

Constitución Española de 1976 © Constituciones Españolas 1812-1978.
Publicaciones del Congreso de los Diputados.

*Article 6 – Les partis politiques représentent le pluralisme politique, concourent à la formation et à l'expression de la volonté populaire et sont l'instrument fondamental pour la participation politique. Il se forment et exercent leur activité librement, dans le respect de la Constitution et de la loi. Leur structure interne et leur fonctionnement doivent être démocratiques.*

## Los partidos políticos Les partis politiques

| | | |
|---|---|---|
| la política | la politique | ♂ **el político** : *l'homme politique* |
| el monopartidismo | le monopartisme | |
| el bipartidismo | le bipartisme | |
| el pluripartidismo | le multipartisme | |
| la izquierda | la gauche | ☞ **ser de ~s** : *être de gauche* |
| el centro | le centre | |
| la derecha | la droite | ☞ **ser de ~s** : *être de droite* |
| la coalición | la coalition | |
| la oposición | l'opposition | |
| el militante | le militant | |
| el afiliado | l'adhérent | |

### ▶ La ideología L'idéologie

| | |
|---|---|
| conservador | conservateur |
| liberal | libéral |
| progresista | progressiste |
| socialista | socialiste |

| comunista | communiste | |
| ecologista | écologiste | Syn. **verde** |
| populista | populiste | ⚂ **el populismo** : le populisme |

# Las elecciones  Les élections

| los comicios | les élections | |
| el referéndum | le référendum | Syn. **el referendo** |
| la soberanía popular | la souveraineté populaire | |
| el sufragio universal | le suffrage universel | |
| la campaña electoral | la campagne électorale | |
| el mitin | le meeting | |
| la candidatura | la candidature | ⚂ **el candidato** : le candidat |
| la jornada de reflexión | journée qui précède les élections et pendant laquelle il est interdit de faire campagne | |

## La votación  Le vote

| el elector | l'électeur | Syn. **el votante** |
| votar | voter | |
| el voto | le vote | **2.** la voix |
| abstenerse (v. irr.) | s'abstenir | ⚂ **la abstención** : l'abstention |
| el colegio electoral | le bureau de vote | |
| la cabina electoral | l'isoloir | |
| la papeleta | le bulletin de vote | |
| la urna | l'urne | |
| el escrutinio | le dépouillement | |
| el resultado | le résultat | |
| la mayoría | la majorité | ☞ **la ~ absoluta/relativa** : la majorité absolue/relative |
| el mandato | le mandat | |
| la legislatura | la législature | |

# La organización del poder  L'organisation du pouvoir

## El poder legislativo  Le pouvoir législatif

| la legislación | la législation | ⚂ **legislar** : légiférer |
| la Constitución | la Constitution | ⚂ **constitucional** : constitutionnel |
| el Parlamento | le Parlement | Syn. **las Cortes** [en Espagne] |
| | | ⚂ **el parlamentario** : le parlementaire |

| | | |
|---|---|---|
| el **Senado** | le Sénat | ✑ el **senador** : le sénateur |
| el **Congreso de los Diputados** | ≈ l'Assemblée nationale | |
| el **diputado** | le député | |
| la **reforma** | la réforme | |
| la **moción de censura** | la motion de censure | |

# ▶ El poder ejecutivo _Le pouvoir exécutif_

| | | |
|---|---|---|
| el **gobierno** | le gouvernement | ✑ **gobernar** (v. irr. e>ie) : gouverner |
| el **presidente** | le président | Syn. **el jefe del Gobierno** : le chef du gouvernement |
| el **vicepresidente** | le vice-président | |
| el **ministro** | le ministre | ✑ el **ministerio** : le ministère |
| le **descentralización** | la décentralisation | |
| el **gobierno autonómico** | le gouvernement d'une communauté autonome | |
| el **ayuntamiento** | la mairie | |
| el **alcalde** | le maire | |
| el **concejal** | le conseiller municipal | |

## ✐ L'organisation du pouvoir en Espagne

■ L'Espagne est une monarchie parlementaire régie par la Constitution de 1976.
■ Les principales institutions de l'État sont : **la Corona**, la Couronne – le roi étant le chef de l'État –, **las Cortes**, le Parlement – avec **el Congreso**, le Congrès des députés, et **el Senado**, le Sénat –, **el Gobierno**, le gouvernement, et **el Consejo General del Poder Judicial (CGPJ)**, le conseil général du pouvoir judiciaire.

# ▶ El poder judicial _Le pouvoir judiciaire_

| | | |
|---|---|---|
| la **justicia** | la justice | |
| la **ley** | la loi | |
| el **Código Civil** | le code civil | |
| el **Código Penal** | le code pénal | |
| el **Ministro de Justicia** | le garde des Sceaux | |
| la **jurisdicción** | la juridiction | ✑ **jurídico** : juridique |
| la **jurisprudencia** | la jurisprudence | |
| el **tribunal** | le tribunal | **2.** la cour |
| el **juicio** | le procès | **2.** le jugement |
| el **juez** | le juge | ✑ **juzgar** : juger |
| el **jurado** | le juré | **2.** le jury |

| | | |
|---|---|---|
| el fiscal | le procureur<br>(de la République) | |
| el abogado | l'avocat | ☞ **el ~ de oficio :** l'avocat commis d'office |
| | | ☞ **el colegio de ~s :** le barreau |
| la denuncia | la plainte | 🖋 **denunciar :** porter plainte |
| el denunciante | le plaignant | |
| el acusado | le prévenu | 🖋 **acusar :** accuser |
| el testigo | le témoin | |
| la investigación | l'enquête | 🖋 **investigar :** enquêter |
| el sospechoso | le suspect | 🖋 **la sospecha :** le soupçon |
| inocente | innocent | Ant. **culpable :** coupable |
| detener (v. irr.) | arrêter | 🖋 **la detención :** l'arrestation |
| confesar (v. irr. e>ie) | avouer | 🖋 **la confesión :** les aveux |
| la coartada | l'alibi | |
| el móvil | le mobile | |
| la deliberación | les délibérations | 🖋 **deliberar :** délibérer |
| a puerta cerrada | à huis clos | |
| la sentencia | la sentence | Syn. **el veredicto :** le verdict |
| la pena | la peine | ☞ **la ~ de muerte :** la peine de mort |
| la condena | la condamnation | 🖋 **condenar :** condamner |
| la remisión condicional | la prison avec sursis | |
| la cadena perpetua | la condamnation à perpétuité | |
| los daños y perjuicios | les dommages et intérêts | |
| la fianza | la caution | |
| la absolución | l'acquittement | 🖋 **absolver** (v. irr. o>ue) **:** acquitter |
| la cárcel | la prison | Syn. **la prisión**<br>🖋 **encarcelar :** incarcérer |
| penitenciario | pénitentiaire | |
| el preso | le détenu | **2.** le prisonnier |
| la detención preventiva | la garde à vue | |
| reincidir | récidiver | 🖋 **el reincidente :** le récidiviste |
| la libertad condicional | la liberté conditionnelle | |

# 41 Las sociedades modernas
## Les sociétés modernes

La periodista ha afrontado dos careos con Nacif, en los que éste profirió amenazas, ante la pasividad del juez. Lydia Cacho presentó una demanda penal contra el empresario por tentativa de violación en la cárcel, intento de homicidio en un atentado a su coche y por el contenido de las conversaciones telefónicas grabadas. La causa está paralizada. Es decir, no hay petición de pena por parte del fiscal.

Francesc Relea, "Diario de una periodista perseguida" © El País Semanal, 2007.

*La journaliste a essuyé deux confrontations avec Nacif au cours desquelles celui-ci a proféré des menaces, face à un juge impassible. Lidia Cacho a porté plainte contre l'entrepreneur pour tentative de viol en prison, tentative d'homicide par attentat contre sa voiture ainsi que pour le contenu d'écoutes téléphoniques enregistrées. L'affaire est suspendue. Et donc, le procureur n'a pas requis.*

## Los derechos humanos Les droits de l'homme

| | | | |
|---|---|---|---|
| **los derechos** | *les droits* | | |
| **los deberes** | *les devoirs* | | |
| **la libertad** | *la liberté* | ⌀ **libre** : *libre* | |
| **la igualdad** | *l'égalité* | ⌀ **igualitario** : *égalitaire* | |
| **la dignidad** | *la dignité* | | |
| **el respeto** | *le respect* | ⌀ **respetar** : *respecter* | |
| **la paridad** | *la parité* | | |

## Los prejuicios Les préjugés

| | | | |
|---|---|---|---|
| **el prejuicio** | *le préjugé* | ≠ **el perjuicio** : *le préjudice* | |
| **el racismo** | *le racisme* | ⌀ **racista** : *raciste* | |
| **la xenofobia** | *la xénophobie* | ⌀ **xenófobo** : *xénophobe* | |
| **el sexismo** | *le sexisme* | ⌀ **sexista** : *sexiste* | |
| **el antisemitismo** | *l'antisémitisme* | ⌀ **antisemita** : *antisémite* | |
| **la homofobia** | *l'homophobie* | ⌀ **homófobo** : *homophobe* | |
| **la segregación** | *la ségrégation* | | |
| **la injusticia** | *l'injustice* | ⌀ **injusto** : *injuste* | |
| **la discriminación** | *la discrimination* | ⌀ **discriminar** : *discriminer* | |

LEXIQUE THÉMATIQUE

155

# Las desigualdades sociales Les inégalités sociales

| | | |
|---|---|---|
| rico | riche | ⚤ la riqueza : la richesse |
| el millonario | le millionnaire | ⚤ el multimillonario : le milliardaire |
| el lujo | le luxe | ⚤ lujoso : luxueux |
| la abundancia | l'abondance | |
| el derroche | le gaspillage | ⚤ derrochar : gaspiller |
| | | |
| pobre | pauvre | ⚤ la pobreza : la pauvreté |
| la miseria | la misère | |
| la escasez | la pénurie | 2. le manque |
| la precariedad | la précarité | |
| | | |
| el analfabetismo | l'illettrisme | ⚤ analfabeto : analphabète |
| la marginación | la marginalité | ⚤ el marginado : le marginal |
| el sin techo | le sans-abri, le SDF | Syn. el sin hogar : le sans-logis |
| el okupa (fam.) | le squatteur | ⚤ okupar (fam.) : squatter |

➤☞ **Expressions**

**darse el lujo** : se payer le luxe • **más pobre que las ratas** (fam.) : pauvre comme Job

## Los movimientos sociales
Les mouvements sociaux

| | | |
|---|---|---|
| el conflicto | le conflit | |
| la manifestación | la manifestation | ⚤ el manifestante : le manifestant |
| la movilización | la mobilisation | |
| la reivindicación | la revendication | ⚤ reivindicar : revendiquer |
| la huelga | la grève | |
| el disturbio | le trouble | |
| la revuelta | la révolte | 2. l'émeute |
| la protesta | la protestation | 2. la grogne |
| | | ⚤ protestar : protester, contester |

## La violencia y la criminalidad
La violence et la criminalité

| | | |
|---|---|---|
| la inseguridad | l'insécurité | Ant. la seguridad : la sécurité |
| el delito | le délit | |
| el delincuente | le délinquant | |
| el cómplice | le complice | |

| la víctima | la victime | |
| la agresión | l'agression | ⚡ **agredir** : agresser |
| | | → p. 55 (L'agressivité et la colère) |

| el agresor | l'agresseur | |
| herir (v. irr. e>ie) | blesser | |
| los malos tratos | les mauvais traitements | |
| la violencia de género | la violence conjugale | Syn. **la violencia doméstica** |

## ▶ El asesinato  Le meurtre

| asesinar | assassiner | |
| el asesino | le meurtrier, le tueur | |
| el crimen | le crime | ⚡ **el criminal** : le criminel |
| el homicidio | l'homicide | ⚡ **el homicida** : l'homicide |
| matar | tuer | ⚡ **la matanza** : la tuerie |
| el cadáver | le cadavre | |
| el arma (n. f.) | l'arme | |
| el tiroteo | la fusillade | |

## ▶ El robo  Le vol, le cambriolage

| robar | voler, cambrioler | |
| el ladrón | le voleur, le cambrioleur | |
| el tirón | le vol à la tire | |
| el atraco | le braquage | ⚡ **atracar** : braquer |

## ▶ Otros crímenes y delitos  Autres crimes et délits

| el secuestro | l'enlèvement | Syn. **el rapto** |
| el rehén | l'otage | |
| el rescate | la rançon | ⚡ **rescatar** : racheter 2. délivrer |
| el abuso | l'abus | ☞ **los ~s sexuales** : les sévices |
| la violación | le viol | ⚡ **el violador** : le violeur |
| la pederastia | la pédophilie | ⚡ **el pederasta** : le pédophile |
| el acoso | le harcèlement | ⚡ **acosar** : harceler |

| el timo (fam.) | l'arnaque | ⚡ **timar** (fam.) : arnaquer |
| la estafa | l'escroquerie | ⚡ **el estafador** : l'escroc |
| el blanqueo | le blanchiment | ⚡ **blanquear dinero** : blanchir de l'argent |

| el soborno | le pot-de-vin | ⚡ **sobornar** : soudoyer |
| la corrupción | la corruption | ⚡ **corrupto** : corrompu |
| el chantaje | le chantage | |

| la prostitución | la prostitution | |

LEXIQUE THÉMATIQUE

## ▶ El terrorismo  Le terrorisme

| | | |
|---|---|---|
| **el terrorista** | le terroriste | |
| **el atentado** | l'attentat | ✍ **atentar :** commettre un attentat |
| **la bomba** | la bombe | |
| **el explosivo** | l'explosif | ✍ **explotar :** exploser |

## ▶ El comercio de la droga  Le commerce de la drogue

| | | |
|---|---|---|
| **el traficante** | le trafiquant | ✍ **traficar :** trafiquer |
| **el camello** *(arg.)* | le dealer | |
| **el alijo** | la marchandise de contrebande | |
| **la incautación** | la saisie | ✍ **incautarse de :** saisir |
| **la droga** | la drogue | |
| **la cocaína** | la cocaïne | REM. **la coca** *(fam.)* : la coke |
| **la heroína** | l'héroïne | REM. **el caballo** *(fam.)* : l'héro |
| **el porro** *(fam.)* | le joint | SYN. **el canuto** *(fam.)* |
| **el mono** *(fam.)* | le manque | |

## ▶ Otros males modernos  Autres maux modernes

| | |
|---|---|
| **el estrés** | le stress |
| **la ansiedad** | l'anxiété |
| **la soledad** | la solitude |
| **la indiferencia** | l'indifférence |
| **el anonimato** | l'anonymat |
| **el individualismo** | l'individualisme |

# La solidaridad  La solidarité

| | | |
|---|---|---|
| **la donación** | le don | **2.** la donation |
| | | ✍ **donar :** faire un don |
| **la ayuda** | l'aide | ☞ **la ~ humanitaria :** l'aide humanitaire |
| **el voluntariado** | le bénévolat | ✍ **el voluntario :** le bénévole |
| **la asociación caritativa** | l'association caritative | |
| **la ONG** | l'ONG | REM. sigle de **organización no gubernamental** |

---

### ☞ Expressions

**¡Qué robo!** C'est du vol ! • **dar la paliza a alguien** *(fam.)* : casser les pieds à qqn • **matarlas callando** : agir en douce • **caer como una bomba** *(fam.)* : faire l'effet d'une bombe

# 42 La población mundial
## La population mondiale

Hasta el siglo XV, la población mundial no superaba los 500 millones de habitantes aproximadamente. En el año 1830 se alcanzaron los 1.000 millones de personas y 100 años después, en 1930, ya se había duplicado la población, alcanzando los 2.000 millones. Para duplicarse otra vez y llegar a los 4.000 millones sólo hicieron falta 45 años (en 1975). [...] Se estima que en el año 2009 se llegará a los 7.000 millones de habitantes y en el 2033 a los 9.000 millones.

José Galindo Gómez, "Curiosidades de la Ciencia y de la Vida"
http://www.lcc.uma.es/

*Jusqu'au XVe siècle, la population mondiale n'excédait pas les 500 millions d'habitants. En 1830, elle s'élevait à 1 milliard de personnes et 100 ans plus tard (en 1930) la population doublait pour atteindre les 2 milliards. 45 années auront suffi pour que le nombre de la population double de nouveau et atteigne ainsi (en 1975) les 4 milliards. On estime que la population s'élèvera à 7 milliards d'habitants en 2009 et à 9 milliards en 2033.*

## El crecimiento demográfico
## La croissance démographique

| | | |
|---|---|---|
| **crecer** (v. irr.) | s'accroître | |
| **la demografía** | la démographie | |
| **la población** | la population | **2.** la localité |
| | | ☞ **la ~ urbana/rural :** la population urbaine/rurale |
| | | ☞ **la ~ activa/inactiva :** la population active/inactive |
| **la pirámide** | la pyramide | ☞ **la ~ de edades :** la pyramide des âges |
| **la densidad** | la densité | ☞ **la ~ de población :** la densité de population |
| **el censo** | le recensement | ✍ **censar :** recenser |
| **la explosión demográfica** | l'explosion démographique | |
| **la fecundidad** | la fécondité | |
| **la natalidad** | la natalité | ☞ **la tasa/el control de ~ :** le taux de natalité/le contrôle des naissances |
| **la procreación** | la procréation | ✍ **procrear :** procréer |

| la contracepción | la contraception | Syn. la anticoncepción |
| el anticonceptivo | le contraceptif | Syn. el contraceptivo |

| el envejecimiento | le vieillissement | ✎ envejecer (v. irr.) : vieillir |
| la longevidad | la longévité | |
| la esperanza de vida | l'espérance de vie | |
| la mortalidad | la mortalité | ☞ la tasa de ~ : le taux de mortalité |
| la supervivencia | la survie | ✎ sobrevivir : survivre |

→ p. 101 (La statistique)

# El desplazamiento de la población
Les mouvements de population

▶ **La migración** La migration

| migrar | migrer | |
| la emigración | l'émigration | ✎ emigrar : émigrer |
| | | ✎ el emigrante : l'émigrant |
| la inmigración | l'immigration | ✎ inmigrar : immigrer |
| | | ✎ el inmigrante : l'immigrant |
| el flujo migratorio | le flux migratoire | |
| el éxodo | l'exode | ☞ el ~ rural : l'exode rural |

| la invasión | l'invasion | ✎ el invasor : l'envahisseur |
| la colonización | la colonisation | ✎ el colono : le colon |

| la persecución | la persécution | |
| el exilio | l'exil | ✎ el exiliado : l'exilé |
| la hambruna | la famine | |

| la apertura de fronteras | l'ouverture des frontières | |
| el extranjero | l'étranger [d'un autre pays] | |
| el forastero | l'étranger [d'une autre ville ou région] | |
| el refugiado | le réfugié | ☞ el ~ político : le réfugié politique |
| el asilo | l'asile | ☞ la tierra de ~ : la terre d'asile |
| | | ☞ el ~ político : l'asile politique |
| el clandestino | le clandestin | Syn. el inmigrante ilegal, el sin papeles (fam.) : le sans-papiers |
| la naturalización | la naturalisation | |
| la regularización | la régularisation | |
| la legalización | la légalisation | ✎ legalizar : légaliser |

| la reagrupación familiar | le regroupement familial |
|---|---|
| la expulsión | l'expulsion |
| la repatriación | le rapatriement |

## ▶ Integrarse  *S'intégrer*

| la integración | l'intégration |
|---|---|
| la acogida | l'accueil |
| la adaptación | l'adaptation |
| el respeto | le respect |
| la convivencia | la cohabitation |
| la diversidad | la diversité |
| el plurilingüismo | le plurilinguisme |
| el mestizaje | le métissage |
| el origen | l'origine |
| la cultura | la culture |
| la religión | la religion |
| la intolerancia | l'intolérance |
| la intransigencia | l'intransigeance |
| el prejuicio | le préjugé |
| el asistente social | l'assistant social |
| el permiso de trabajo | le permis de travail |
| el permiso de residencia | la carte de séjour |

☞ **el proceso/modelo de ~ :** le processus/modèle d'intégration

☞ **el país de ~ :** le pays d'accueil

✦ **acoger :** accueillir

✦ **adaptarse :** s'adapter

✦ **respetar :** respecter

✦ **convivir :** cohabiter

Syn. **la procedencia**

✦ **intercultural :** interculturel

→ p. 104 (Religions et croyances)

✦ **intolerante :** intolérant

✦ **intransigente :** intransigeant

→ p. 155 (Les préjugés)

## ☞ Émigrants et immigrants

■ L'Espagne, historiquement pays d'émigration, est récemment devenue un pays d'immigration suite à l'essor économique des années 1990. Depuis, le pays fait face à une situation difficile à gérer : l'afflux massif de populations très diverses.

# 43 La economía mundial

## L'économie mondiale

La globalización, la creciente integración de economías y sociedades alrededor del mundo, ha sido uno de los temas más candentes en economía internacional de los últimos años. El rápido crecimiento y la reducción de la pobreza en China, India y otros países que eran pobres hace 20 años, ha sido un aspecto positivo de la globalización. Pero también ha generado una significativa oposición internacional por la preocupación de que ha aumentado la inequidad y la degradación medioambiental.

"Globalización" © Grupo del Banco Mundial, 2007.
http://www.bancomundial.org/

La mondialisation, la croissante intégration des économies et des sociétés dans le monde, a été l'un des sujets les plus brûlants de l'économie internationale au cours des dernières années. La croissance rapide et la réduction de la pauvreté en Chine, en Inde et dans d'autres pays encore pauvres il y a une vingtaine d'années, ont été un des aspects positifs de la mondialisation. Mais cela a également généré une opposition internationale significative provoquée par l'inquiétude de l'augmentation des inégalités et la dégradation de l'environnement.

→ p. 134 (Économie et finance)

| | | |
|---|---|---|
| **la macroeconomía** | la macroéconomie | |
| **la amortización** | l'amortissement | |
| **el relanzamiento** | la relance | ⚙ **relanzar** : relancer |
| **el crecimiento** | la croissance | ⚙ **crecer** (v. irr.) : croître |
| **la oferta** | l'offre | |
| **la demanda** | la demande | |
| **la importación** | l'importation | ⚙ **importar** : importer |
| **la exportación** | l'exportation | ⚙ **exportar** : exporter |
| **el déficit** | le déficit | |
| **el superávit** | l'excédent | |
| **la privatización** | la privatisation | ⚙ **privatizar** : privatiser |
| **la nacionalización** | la nationalisation | ⚙ **nacionalizar** : nationaliser |
| **la inflación** | l'inflation | |
| **la deflación** | la déflation | |
| **la devaluación** | la dévaluation | ⚙ **devaluar** : dévaluer |
| **la crisis** | la crise | |

| la expansión | l'expansion | |
|---|---|---|
| la recesión | la récession | |
| el TLC | l'ALENA | REM. sigle de **Tratado de Libre Comercio** |

➜ p. 168 (Les principaux organismes internationaux)

## Las desigualdades del desarrollo
*Les inégalités du développement*

| desarrollarse | se développer |
|---|---|
| la gran potencia | la grande puissance |
| el primer mundo | le premier monde |
| el tercer mundo | le tiers-monde |
| el cuarto mundo | le quart-monde |

| desarrollado | développé |
|---|---|
| industrializado | industrialisé |
| emergente | émergent |
| en vías de desarrollo | en voie de développement |
| subdesarrollado | sous-développé |

| el desequilibrio Norte-Sur | le déséquilibre Nord-Sud |
|---|---|
| el reparto equitativo | la répartition équitable |
| el codesarrollo | le co-développement |

| el PIB | le PIB | REM. sigle de **producto interior bruto** |
|---|---|---|
| el PNB | le PNB | REM. sigle de **producto nacional bruto** |

| la deuda externa | la dette extérieure |
|---|---|
| el endeudamiento | l'endettement |
| la balanza de pagos | la balance des paiements |
| la política monetaria | la politique monétaire |

## La globalización *La mondialisation*

| la mundialización | la mondialisation | |
|---|---|---|
| la antiglobalización | l'antimondialisation | |
| el anticapitalismo | l'anticapitalisme | ⌀ **anticapitalista** : *anticapitaliste* |
| la desobediencia (civil) | la désobéissance (civile) | |
| el activista | l'activiste | |
| el foro | le forum | ☞ **el Foro Social Mundial :** *le Forum social mondial* |

| | | |
|---|---|---|
| el altermundialista | l'altermondialiste | |
| el neoliberal | le néolibéral | |
| el ultraliberal | l'ultralibéral | |
| el consumo | la consommation | ☞ **el producto/la sociedad de ~ :** le produit/la société de consommation |
| consumir | consommer | ✑ **consumista :** grand consommateur |
| el lucro | le profit | ☞ **sin ánimo de ~ :** à but non lucratif |
| la liberalización | la libéralisation | |
| el abaratamiento | la baisse des coûts | |
| la libre circulación | la libre circulation | |
| el libre cambio | le libre-échange | |
| la apertura del mercado | l'ouverture de marché | |
| la solidaridad | la solidarité | → p. 158 (La solidarité) |
| el comercio justo | le commerce équitable | |
| el autoabastecimiento | l'auto-approvisionnement | |
| la deslocalización | la délocalisation | Syn. **la fuga de empresas** ✑ **deslocalizar :** délocaliser |
| la fuga de cerebros | la fuite des cerveaux | |
| el proteccionismo | le protectionnisme | |
| el arancel | le droit de douane | |

## ☞ L'économie espagnole dans le monde

La Banque mondiale place l'Espagne au huitième rang mondial des principales puissances économiques et au cinquième rang européen.

# 44 Las relaciones internacionales
## Les relations internationales

Los rasgos de un diplomático eficaz
[...] Un diplomático debe tener las siguientes cualidades:
Veracidad, porque contribuye a una buena reputación e intensifica la credibilidad.
Precisión, que implica certeza intelectual y moral.
Buen carácter, que implica moderación y sutileza.
Paciencia, calma, que permite guardar imparcialidad y precisión.
Modestia, para no dejarse envanecer y jactarse de sus victorias y éxitos.
Lealtad, a sus gobiernos y hasta al país que los hospeda.

"La diplomacia" © Naciones Unidas – Centro de Información para México, Cuba y República Dominicana.

*Profil d'un diplomate efficace / [...] Un diplomate doit posséder les qualités suivantes : / Honnêteté, qui garantit sa bonne réputation et accroît sa crédibilité. / Précision, ce qui sous-entend authenticité intellectuelle et morale. / Bon caractère, ce qui implique modération et subtilité. / Patience et calme afin de conserver son impartialité et sa précision. / Modestie pour éviter l'orgueil et la vanité vis-à-vis de ses victoires et de ses succès. / Loyauté envers son gouvernement ainsi que le pays qui l'accueille.*

## La diplomacia  La diplomatie

| | | |
|---|---|---|
| el diplomático | le diplomate | ⌀ **diplomático** : diplomatique |
| el Ministerio de Asuntos Exteriores | le ministère des Affaires étrangères | |
| la inmunidad diplomática | l'immunité diplomatique | |
| la valija diplomática | la valise diplomatique | |
| el portavoz | le porte-parole | |

## Los conflictos armados  Les conflits armés

### ▶ El ejército  L'armée

| | | |
|---|---|---|
| las Fuerzas Armadas | les forces armées | REM. Le sigle est **FF AA**. |
| el Ejército de Tierra | l'armée de terre | |
| el Ejército del Aire | l'armée de l'air | |

| la Armada | la Marine | SYN. **la Marina** |
| **el Ministerio de Defensa** | le ministère de la Défense | |
| **el militar** | le militaire | |
| **el servicio militar** | le service militaire | REM. **la mili** *(fam.)* |
| **el antimilitarista** | l'antimilitariste | |
| **el insumiso** | l'insoumis | ✍ **la insumisión** : l'insoumission |
| **el desertor** | la déserteur | ✍ **desertar** : déserter |
| **el cuartel** | la caserne | |
| **el soldado** | le soldat | |
| **el regimiento** | le régiment | |
| **el batallón** | le bataillon | |
| **la tropa** | la troupe | |
| **el combatiente** | le combattant | ✍ **el excombatiente** : l'ancien combattant |

## ▶ El armamento  L'armement

| **el arma** (n. f.) | l'arme | ☞ **el ~ biológica/química** : l'arme biologique/chimique |
| **la pistola** | le pistolet | |
| **el fusil** | le fusil | ✍ **fusilar** : fusiller |
| | | ✍ **el fusilamiento** : l'exécution |
| **la metralleta** | la mitrailleuse | ✍ **ametrallar** : mitrailler |
| **la bala** | la balle | ✍ **el chaleco antibalas** : le gilet pare-balles |
| **la granada** | la grenade | |
| **el proyectil** | le projectile | |
| **el misil, el mísil** | le missile | |
| **la bomba** | la bombe | ☞ **la ~ atómica/nuclear** : la bombe atomique/nucléaire |
| **el bombardeo** | le bombardement | ✍ **bombardear** : bombarder |
| **la mina antipersona** | la mine antipersonnelle | SYN. **la mina antipersonal** |
| **la máscara de gas** | le masque à gaz | |
| **el tanque** | le tank | |
| **el submarino** | le sous-marin | |
| **el portaaviones** | le porte-avions | |

## ▶ La guerra  La guerre

| **las hostilidades** | les hostilités | |
| **bélico** | de guerre | ✍ **belicoso** : belliqueux |
| **el ataque** | l'attaque | ✍ **atacar** : attaquer |
| **el asalto** | l'assaut | |

| | | |
|---|---|---|
| el golpe de Estado | le coup d'État | |
| la sublevación | le soulèvement | |
| el toque de queda | le couvre-feu | |
| | | |
| la guerrilla | la guérilla | ✑ **el guerrillero :** le guérillero |
| la milicia | la milice | |
| la lucha armada | la lutte armée | ✑ **luchar :** lutter, se battre |
| la batalla | la bataille | |
| el combate | le combat | ✑ **combatir :** combattre |
| la trinchera | la tranchée | |
| el artificiero | l'artificier | |
| el francotirador | le franc-tireur | |
| el mercenario | le mercenaire | |
| | | |
| la resistencia | la résistance | ✑ **resistir :** résister |
| la retirada | la retraite | ✑ **retirarse :** se retrancher |
| la rendición | la reddition | |
| rendirse (v. irr. e>i) | se rendre | Syn. **capitular :** capituler |
| la victoria | la victoire | ✑ **vencer :** vaincre |
| la derrota | la défaite | |

## ▶ La violencia de la guerra La violence de la guerre

| | | |
|---|---|---|
| la Convención de Ginebra | la Convention de Genève | |
| el saqueo | la mise à sac | ✑ **saquear :** mettre à sac |
| el crimen | le crime | ✍ **el ~ contra la humanidad :** le crime contre l'humanité |
| la tortura | la torture | ✑ **torturar :** torturer |
| el genocidio | le génocide | |
| la masacre | le massacre | ✑ **masacrar :** massacrer |
| el exterminio | l'extermination | ✑ **exterminar :** exterminer |
| la limpieza étnica (euph.) | l'épuration ethnique | |
| el campo de concentración | le camp de concentration | |
| el prisionero de guerra | le prisonnier de guerre | |
| la ejecución | l'exécution | ✑ **ejecutar :** exécuter |
| los daños colaterales | les dommages colatéraux | |
| el embargo | l'embargo | |
| el bloqueo | le blocus | |

## ▶ La paz  La paix

| | | |
|---|---|---|
| el pacifismo | le pacifisme | SYN. **la no violencia** : la non-violence |
| el pacifista | le pacifiste | ℰ **pacífico** : pacifique |
| la tregua | la trêve | |
| el alto el fuego | le cessez-le-feu | |
| el pacto | le pacte | |
| las negociaciones | les pourparlers | ℰ **negociar** : établir des pourparlers |
| el acuerdo | le compromis | |
| la neutralidad | la neutralité | ℰ **el país neutral** : le pays neutre |
| la alianza | l'alliance | ℰ **el aliado** : l'allié |
| la amnistía | l'amnistie | |
| el desarme | le désarmement | |

## ☞ Les principaux organismes internationaux

la **ONU (Organización de las Naciones Unidas)** : l'ONU • la **OTAN (Organización del Tratado del Atlántico Norte)** : l'OTAN • la **OMS (Organización Mundial de la Salud)** : l'OMS • **la Cruz Roja** : la Croix-Rouge • **Médicos Sin Fronteras** : Médecins sans frontières • **el TPI (Tribunal Penal Internacional)** : le TPI • **Amnistía Internacional** : Amnesty International • **Banco Central Europeo** : Banque centrale européenne • **el FMI (Fondo Monetario Internacional)** : le FMI • la **OCDE (Organización para la Cooperación y el Desarrollo Económico)** : l'OCDE

# 45 El tiempo, la medida del tiempo
## Le temps, la mesure du temps

Llega el cambio horario y con él los problemas al conciliar el sueño para muchas personas.
Cuando llega el último domingo de marzo, los relojes se adelantan, mientras que el último de octubre se retrasan. Una medida que se sigue en toda la Unión Europea con el fin de reducir el consumo eléctrico.

C. Mínguez, "Cambiar la hora, poco rentable" © Metro, 2007.

*Le changement d'heure coïncide, pour beaucoup de gens, avec la venue de troubles du sommeil. Lorsque le dernier dimanche du mois de mars arrive, il nous faut avancer les montres d'une heure, tandis que nous devons les retarder le dernier dimanche du mois d'octobre. Mesure que suivent tous les pays de l'Union européenne afin de réduire la consommation d'électricité.*

## El día y la noche Le jour et la nuit

| | | |
|---|---|---|
| el día | le jour | 2. la journée |
| | | Rᴇᴍ. **Es de día.** *Il fait jour.* |
| | | ♂ **diario :** journalier, quotidien |
| | | ♂ **diurno :** diurne |
| el amanecer | le lever du jour | Sʏɴ. **la salida del sol** |
| amanecer (v. irr.) | commencer à faire jour | Sʏɴ. **salir** (v. irr.) **el sol** |
| la madrugada | le petit matin | Sʏɴ. **el alba** (n. f.) **:** *l'aube* |
| la mañana | le matin, la matinée | ≠ **mañana :** demain |
| el mediodía | le midi | 2. l'heure du déjeuner [entre 13 h et 15 h] |
| | | ≠ **medio día :** une demi-journée |
| la tarde | l'après-midi | 2. le soir |
| | | ≠ **tarde :** tard |
| el atardecer | la tombée du jour | ♂ **atardecer** (v. irr.) **:** tomber le jour |
| la puesta de sol | le coucher du soleil | Sʏɴ. **el ocaso** (sout.) |
| el anochecer | la tombée de la nuit | ♂ **anochecer** (v. irr.) **:** faire nuit |
| la noche | la nuit | Rᴇᴍ. **Es de noche.** *Il fait nuit.* |
| | | ♂ **la medianoche :** minuit |
| nocturno | nocturne | ♂ **noctámbulo :** noctambule |

→ p. 224 (Situer dans le temps)

# La medida del tiempo La mesure du temps

| | | |
|---|---|---|
| **el reloj** | la montre | **2.** l'horloge |
| **el cronómetro** | le chronomètre | |
| **el calendario** | le calendrier | |
| **la fecha** | la date | |
| **el momento** | le moment | Syn. **el rato** |
| **el instante** | l'instant | |
| **el segundo** | la seconde | |
| **el minuto** | la minute | |
| **la hora** | l'heure | → p. 226 (Demander, dire l'heure) |
| **el horario** | l'horaire | **2.** l'emploi du temps |
| **la semana** | la semaine | ✍ **semanal** : hebdomadaire |

## & Notez bien

■ Les jours de la semaine sont : **lunes** (lundi), **martes** (mardi), **miércoles** (mercredi), **jueves** (jeudi), **viernes** (vendredi), **sábado** (samedi), **domingo** (dimanche).
→ p. 225 (Notez bien)

| | | |
|---|---|---|
| **el fin de semana** | le week-end | Rem. **el finde** (fam.) |
| **la quincena** | la quinzaine | |
| **el mes** | le mois | ✍ **mensual** : mensuel |

## & Notez bien

■ Les mois de l'année sont : **enero** (janvier), **febrero** (février), **marzo** (mars), **abril** (avril), **mayo** (mai), **junio** (juin), **julio** (juillet), **agosto** (août), **septiembre** ou **setiembre** (septembre), **octubre** (octobre), **noviembre** (novembre), **diciembre** (décembre).

| | | |
|---|---|---|
| **la estación** | la saison | |
| **la primavera** | le printemps | ✍ **primaveral** : printanier |
| **el verano** | l'été | Syn. **el estío** (sout.) |
| | | ✍ **veraniego, estival** : estival |
| **el otoño** | l'automne | ✍ **otoñal** : automnal |
| **el invierno** | l'hiver | ✍ **invernal** : hivernal |
| **el año** | l'an, l'année | ✍ **anual** : annuel |
| | | ▷ **el ~ bisiesto** : l'année bissextile |
| **la década** | la décennie | |
| **el siglo** | le siècle | Syn. **la centuria** |
| **la época** | l'époque | |
| **el periodo, el período** | la période | |
| **la era** | l'ère | |

# Pasado, presente y futuro Passé, présent et avenir

| | | |
|---|---|---|
| el pasado | le passé | ✄ pasado : passé [dernier]<br>→ p. 234 (Parler du passé) |
| anterior | précédent | |
| ayer | hier | |
| la víspera | la veille | |
| anteayer | avant-hier | Syn. antes de ayer |
| anoche | hier soir | |
| anteanoche | avant-hier soir | Syn. antes de anoche |
| el presente | le présent | → p. 232 (Parler du présent) |
| actual | actuel | |
| reciente | récent | |
| ahora | maintenant | |
| hoy | aujourd'hui | ☞ ~ (en) día : de nos jours |
| el futuro | le futur | 2. l'avenir<br>→ p. 237 (Parler de l'avenir) |
| el porvenir | l'avenir | Syn. el día de mañana |
| mañana | demain | ☞ pasado ~ : après-demain<br>☞ ~ por la mañana/tarde/noche : demain matin/après-midi/soir |
| próximo | prochain | Syn. que viene |
| siguiente | suivant, d'après | ☞ el día ~ : le lendemain |

# Duración y frecuencia Durée et fréquence

→ p. 228 (Exprimer la durée), → p. 230 (Exprimer la fréquence, l'habitude)

| | | |
|---|---|---|
| durar | durer | |
| desde | depuis | |
| el comienzo | le commencement,<br>le début | Syn. el principio |
| empezar (v. irr. e>ie) | commencer | Syn. comenzar (v. irr. e>ie) |
| hasta | jusque | |
| el fin | la fin | Syn. el final |
| acabar | finir | Syn. terminar |
| el plazo | le délai | ☞ a corto/medio/largo ~ : à court/moyen/long terme |
| antes | avant | ☞ cuanto ~ : au plus tôt |
| la antelación | l'anticipation | ☞ con ~ : à l'avance |
| por anticipado | d'avance | |
| de antemano | par avance | |

| | | |
|---|---|---|
| **previo** | préalable | |
| **durante** | pendant | |
| **seguir** (v. irr. e>i) | continuer, poursuivre | Syn. **continuar** |
| **después** | après | Syn. **luego** |
| **dentro de** [période] | dans | |
| **posponer** (v. irr.) | reporter | Syn. **aplazar** |
| **ya** | déjà | |
| **pronto** | tôt | Syn. **temprano** |
| **en seguida, enseguida** | tout de suite | |
| **de repente** | soudainement, tout à coup | Syn. **de pronto** |
| **tarde** | tard | ✍ **tardar** : tarder, mettre [un certain temps] |
| **siempre** | toujours | |
| **a menudo** | souvent | |
| **frecuente** | fréquent | |
| **(un) día sí, (un) día no** | un jour sur deux | |
| **cada vez más** | de plus en plus | Ant. **cada vez menos** : de moins en moins |
| **cada X días/semanas...** | tous les X jours/semaines | |
| **todavía** | encore | Syn. **aún** |
| **otra vez** | de nouveau | Syn. **de nuevo** |
| **de vez en cuando** | de temps en temps | Syn. **a veces** : parfois |
| **nunca** | jamais | Syn. **jamás** |

## ☞ Expressions

**dar** ou **amargar el día a alguien** (fam.) : gâcher la journée à qqn • **pasar la noche en vela** ou **en blanco** : passer une nuit blanche • **de la noche a la mañana** : du jour au lendemain • **A quien madruga Dios le ayuda.** Le monde appartient à celui qui se lève tôt. • **No por mucho madrugar amanece más temprano.** Chaque chose en son temps. • **El tiempo vuela.** On ne voit pas passer le temps. • **hacer su agosto** (fam.) : faire son beurre • **El pasado nunca vuelve.** On ne revient jamais en arrière. • **tener algo presente** : avoir qqch. à l'esprit • **Más vale tarde que nunca.** Mieux vaut tard que jamais.

# 46 Los grandes periodos de la Historia

## Les grandes périodes de l'histoire

Le paradoxe de l'évolution. / Au commencement, nous étions des singes. / Puis, des hommes de Néandertal. / Enfin, des Homo sapiens. (Ça y est ! J'ai un bon travail ! À moi la maison, la voiture, la résidence secondaire au bord de la mer...) / Crédit accordé ! / Et aujourd'hui, la plupart d'entre nous marchent à nouveau à quatre pattes, travaillent comme des bêtes pour rembourser un crédit sur 45 ans.

## La Prehistoria *La Préhistoire*

| | | |
|---|---|---|
| prehistórico | préhistorique | |
| primitivo | primitif | |
| el primate | le primate | |
| el homínido | l'hominidé | |
| el fósil | le fossile | |
| la caverna | la caverne | SYN. **la cueva** |
| la paleontología | la paléontologie | ✍ **el paleontólogo** : le paléontologue |
| la arqueología | l'archéologie | ✍ **el arqueólogo** : l'archéologue |

LEXIQUE THÉMATIQUE

# La Antigüedad  L'Antiquité

| | |
|---|---|
| **el imperio** | l'empire |
| **las civilizaciones** | les civilisations |
| **los fenicios** | les Phéniciens |
| **los persas** | les Persans |

## ▸ Los egipcios  Les Égyptiens

| | | |
|---|---|---|
| **la dinastía** | la dynastie | |
| **el faraón** | le pharaon | ✐ **faraónico :** pharaonique |
| **la pirámide** | la pyramide | |
| **el obelisco** | l'obélisque | |
| **la esfinge** | le sphynx | |
| **el jeroglífico** | le hiéroglyphe | |
| **el papiro** | le papyrus | |
| **la momia** | la momie | ✐ **momificar :** momifier |
| **el sarcófago** | le sarcophage | |

## ▸ Los griegos  Les Grecs

| | | |
|---|---|---|
| **los helenos** | les Hellènes | |
| **la colonia** | la colonie | |
| **la acrópolis** | l'acropole | |
| **la mitología** | la mythologie | ✐ **el mito :** le mythe |
| **la democracia** | la démocratie | → p. 151 (Le fonctionnement d'une démocratie) |

## ▸ Los romanos  Les Romains

| | | |
|---|---|---|
| **romano** | romain | |
| **la romanización** | la romanisation | |
| **el latín** | le latin | |
| **las lenguas romances** | les langues romanes | Syn. **las lenguas románicas** |
| **el emperador** | l'empereur | Syn. **el césar :** le césar |
| **la legión** | la légion | ✐ **el legionario :** le légionnaire |
| **el gladiador** | le gladiateur | |
| **la calzada** | la chaussée | |
| **el viaducto** | le viaduc | |
| **el acueducto** | l'aqueduc | |
| **las termas** | les thermes | |
| **el anfiteatro** | l'amphithéâtre | Syn. **el coliseo :** le colisée |
| **el circo** | le cirque | |
| **el arco de triunfo** | l'arc de triomphe | |

## La Edad Media  Le Moyen Âge

| | | |
|---|---|---|
| medieval | médiéval | |
| los bárbaros | les Barbares | |
| los germanos | les Germains | 🗇 **germánico** : germanique |
| los visigodos | les Wisigoths | |
| el feudalismo | le féodalisme | 🗇 **feudal** : féodal |
| la corte | la cour | 🗇 **el cortesano** : le courtisan |
| el señor feudal | le seigneur féodal | |
| la nobleza | la noblesse | 🗇 **el noble** : le noble |
| el clero | le clergé | |
| la burguesía | la bourgeoisie | 🗇 **el burgués** : le bourgeois |
| el siervo | le serf | |
| el castillo | le château | |
| el caballero | le chevalier | |
| la armadura | l'armure | |
| | | |
| el Imperio carolingio | l'Empire carolingien [de Charlemagne] | |
| el Imperio bizantino | l'Empire byzantin | |
| el Imperio árabe | l'Empire arabe | → p. 106 (L'islam) |
| el califato | le califat | |
| el reino cristiano | le royaume chrétien | → p. 105 (Le christianisme) |
| las cruzadas | les croisades | |

## La Edad Moderna  L'Âge moderne

| | | |
|---|---|---|
| el Renacimiento | la Renaissance | 🗇 **renacentista** : de la Renaissance |
| el Humanismo | l'humanisme | 🗇 **humanista** : humaniste |
| la Inquisición | l'Inquisition | |
| la Ilustración | le siècle des Lumières | Syn. **el Siglo de las Luces** |
| el Racionalismo | le rationalisme | |

## ▶ El descubrimento de América  La découverte de l'Amérique

| | | |
|---|---|---|
| la Conquista | la conquête | 🗇 **el conquistador** : le conquistador |
| la colonización | la colonisation | |
| la carabela | la caravelle | |
| precolombino | précolombien | |
| los mayas | les Mayas | |
| los aztecas | les Aztèques | |
| los incas | les Incas | |
| el indio | l'Indien | 🗇 **las Indias** : les Indes |

# La Edad Contemporánea
## L'Époque contemporaine

| | | |
|---|---|---|
| **la Revolución francesa** | *la Révolution française* | |
| **la Revolución industrial** | *la Révolution industrielle* | Syn. **la industrialización** |
| **la máquina de vapor** | *la machine à vapeur* | |
| **el liberalismo** | *le libéralisme* | ✐ **liberalista :** *libéral* |
| **la descolonización** | *la décolonisation* | |
| **la Primera/Segunda Guerra Mundial** | *la Première/Seconde Guerre mondiale* | |
| **la Guerra Fría** | *la guerre froide* | |
| **la caída del Muro de Berlín** | *la chute du mur de Berlin* | |

---

### ☞ Quelques repères de l'histoire espagnole

■ Les Arabes conquirent la péninsule Ibérique en 711. **La Reconquista** correspond à la reconquête des royaumes maures par les souverains chrétiens. Elle fut initiée en 718 et achevée en 1492 avec la prise du royaume de Grenade par **los Reyes Católicos**.

■ Suite à la découverte de l'Amérique, l'Espagne devint au xvie siècle la plus grande puissance d'Europe grâce à ses colonies américaines qu'elle perdit au xixe siècle.

■ De 1936 à 1939, eut lieu la guerre civile espagnole à l'issue de laquelle le pays subit la dictature du général Franco **(el franquismo)**.

■ En 1975, à la mort de Franco, Juan Carlos I, devenu roi, instaure une monarchie parlementaire. Cette période, connue sous le nom de **la Transición**, marque le début de la transition démocratique en Espagne.

■ L'Espagne est membre de l'Union européenne depuis 1986.

---

# 47 Características geológicas de nuestro planeta

## Caractéristiques géologiques de notre planète

El volcán Sierra Negra, en las islas Galápagos, tras 27 años de inactividad, comenzó a disparar cenizas y gases. Tres días después la lava comenzó a fluir [...], a ascender hacia la superficie y escapar aprovechando las zonas más frágiles de la corteza terrestre.

"La tierra se rebela", en *Muy interesante* © GyJ España Ediciones, S.L., 2005.

*Le volcan Sierra Negra, dans les îles Galapagos, commença à expulser des cendres et des gaz après vingt-sept ans d'inactivité. Trois jours plus tard, la lave commença à jaillir [...], à remonter vers la surface et à s'échapper par les zones les plus fragiles de la croûte terrestre.*

## El agua en el planeta L'eau sur la planète

| | | |
|---|---|---|
| la gota | la goutte | |
| el hielo | la glace | **2.** le verglas **3.** le glaçon |
| el vapor | la vapeur | ♦ **la evaporación :** l'évaporation |
| el rocío | la rosée | |
| el río | le fleuve, la rivière | ≠ **la ría :** la ria |
| el arroyo | le ruisseau | |
| el afluente | l'affluent | **2.** la rivière |
| el torrente | le torrent | |
| el caudal | le débit | ♦ **caudaloso :** de grand débit |
| el cauce | le lit | Sʏɴ. **el lecho** |
| la cuenca | le bassin | |
| el curso | le cours | |
| el manantial | la source | Sʏɴ. **el nacimiento :** la naissance |
| la desembocadura | l'embouchure | ♦ **desembocar (en) :** se jeter (dans) |
| el estuario | l'estuaire | |
| la crecida | la crue | Sʏɴ. **el desbordamiento** |
| la orilla | le bord, la rive | |
| la ribera | le rivage | |

■ La plupart des noms de cours d'eau en espagnol sont masculins :
**el Ebro** l'Èbre, **el Tajo** le Tage, **el Sena** la Seine, **el Támesis** la Tamise, etc.

| | | |
|---|---|---|
| **la laguna** | le petit lac | **2.** la lagune |
| **el lago** | le lac | |
| **el pantano** | le marais, le marécage | |
| **el mar** | la mer | |
| **el océano** | l'océan | |
| **la corriente** | le courant | |
| **la ola** | la vague | |
| **la marea** | la marée | |
| **la marisma** | le marais [au bord de la mer] | |
| **el glaciar** | le glacier | |

# El relieve  Le relief

| | | |
|---|---|---|
| **la geología** | la géologie | 🖉 **el geólogo :** le géologue |
| **la corteza terrestre** | l'écorce terrestre | |
| **la erosión** | l'érosion | 🖉 **erosionar :** éroder |
| **la península** | la péninsule | |
| **la isla** | l'île | 🖉 **el islote :** l'îlôt |
| **el cabo** | le cap | |
| **el golfo** | le golfe | |
| **el desierto** | le désert | |

### ◗ La altitud  L'altitude

| | | |
|---|---|---|
| **la planicie** | la plaine | Syn. **la llanura, el llano** |
| **el valle** | la vallée | |
| **la meseta** | le plateau | |
| **la montaña** | la montagne | → p. 75 (La montagne) |
| **el macizo** | le massif | |
| **la sierra** | la petite chaîne de montagnes | **2.** la montagne [endroit] |
| **la cordillera** | la chaîne de montagnes | Syn. **la cadena montañosa** |

### ◗ El desnivel  La dénivellation

| | |
|---|---|
| **la falla** | la faille |
| **el acantilado** | la falaise |
| **el abismo** | l'abîme |
| **la sima** | le gouffre |

# Los recursos minerales Les ressources minérales

| el yacimiento | le gisement | |
|---|---|---|
| el filón | le filon | |
| la veta | la veine | |
| el mineral | le minerai | → p. 141 (L'industrie minière) |
| el carbón | le charbon | |
| el petróleo | le pétrole | |
| la roca | le rocher | |
| la pizarra | l'ardoise | |
| el granito | le granit | |

## ▶ Principales minerales y metales Principaux minéraux et métaux

| el calcio | le calcium | ⚥ **cálcico** : calcique |
|---|---|---|
| el fósforo | le phosphore | ⚥ **fosfórico** : phosphorique |
| el magnesio | le magnésium | |
| el sodio | le sodium | ⚥ **sódico** : sodique |
| el cobre | le cuivre | |
| el cinc, el zinc | le zinc | |
| el hierro | le fer | |
| el flúor | le fluor | |
| el azufre | le soufre | |
| el mercurio | le mercure | |
| el plomo | le plomb | |
| el aluminio | l'aluminium | |
| la plata | l'argent | **2.** *Amér.* l'argent [monnaie] |
| | | ⚥ **plateado** : argenté |
| el oro | l'or | ⚥ **dorado** : doré |
| el platino | le platine | |
| el titanio | le titanium | |
| el yeso | le gypse | **2.** le plâtre |
| el cuarzo | le quartz | |

## ▶ La gemología La gemmologie

| la piedra preciosa | la pierre précieuse | Syn. **la gema** : la gemme |
|---|---|---|
| el diamante | le diamant | |
| el rubí | le rubis | |
| el zafiro | le saphir | |
| la esmeralda | l'émeraude | |
| el topacio | le topaze | |
| la turquesa | la turquoise | |

# Los fenómenos volcánicos y sísmicos
## Les phénomènes volcaniques et sismiques

| | | |
|---|---|---|
| **el volcán** | le volcan | |
| **el cráter** | le cratère | Syn. **el cono** |
| **la erupción volcánica** | l'éruption volcanique | |
| **el magma** | le magma | |
| **la lava** | la lave | |
| **la ceniza volcánica** | la cendre volcanique | |
| **el terremoto** | le tremblement de terre | Syn. **el seísmo, el temblor** |
| **la onda sísmica** | l'onde sismique | |
| **el epicentro** | l'épicentre | |
| **el hipocentro** | l'hypocentre | |
| **la magnitud** | la magnitude | |
| **el maremoto** | le raz de marée | Syn. **el tsunami** : le tsunami |

### ☞ Le volcan Teide

■ Les îles Canaries forment un groupe de sept îles volcaniques. Elles existent depuis quatorze millions d'années. Le volcan **Teide**, dans l'île de **Tenerife**, est le sommet le plus haut d'Espagne et culmine à 3 718 mètres.

### ☞ Expressions

**Nunca digas de esta agua no beberé.** Il ne faut jamais dire : « Fontaine je ne boirai pas de ton eau. » • **ahogarse en un vaso de agua** : se noyer dans un verre d'eau • **Cuando el río suena agua lleva.** Il n'y a pas de fumée sans feu. • **No es oro todo lo que reluce.** Tout ce qui brille n'est pas de l'or. • **como los chorros del oro** (fam.) : comme un sou neuf

# 48 El clima, el tiempo que hace
## Le climat, le temps qu'il fait

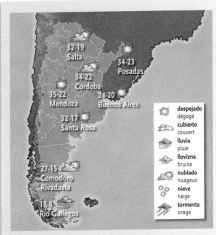

El sábado tiempo variable en todo el país. En el norte, cielo parcialmente nublado. En el centro y en la capital cielos totalmente despejados. En la Patagonia, cielos cubiertos acompañados de lluvia. Ligero aumento de las temperaturas con una máxima de 35°C (grados) en Mendoza y una mínima de 8 °C en Río Gallegos.

Samedi, le temps sera variable dans tout le pays. Dans le Nord, ciel partiellement couvert. Dans le Centre, ainsi que dans la capitale, le ciel sera totalement dégagé. En Patagonie, ciel couvert accompagné d'averses. Légère hausse des températures. La température maximale sera de 35 °C à Mendoza et la minimale de 8 °C à Río Gallegos.

## El clima  Le climat

| | |
|---|---|
| la climatología | la climatologie |
| climatológico | climatologique |
| el polo | le pôle |
| el ecuador | l'équateur |
| el trópico | le tropique |
| oceánico | océanique |
| mediterráneo | méditerranéen |
| continental | continental |
| atlántico | atlantique |
| | |
| seco | sec |
| árido | aride |
| frío | froid |
| templado | tempéré |

ø **climatizado** : climatisé
ø **climático** : climatique
ø **polar** : polaire
ø **ecuatorial** : équatorial
ø **tropical** : tropical

Ant. **húmedo** : humide

# La meteorología La météorologie

## ● Los fenómenos meteorológicos Les phénomènes météorologiques

| | | |
|---|---|---|
| el anticiclón | l'anticyclone | |
| la depresión atmosférica | la dépression atmosphérique | |
| la precipitación | la précipitation | |
| la lluvia | la pluie | ✍ la llovizna : la bruine |
| el chubasco | l'averse | Syn. el aguacero |
| la tromba de agua | la trombe d'eau | Syn. el diluvio : le déluge |
| la nieve | la neige | |
| el granizo | la grêle | |
| la escarcha | le givre | |
| la helada | la gelée | ☞ caer (v. irr.) una ~ : geler |
| el rocío | la rosée | |
| el aire | l'air | |
| el viento | le vent | ☞ la ráfaga de ~ : la rafale de vent |
| la brisa | la brise | |
| la borrasca | la zone de basse pression | |
| el ciclón | le cyclone | Syn. el huracán : l'ouragan |
| el tifón | le typhon | |
| el tornado | la tornade | |
| la tormenta | l'orage | 2. la tempête |
| el rayo | la foudre | ✍ el pararrayos : le paratonnerre |
| el trueno | le tonnerre | |
| el relámpago | l'éclair | |
| la nube | le nuage | ✍ nuboso, nublado : nuageux |
| la niebla | le brouillard | |
| la bruma | la brume | Syn. la neblina |
| el arco iris | l'arc-en-ciel | |
| la aurora boreal | l'aurore boréale | |

## ● Hablar del tiempo Parler de la météo

| | | |
|---|---|---|
| las previsiones | les prévisions | |
| el parte meteorológico | le bulletin météorologique | Syn. el tiempo : la météo |
| la temperatura | la température | ☞ la ~ mínima/máxima : la température minimale/maximale |
| el termómetro | le thermomètre | |
| subir | augmenter | Ant. bajar : diminuer |
| los grados | les degrés | Rem. Estamos a/Hace/Hay diez grados. Nous sommes à/Nous avons/ Il fait dix degrés. |

| | | |
|---|---|---|
| **la presión atmosférica** | la pression atmosphérique | |
| **la veleta** | la girouette | |
| **hacer** (v. irr.) **bueno** | faire beau, faire doux | Syn. **hacer** (v. irr.) **buen tiempo** |
| **estar despejado** | être dégagé | |
| **el sol** | le soleil | ✍ soleado : ensoleillé |
| **el calor** | la chaleur | ☞ **la ola de ~** : la vague de chaleur<br>Rem. **Hace calor.** Il fait chaud. |
| | | |
| **caluroso** | chaud | |
| **el bochorno** | la chaleur étouffante | |
| **sofocante** | suffocant | |
| **la sombra** | l'ombre | |
| | | |
| **hacer** (v. irr.) **malo** | faire mauvais | Syn. **hacer** (v. irr.) **mal tiempo** |
| **estar nublado** | être couvert | Syn. **estar cubierto** |
| **el frío** | le froid | ☞ **la ola de ~** : la vague de froid<br>Rem. **Hace frío.** Il fait froid. |
| | | |
| **llover** (v. irr. o>ue) | pleuvoir | |
| **chispear** | pleuvoter | |
| **diluviar** | pleuvoir à verse | |
| **tronar** (v. irr. o>ue) | tonner | |
| **nevar** (v. irr. e>ie) | neiger | ✍ la nevada : la chute de neige |
| **granizar** | grêler | ✍ la granizada : la forte averse<br>de grêle |
| | | |
| **helar** (v. irr. e>ie) | geler | |

## & Notez bien

■ La plupart des verbes qui font référence aux phénomènes météorologiques sont défectifs : ils s'utilisent seulement à la troisième personne du singulier.

**Llueve.** Il pleut.     **Nevó.** Il a neigé.     **Granizará.** Il va y avoir de la grêle.

■ Lorsqu'on parle du temps qu'il fait, on emploie les verbes **hacer** et **haber** qui, dans ce cas, se conjuguent seulement à la troisième personne du singulier.

**Hace viento.** Il y a du vent.     **Hubo tormenta.** Il y a eu un orage.

## ☞ Expressions

**beber los vientos por alguien** (fam.) : être éperdument amoureux de qqn • **ir viento en popa** : marcher comme sur des roulettes • **¡Que te parta un rayo!** (fam.) Va te faire cuire un œuf ! • **estar por las nubes** (fam.) : être hors de prix • **Al mal tiempo, buena cara.** Contre mauvaise fortune bon cœur. • **no dejar a alguien ni a sol ni a sombra** : ne pas lâcher qqn d'une semelle • **¡Hace un frío que pela!** (fam.) Il fait un froid de canard !

**Continentes y países**

Continents et pays

EL ESPAÑOL
EN EL MUNDO

■ Español lengua oficial

| el hemisferio | l'hémisphère | |
|---|---|---|
| los puntos cardinales | les points cardinaux | |
| el Norte | le nord | ✍ **el Nordeste :** le nord-est |
| | | ✍ **el Noroeste :** le nord-ouest |
| el Sur | le sud | ✍ **el Sudeste, el Sureste :** le sud-est |
| | | ✍ **el Sudoeste, el Suroeste :** le sud-ouest |
| el Este | l'est | |
| el Oeste | l'ouest | |

### **&** Notez bien

■ L'article ne s'emploie pas devant les noms de pays, sauf pour certains d'entre eux qui, par tradition, peuvent le porter ou non (indiqué entre parenthèses dans les listes des pages suivantes) : **(el) Perú, (la) China**, etc.

■ **El gentilicio**, le gentilé, nom des habitants d'un pays, est généralement identique à l'adjectif de nationalité et ne prend jamais de majuscule : **español, un español**.

# África  L'Afrique

| | | |
|---|---|---|
| africano | africain | |
| Argelia | l'Algérie | ⚬ argelino : algérien |
| Camerún | le Cameroun | ⚬ camerunés : camerounais |
| (el) Congo | le Congo | ⚬ congolés : congolais |
| (la) Costa de Marfil | la Côte d'Ivoire | ⚬ marfileño : ivoirien |
| Egipto | l'Égypte | ⚬ egipcio : égyptien |
| Etiopía | l'Éthiopie | ⚬ etíope : éthiopien |
| Guinea | la Guinée | ⚬ guineano : guinéen |
| Kenia | le Kenya | ⚬ keniata : kenyan |
| Liberia | le Liberia | ⚬ liberiano : libérien |
| Libia | la Libye | ⚬ libiano : libyen |
| Marruecos | le Maroc | ⚬ marroquí : marocain |
| Mauritania | la Mauritanie | ⚬ mauritano : mauritanien |
| Nigeria | le Nigeria | ⚬ nigeriano : nigérien |
| (la) República de Sudáfrica | la république d'Afrique du Sud | ⚬ sudafricano : sud-africain |
| Ruanda | le Rwanda | ⚬ ruandés : rwandais |
| Senegal | le Sénégal | ⚬ senegalés : sénégalais |
| Somalia | la Somalie | ⚬ somalí : somali |
| Sudán | le Soudan | ⚬ sudanés : soudanais |
| Tanzania | la Tanzanie | ⚬ tanzano : tanzanien |
| Túnez | la Tunisie | ⚬ tunecino : tunisien |
| Zambia | la Zambie | ⚬ zambiano : zambien |
| Zimbabue | le Zimbabwe | ⚬ zimbabuense : zimbabwéen |

# América  L'Amérique

| | | |
|---|---|---|
| americano | américain | |
| Hispanoamérica | l'Amérique latine hispanophone | ⚬ hispanoamericano : hispano-américain |
| Latinoamérica | l'Amérique latine | ⚬ latinoamericano : latino-américain |

## ▶ América del Sur  L'Amérique du Sud

| | | |
|---|---|---|
| Sudamérica | l'Amérique du Sud | SYN. Suramérica |
| sudamericano | sud-américain, d'Amérique du Sud | SYN. suramericano |
| Argentina | l'Argentine | ⚬ argentino : argentin |
| Bolivia | la Bolivie | ⚬ boliviano : bolivien |
| Brasil | le Brésil | ⚬ brasileño : brésilien |
| Chile | le Chili | ⚬ chileno : chilien |

| Colombia | la Colombie | ♂ **colombiano :** colombien |
| **(el) Ecuador** | l'Équateur | ♂ **ecuatoriano :** équatorien |
| **Paraguay** | le Paraguay | ♂ **paraguayo :** paraguayen |
| **(el) Perú** | le Pérou | ♂ **peruano :** péruvien |
| **Uruguay** | l'Uruguay | ♂ **uruguayo :** uruguayen |
| **Venezuela** | le Venezuela | ♂ **venezolano :** vénézuélien |

## ◗ América Central L'Amérique centrale

| **centroamericano** | d'Amérique centrale | |
| **Costa Rica** | le Costa Rica | ♂ **costarricense :** costaricien |
| | | ♂ **costarriqueño :** costaricain |
| **El Salvador** | le Salvador | ♂ **salvadoreño :** salvadorien |
| **Guatemala** | le Guatemala | ♂ **guatemalteco :** guatémaltèque |
| **Honduras** | l'Honduras | ♂ **hondureño :** hondurien |
| **Nicaragua** | le Nicaragua | ♂ **nicaragüense :** nicaraguayen |
| **Panamá** | le Panama | ♂ **panameño :** panaméen |

## ◗ El Caribe Les Caraïbes

| **caribeño** | caribéen | |
| **Cuba** | Cuba | ♂ **cubano :** cubain |
| **Puerto Rico** | Porto Rico | ♂ **puertorriqueño, portorriqueño :** portoricain |
| **(la) República Dominicana** | la République dominicaine | ♂ **dominicano :** dominicain |
| **Haití** | Haïti | ♂ **haitiano :** haïtien |

## ◗ América del Norte L'Amérique du Nord

| **norteamericano** | nord-américain | |
| **(el) Canadá** | le Canada | ♂ **canadiense :** canadien |
| **(los) Estados Unidos** | les États-Unis | ♂ **estadounidense :** américain, des États-Unis |
| | | REM. Le sigle est **EE UU**. |
| **México** | le Mexique | ♂ **mexicano :** mexicain |

# Asia L'Asie

| **asiático** | asiatique | |
| **Afganistán** | l'Afghanistan | ♂ **afgano :** afghan |
| **Arabia Saudí** | l'Arabie saoudite | ♂ **saudí, saudita :** saoudien |
| **Birmania** | la Birmanie | ♂ **birmano :** birman |
| **(la) China** | la Chine | ♂ **chino :** chinois |
| **Corea del Norte** | la Corée du Nord | ♂ **norcoreano :** nord-coréen |

| | | |
|---|---|---|
| Corea del Sur | la Corée du Sud | *surcoreano* : sud-coréen |
| (las) Filipinas | les Philippines | *filipino* : philippin |
| (la) India | l'Inde | *indio* : indien |
| Iraq, Irak | l'Irak | *iraquí, irakí* : irakien |
| Irán | l'Iran | *iraní* : iranien |
| Israel | Israël | *israelí* : israélien |
| (el) Japón | le Japon | *japonés* : japonais |
| Laos | le Laos | *laosiano* : laotien |
| (el) Líbano | le Liban | *libanés* : libanais |
| Paquistán, Pakistán | le Pakistan | *paquistaní, pakistaní* : pakistanais |
| Siria | la Syrie | *sirio* : syrien |
| Tailandia | la Thaïlande | *tailandés* : thaïlandais |
| Vietnam | le Vietnam | *vietnamita* : vietnamien |

## Europa  L'Europe

| | | |
|---|---|---|
| europeo | européen | |
| Alemania | l'Allemagne | *alemán* : allemand |
| Austria | l'Autriche | *austriaco, austríaco* : autrichien |
| Bélgica | la Belgique | *belga* : belge |
| Bulgaria | la Bulgarie | *búlgaro* : bulgare |
| Chipre | Chypre | *chipriota* : chypriote |
| Dinamarca | le Danemark | *danés* : danois |
| Eslovaquia | la Slovaquie | *eslovaco* : slovaque |
| Eslovenia | la Slovénie | *esloveno* : slovène |
| España | l'Espagne | *español* : espagnol |
| Estonia | l'Estonie | *estonio* : estonien |
| Finlandia | la Finlande | *finlandés* : finlandais |
| Francia | la France | *francés* : français |
| Grecia | la Grèce | *griego* : grec |
| Hungría | la Hongrie | *húngaro* : hongrois |
| Irlanda | l'Irlande | *irlandés* : irlandais |
| Islandia | l'Islande | *islandés* : islandais |
| Italia | l'Italie | *italiano* : italien |
| Letonia | la Lettonie | *letón, latvio* : letton |
| Lituania | la Lituanie | *lituano* : lituanien |
| Luxemburgo | le Luxembourg | *luxemburgués* : luxembourgeois |
| Malta | Malte | *maltés* : maltais |
| Noruega | la Norvège | *noruego* : norvégien |
| (los) Países Bajos | les Pays-Bas | *neerlandés* : néerlandais |
| Polonia | la Pologne | *polaco* : polonais |

| Portugal | le Portugal | ♫ **portugués** : portugais |
| **(la) República Checa** | la République tchèque | ♫ **checo** : tchèque |
| **(el) Reino Unido** | le Royaume-Uni | ♫ **británico** : britannique |
| **Rumanía, Rumania** | la Roumanie | ♫ **rumano** : roumain |
| **Rusia** | la Russie | ♫ **ruso** : russe |
| **Suecia** | la Suède | ♫ **sueco** : suédois |
| **Suiza** | la Suisse | ♫ **suizo** : suisse |
| **Turquía** | la Turquie | ♫ **turco** : turc |

## Oceanía  L'Océanie

| **(la) Polinesia** | la Polynésie | ♫ **polinesio** : polynésien |
| **Tahití** | Tahiti | ♫ **tahitiano** : tahitien |
| **Australia** | l'Australie | ♫ **australiano** : australien |
| **Nueva Zelanda** | la Nouvelle-Zélande | ♫ **neozelandés** : néo-zélandais |

| **la Antártida** | l'Antarctique | Syn. **el Continente Antártico** |

# 50 La Tierra en el Universo
## La Terre dans l'Univers

La opinión pública siempre ha estado dividida sobre la exploración de los planetas, y lo sigue estando. Con la cantidad de problemas acuciantes que tenemos en la Tierra, dicen los críticos, es difícil justificar que se dediquen recursos a investigar otros planetas. [...] Si los científicos llegasen a descubrir vida en Marte, aunque sólo fuera vida bacteriana, podríamos saber si esos organismos están emparentados o no con nosotros, los terrícolas. Cualquiera de las dos posibles respuestas cambiaría para siempre la percepción de nuestro lugar en el cosmos.

Javier Sampedro, "Tiempos de robots y clones" © El País Semanal, 2004.

L'opinion publique a toujours été divisée sur l'exploration des planètes et le demeure. Étant donné la quantité grandissante de problèmes auxquels nous sommes confrontés sur Terre, il est difficile, selon les critiques, de justifier que l'on consacre tant de moyens pour faire des recherches sur d'autres planètes. [...] Si les scientifiques parvenaient à découvrir de la vie sur Mars, ne serait-ce qu'une vie bactérienne, on pourrait alors savoir si ces organismes ont ou non un lien de parenté avec nous, les Terriens. Les deux réponses possibles changeraient à jamais la perception de notre place dans le cosmos.

## El Universo  L'Univers

| | | |
|---|---|---|
| universal | universel | |
| el espacio | l'espace | |
| el cosmos | le cosmos | |
| la galaxia | la galaxie | ✿ **galáctico** : galactique |
| la constelación | la constellation | |
| la Osa Mayor | la Grande Ourse | |
| la Osa Menor | la Petite Ourse | |
| el polvo interestelar | la poussière interstellaire | |
| la nebulosa | la nébuleuse | |
| el meteorito | le météorite | |
| el cielo | le ciel | |
| el astro | l'astre | Syn. **el cuerpo celeste** |
| la estrella | l'étoile | ☞ **la ~ fugaz** : l'étoile filante<br>✿ **estelar** : stellaire |
| el agujero negro | le trou noir | |
| el cometa | la comète | ≠ **la cometa** : le cerf-volant |

| el planeta | la planète | &#x266A; planetario : planétaire |
| | | &#x266A; el planetario : le planétarium |
| el asteroide | l'astéroïde | |
| la órbita | l'orbite | |
| la gravedad | la gravité | Syn. la gravitación universal |
| la rotación | la rotation | |
| la traslación, la translación | la translation | |
| el equinoccio | l'équinoxe | |
| el solsticio | le solstice | |
| el eclipse | l'éclipse | ☞ el ~ parcial/total : l'éclipse partielle/totale |
| el satélite | le satellite | |
| la astronomía | l'astronomie | &#x266A; el astrónomo : l'astronome |
| | | &#x266A; astronómico : astronomique |
| el telescopio | le télescope | |
| el astronauta | l'astronaute | |
| el cosmonauta | le cosmonaute | |
| el traje espacial | la combinaison spatiale | |
| la nave espacial | le vaisseau spatial | |
| el ovni | l'ovni | |

## ▶ el Zodiaco le zodiaque

| zodiacal | zodiacal | |
| el signo del zodiaco | le signe du zodiaque | |
| el horóscopo | l'horoscope | |
| la astrología | l'astrologie | &#x266A; el astrólogo : l'astrologue |
| el ascendente | l'ascendant | |
| la carta astral | le thème astral | |

| Aries | Bélier |
| Tauro | Taureau |
| Géminis | Gémeaux |
| Cáncer | Cancer |
| Leo | Lion |
| Virgo | Vierge |
| Libra | Balance |
| Escorpio | Scorpion |
| Sagitario | Sagittaire |
| Capricornio | Capricorne |
| Acuario | Verseau |
| Piscis | Poisson |

# El Sistema Solar Le système solaire

| | | |
|---|---|---|
| la Vía Láctea | la Voie lactée | |
| el Sol | le Soleil | |
| Mercurio | Mercure | |
| Venus | Vénus | |
| Tierra | Terre | ✍ **terrestre, terrícola** : terrestre |
| el mundo | le monde | |
| Marte | Mars | ✍ **marciano** : martien |
| Júpiter | Jupiter | |
| Saturno | Saturne | |
| Urano | Uranus | |
| Neptuno | Neptune | |
| la Luna | la Lune | ⇨ **la luna nueva/llena** : la nouvelle/ pleine lune |
| | | ✍ **lunar** : lunaire |
| | | ✍ **lunático** : lunatique |
| el cuarto | le quartier | ⇨ **el ~ creciente/menguante** : premier/dernier quartier |

## ⇨ Expressions

**haber nacido con buena estrella** : être né sous une bonne étoile • **ver las estrellas** *(fam.)* : voir trente-six chandelles • **ser un sol** *(fam.)* : être un amour • **arrimarse al sol que más calienta** : se mettre du côté du plus fort • **de sol a sol** : du matin au soir • **El mundo es un pañuelo.** Le monde est petit. • **No es nada del otro mundo.** *(fam.)* Ça n'a rien d'extraordinaire. • **el mundo al revés** : le monde à l'envers • **hacer un mundo de algo** *(fam.)* : faire tout un plat de qqch. • **dar la vuelta al mundo** : faire le tour du monde • **estar en la luna** *(fig. fam.)* : être dans la lune

# GUIDE DE
# COMMUNICATION

Besc
her
elle
ESPAGNOL

# 1 Saluer, prendre congé

*Un encuentro en la calle...*

**Sonia** ¡Hola, Carmen! ¿Qué tal? ¡Cuánto tiempo sin verte!

**Carmen** Sí, es verdad. Ahora tengo mucha prisa. Te llamo un día de estos y quedamos. ¿Vale?

**Sonia** Vale, ¡hasta pronto!

**Carmen** ¡Adiós, Sonia!

*En la oficina...*

**Sr. Pérez** Buenas tardes, señor Martín. ¿Cómo está usted?

**Sr. Martín** Bien gracias. ¿Y usted?

**Sr. Pérez** Muy bien. ¿Irá mañana a la inauguración de la nueva sucursal?

**Sr. Martín** Sí, por supuesto.

**Sr. Pérez** Entonces, allí nos veremos. ¡Hasta mañana!

@ www.bescherelle.com

## Saluer

**¡Buenos días!** [seulement le matin] Bonjour !

**Buenas tardes. ¿Cómo está usted?**
Bonjour ! *ou* Bonsoir ! Comment allez-vous ?

**¡Buenas noches!**
Bonsoir ! *ou* Bonne nuit !

**¡Hola!, ¿qué tal?** [informel]
Bonjour ! *ou* Salut ! Ça va ?

## Prendre congé

**¡Buenas noches! Hasta mañana.**
Bonne soirée ! *ou* Bonne nuit ! À demain.

**¡Hasta pronto!**
À bientôt !

**¡Hasta luego!**
Au revoir !, À plus tard !

**¡Hasta el lunes/el martes/el miércoles...!**
À lundi/mardi/mercredi... !

**¡Adiós! ¡Buen fin de semana!/¡Buen finde!** *(fam.)*
Au revoir ! Bon week-end !
**¡Nos vemos!**
À plus !
**Un saludo a.../Recuerdos a...**
Passe *ou* Passez le bonjour à...

## & Notez bien

■ L'expression **buenas tardes** traduit, en fonction du contexte, bonjour, bonne après-midi ou bonne soirée.
■ L'expression **buenas noches** traduit, en fonction du contexte, bonsoir, bonne soirée ou bonne nuit.

## 📖 Lexique

| Verbes et expressions | decir (v. irr.) hola/adiós | Noms |
|---|---|---|
| **saludar a alguien** | dire bonjour/au revoir | **el saludo** |
| saluer qqn | **encontrarse** (v. irr. o>ue) | la salutation |
| **despedirse** (v. irr. e>i) **de** | **con alguien** | **la despedida** |
| **alguien** | rencontrer qqn | les adieux, l'au revoir |
| prendre congé de qqn | | **el encuentro** |
| | | la rencontre |

**Traduction des textes p. 194**
Une rencontre dans la rue... / **Sonia** Salut, Carmen ! Comment ça va ? Ça fait longtemps qu'on ne s'est pas vues ! / **Carmen** C'est vrai. Écoute, là, je suis pressée. Je t'appelle un de ces quatre et on se voit. D'accord ? / **Sonia** O.K., à bientôt ! / **Carmen** Au revoir, Sonia !

Au bureau... / **M. Pérez** Bonsoir, Monsieur Martín. Comment allez-vous ? / **M. Martín** Bien, merci. Et vous ? / **M. Pérez** Très bien. Irez-vous demain à l'inauguration de la nouvelle filiale ? / **M. Martín** Bien sûr. / **M. Pérez** Dans ce cas, nous nous verrons là-bas. À demain !

# Se présenter,
# présenter quelqu'un

---

*En una fiesta...*

Mercedes ¡Hombre, Luis! ¿Tú también has venido?

Luis Sí, claro. He venido con Marta. Mira Marta, te presento a Mercedes. Y este es... ¿cómo te llamas?

Pedro Me llamo Pedro, soy amigo de Mercedes.

Luis Encantado, Pedro.

Pedro Igualmente.

Mercedes Ahora que ya os conocéis, puedo dejaros, voy a saludar a otra gente.

@ www.bescherelle.com

---

## Se présenter, demander de se présenter

**¿Cómo te llamas?**
**– Me llamo Marta, ¿y tú?**
Comment tu t'appelles ?
– Je m'appelle Marta, et toi ?
**¿Cómo se llama usted?**
**– Soy la señora Nuño.**
Comment vous appelez-vous ?
– Je suis Madame Nuño.

## Présenter quelqu'un

**Mira Lola, esta es Carmen.**
Lola, je te présente Carmen.
**Señor González, le presento a la nueva directora.**
Monsieur González, je vous présente la nouvelle directrice.

# Répondre à des présentations

**Encantada. Mucho gusto.**
Enchantée. C'est un plaisir.
**Encantado de conocerle.**
Ravi de faire votre connaissance.

*" Encantada de conocerle "*

## 📖 Lexique

**Verbes**
**presentarse**
se présenter
**presentar a alguien**
présenter qqn

→ p. 13 (L'identité)

**conocer** (v. irr.) **a alguien**
rencontrer qqn, connaître qqn
**conocerse** (v. irr.)
faire connaissance, se connaître

**Noms**
**las presentaciones**
les présentations

## **&** Notez bien

■ Notez la préposition **a** devant un COD de personne.
  **Te presento a Luis.** *Je te présente Luis.*
■ Devant les mots **señor, señora** et **señorita**, on utilise toujours l'article défini sauf lorsqu'on s'adresse directement à la personne.
  **El señor González no podrá asistir a la reunión.**
  *Monsieur González ne pourra pas participer à la réunion.*
  **Señor González, ¿cómo está usted?**
  *Monsieur González, comment allez-vous?*

## ☞ S'adresser à quelqu'un ou parler de quelqu'un

■ **Don** et **doña,** d'une utilisation peu courante de nos jours, ne s'emploient jamais avec le seul nom de famille : **don Pedro** [affectueux], **doña Teresa Ruiz** [soutenu].

**Traduction du texte p. 196**
*Dans une soirée… / Mercedes Tiens, Luis! Tu es là, toi aussi? / Luis Bien sûr. Je suis venu avec Marta. Marta, je te présente Mercedes. Et voici… comment t'appelles-tu? / Pedro Je m'appelle Pedro, je suis un ami de Mercedes. / Luis Enchanté, Pedro. / Pedro De même. / Mercedes Puisque vous avez fait connaissance, je peux vous laisser, je vais saluer les autres.*

# 3 S'adresser à quelqu'un

## Expressions courantes

**Oye, ¿sabes dónde está el departamento de español?**
*Excuse-moi, tu sais où se trouve le département d'espagnol?*

**Perdona, ¿es esta la clase del profesor Pérez?**
*Excuse-moi, c'est bien le cours de M. Pérez?*

**Por favor, ¿la biblioteca?**
*S'il te plaît, où est la bibliothèque?*

## Expressions formelles

**Perdone, ¿podría decirme dónde está la sala cinco?**
*Excusez-moi, pourriez-vous me dire où se trouve la salle 5?*

**Oiga, por favor, ¿este autobús lleva a la facultad?**
*Excusez-moi, ce bus va bien à la fac?*

### 📖 Lexique

| Verbes | | Noms |
|---|---|---|
| **preguntar** | **decir** (v. irr.) **algo a alguien** | **la pregunta** |
| demander [questionner] | dire qqch. à qqn | la question |
| **responder, contestar** | **hablar con alguien** | **la respuesta, la contestación** |
| répondre | parler à *ou* avec qqn | la réponse |

■ En espagnol, pour interpeller quelqu'un, on emploie l'impératif des verbes **oír** écouter, entendre : **oiga (usted)** ou **oye (tú)** et **perdonar** pardonner : **perdone (usted)** ou **perdona (tú)**, ainsi que l'expression de politesse **por favor** (s'il vous plaît ou s'il te plaît).

**Traduction du texte p. 198**
À la fac... / Étudiant 1 Excusez-moi, savez-vous quand les cours commencent ? / Surveillant Ça dépend du cursus. / Étudiant 2 S'il vous plaît, les formulaires pour les inscriptions ? / Surveillant Allez au secrétariat. / Étudiant 2 (Tu parles d'un surveillant !) Merci beaucoup. Excuse-moi, tu sais où je peux me renseigner sur... / Étudiant 1 Demande au surveillant.

# 4 Comprendre, se faire comprendre

*En una conferencia...*
Sr. Rubal ...Creo que no han interpretado bien mi punto de vista. Voy a intentar explicarme con otras palabras. Lo que quiero decir es que la publicación de estos datos podría dar lugar a equívocos.
Sra. Cabal No entiendo por qué. ¿Podría ampliar ese punto?
Sr. Rubal Está muy claro. Solo tiene que tomar como referencia el último informe. Es evidente que la única posibilidad es retrasar el momento de dicha publicación y...
Sra. Ruiz ¿Qué significa exactamente "retrasar"?

@ www.bescherelle.com

## Comprendre

### Demander une explication, une précision

**¿Qué significa?/¿Qué quiere decir eso?**
Qu'est-ce que ça signifie ?/Qu'est-ce que cela veut dire ?
**¿Cómo se dice?/¿Cómo se escribe?**
Comment ça se dit ?/Comment ça s'écrit ?
**¿Puedes deletrearlo/explicarlo de nuevo?**
Tu peux l'épeler/l'expliquer à nouveau ?

**¿Podría aclarar su punto de vista?**
Pourriez-vous préciser votre point de vue ?

## Demander de répéter

**No entiendo./No comprendo. ¿Puede repetir?**
Je ne comprends pas. Pouvez-vous répéter ?
**Más alto/bajo, por favor.** Plus fort/bas, s'il vous plaît.
**Más despacio/rápido, por favor.**
Plus doucement/vite, s'il vous plaît.
**¿Cómo?/¿Perdón?/¿Qué?** *(fam.)* Comment ?/Pardon ?/Quoi ?

# Se faire comprendre

## Préciser sa pensée

**Quiero decir que...** Je veux dire que...
**En otras palabras...** En d'autres termes...
**Es decir...** *ou* **O sea...** C'est-à-dire...

## Dire que l'on a compris

**Ahora lo entiendo./¡Ya veo!** Maintenant je comprends./Ah, je vois !
**¡Ah, claro! ¡Ya caigo!** *(fam.)* Ah oui, bien sûr ! J'y suis !

## Conclure

**En resumen.../En conclusión.../Para terminar...**
En résumé.../En conclusion.../Pour finir...

---

### 📖 Lexique

| Verbes | explicarse | Noms |
|---|---|---|
| **entender** (v. irr. e>ie), | s'expliquer, se faire | **la comprensión** |
| **comprender** | comprendre | la compréhension |
| comprendre | **concluir** (v. irr.) | **la explicación** l'explication |
| **expresar(se)** (s')exprimer | conclure | **la conclusión** la conclusion |

**Traduction du texte p. 199**
À une conférence... / M. Rubal ...Je crois que vous n'avez pas bien interprété mon point de vue. Je vais essayer de m'expliquer en d'autres termes. Ce que je veux dire, c'est que la publication de ces données pourrait donner lieu à des malentendus. / Mme Cabal Je ne vois pas pourquoi. Pourriez-vous approfondir ? / M. Rubal C'est très clair. Vous n'avez qu'à prendre pour référence le dernier rapport. Il est évident que la seule solution est de retarder la publication et... / Mme Ruiz Que signifie exactement « retarder » ?

# 5 Demander la permission

> *¡Quiero salir!*
> Carlos Papá, ¿puedo ir a la fiesta de Julio el sábado por la noche?
> Padre ¡Pero qué dices! ¡Ni hablar! Tienes que quedarte con tu hermano.
> Carlos Pero papá, es que es su cumpleaños.
> Padre ¡Ya te he dicho que no! El sábado por la noche tu madre y yo vamos al teatro.
> Carlos Pero papá, al teatro podéis ir otro día y un cumpleaños es solo una vez al año.
> Padre Bueno, vale, pero con una condición, que no vengas tarde.
>
> @ www.bescherelle.com

## Demander la permission, accorder la permission

**¿Puedo ver la tele?**
**– Bueno, vale./Sí, claro.**
*Je peux regarder la télé?*
*– D'accord./Oui, bien sûr.*
**¿Me dejas ir a la discoteca?**
**– Por supuesto./Desde luego.**
*Tu me laisses aller en boîte?*
*– Bien sûr./Bien entendu.*

## Demander si quelque chose est autorisé, refuser la permission

**¿Se puede fumar?**
**– No, lo siento, está prohibido.**
*Peut-on fumer?*
*– Désolé, c'est interdit.*
**¿Están permitidos los animales?**
**– ¡Pues no!**
*Les animaux sont-ils admis?*
*– Ben, non!*

**¿Es posible dejar el móvil encendido? – ¡Qué va!** *(fam.)*
Est-il possible de laisser le portable allumé ? – Ah, ça non !

## 📖 Lexique

| | | |
|---|---|---|
| Verbes et expressions | **permitir** | Noms |
| **pedir** (v. irr. e>i)/**dar** (v. irr.) | permettre | **la autorización** |
| **permiso** | **autorizar** | l'autorisation |
| demander/donner la permission | autoriser | |
| | **dejar** | |
| | permettre, autoriser | |

## **&** Notez bien

- Notez les différents sens du verbe **dejar** : permettre, prêter, oublier, quitter, laisser.

  **¿Me dejas el móvil para hacer una llamada?**
  Tu me prêtes ton portable pour passer un coup de fil ?

  **¡He dejado las llaves en la cerradura!** J'ai oublié les clés sur la serrure !

  **Carmen ha dejado a su novio.** Carmen a quitté son fiancé.

  **Déjame que te lo explique.** Laisse-moi te l'expliquer.

### Traduction du texte p. 201

Je veux sortir ! / Carlos Papa, est-ce que je peux aller à la soirée de Julio samedi soir ? / Père Mais, qu'est-ce que tu racontes ! Il n'en est pas question ! Tu dois t'occuper de ton frère. / Carlos Mais, papa, c'est son anniversaire. / Père Je t'ai dit non ! Samedi soir, ta mère et moi, nous allons au théâtre. / Carlos Mais papa, vous pouvez aller au théâtre un autre jour, et un anniversaire c'est seulement une fois par an. / Père Bon, d'accord, mais à condition que tu ne rentres pas tard.

# 6 S'excuser, excuser

*A la salida del metro...*

Isabel Por fin apareces...

Raquel ¡Uf!, lo siento chica, ¡llego tardísimo! Perdona, no lo he hecho a propósito. Es que he venido en autobús y había un atasco enorme.

Isabel No te preocupes, no pasa nada, bueno... a condición de que me invites a un café.

Raquel Eso está hecho, vamos.

@ www.bescherelle.com

# Demander à quelqu'un de s'excuser

**Por lo menos, pida perdón.**
Vous pourriez au moins demander pardon.
**Espero sus disculpas.**
J'attends vos excuses.

## Présenter des excuses

**Perdón por el retraso.**
Je m'excuse pour mon retard.
**Lo siento, no tenía que haberlo hecho.**
Je suis désolé, je n'aurais pas dû le faire.
**Perdona, no lo he hecho aposta/a propósito/adrede.**
Excuse-moi, je ne l'ai pas fait exprès.

## Excuser quelqu'un

**No se preocupe, no pasa nada.**
Ne vous inquiétez pas, ce n'est rien.
**Lo has hecho sin querer. Te perdono./Estás perdonado.**
Tu ne l'as pas fait exprès. Tu es pardonné.

### 📖 Lexique

| Verbes et expressions | |
|---|---|
| **pedir** (v. irr. e>i) **perdón** *ou* **disculpas**<br>demander pardon | **disculpar(se)**<br>(s')excuser<br>**sentirlo** (v. irr. e>ie)<br>être désolé |

#### Traduction du texte p. 202

À la sortie du métro... / Isabel Ah! Te voilà, enfin! / Raquel Désolée, je suis très en retard! Excuse-moi, je ne l'ai pas fait exprès. J'ai pris le bus et il y avait un énorme embouteillage. / Isabel Ne t'en fais pas, ce n'est rien... enfin... à condition que tu m'offres un café. / Raquel Ça marche, on y va.

# Aider, se faire aider

---

*Una conversación entre amigos...*

**Sergio** ¿Sabes?, por fin he comprado un ordenador nuevo, me lo traen el jueves. Pero da la casualidad de que ese día no estoy en casa. ¿Podrías hacerme un favor?

**Pablo** Sí claro, ¿qué puedo hacer por ti?

**Sergio** ¿Puedes estar en casa para recogerlo?

**Pablo** Sí, ya sabes que los jueves no trabajo.

**Sergio** Pero... hay otro problema, el técnico iba a explicarme cómo instalarlo, y... como no voy a estar...

**Pablo** No te preocupes, ya te ayudaré yo a instalarlo el fin de semana. ¡La informática es lo mío!

**Sergio** ¡Uf!, no sabes cuánto te lo agradezco. Si alguna vez necesitas que te eche una mano me lo dices, ¿eh?

@ www.bescherelle.com

## Demander de l'aide, accepter, refuser

**Necesito que me hagas un favor.**
**– ¡Cómo no!**
J'ai besoin que tu me rendes un service.
– Bien sûr !

**Tengo que pedirte algo.**
**– Dime.**
J'ai un service à te demander.
– Dis-moi.

**¿Me echas** *ou* **Puedes echarme una mano?**
**– Lo siento. Ahora no puedo.**
Tu me donnes *ou* Tu peux me donner un coup de main ?
– Désolé. Là, je ne peux pas.

**¡Socorro!** *ou* **¡Auxilio! ¡Ve a buscar ayuda!**
**– ¡Ya voy!**
Au secours ! Va chercher de l'aide !
– J'arrive !/J'y vais !

# Proposer de l'aide, accepter, refuser

**¿Necesitas ayuda?**
**– No, gracias, no hace falta.**
As-tu besoin d'aide ?
– Non, merci, ce n'est pas la peine.

**Si puedo serle útil...**
**– Es usted muy amable.**
Si je peux vous être utile...
– C'est très gentil à vous.

**¿Qué puedo hacer por ti?/¿Qué quieres que haga?**
Qu'est-ce que je peux faire pour toi ?/Qu'est-ce que tu veux que je fasse ?

**Sabes que puedes contar conmigo.**
Tu sais que tu peux compter sur moi.

## 📖 Lexique

Verbes et expressions
**pedir** (v. irr. e>i) **ayuda**
demander de l'aide
**ayudar a alguien**
aider qqn

**pedir** (v. irr. e>i)/**hacer** (v. irr.) **un favor**
demander/rendre un service
**echar una mano**
donner un coup de main

**Traduction du texte p. 204**
Une discussion entre amis... / **Sergio** Tu sais ? Ça y est, j'ai enfin acheté un nouvel ordinateur, on me le livre jeudi. Mais justement, ce jour-là, je ne serai pas chez moi. Tu pourrais me rendre un service ? / **Pablo** Bien sûr, qu'est-ce que je peux faire pour toi ? / **Sergio** Tu peux être là pour la livraison ? / **Pablo** Oui, tu sais bien que le jeudi je ne travaille pas. / **Sergio** Mais, il y a encore un problème : le technicien devait m'expliquer comment l'installer et... comme je ne vais pas être là... / **Pablo** Ne t'inquiète pas, moi je t'aiderai à l'installer ce week-end. L'informatique, ça me connaît ! / **Sergio** Je te dois une fière chandelle. Si un jour tu as besoin d'un coup de main, n'hésite pas, hein !

# 8 Inviter, accueillir

*Hablando por teléfono...*
Inés ¡Hola! Soy Inés. Te llamo porque Mario y yo organizamos una fiesta. ¿Quieres venir?
José Claro, ¿cuándo es?
Inés El próximo sábado. Nuria también está invitada, por supuesto.
José Gracias. Yo iré fijo pero Nuria ya tiene un compromiso.
Inés ¡Qué pena! Bueno, te esperamos el sábado sobre las ocho (20:00).

*El día de la fiesta...*
Inés ¡Hombre! Al final habéis venido los dos, ¡genial! Pasad, pasad. ¿Qué queréis tomar?
José Pues yo, algo no muy fuerte... para empezar.

@ www.bescherelle.com

## Inviter, accepter, refuser

**¿Qué haces esta noche? Venga, te invito a cenar.**
**– Buena idea.**
Qu'est-ce que tu fais ce soir? Allez, je t'invite à dîner.
– Bonne idée.
**¿Por qué no pasas a tomar una copa después de la oficina?**
**– ¿Por qué no?**
Pourquoi tu ne passerais pas prendre un verre après le bureau?
– Pourquoi pas?
**Voy a inaugurar el piso. Espero que puedas venir.**
**– Haré todo lo posible.**
Je vais pendre la crémaillère. J'espère que tu pourras venir.
– Je ferai de mon mieux.
**¿Alguien quiere un café? – No, gracias.**
Quelqu'un veut un café? – Non, merci.
**Ven a vernos cuando puedas. – Vale, de acuerdo.**
Passe nous voir quand tu pourras. – O.K., d'accord.
**¿Puedo ofrecerles algo? – Sí, con mucho gusto.**
Je peux vous offrir quelque chose? – Oui, avec plaisir.

## ☞ Payer l'addition

■ Dans un bar, il est d'usage de ne pas partager la note. Le plus souvent, une seule personne paie l'addition.

■ Lorsque la note est partagée, elle est divisée par le nombre de personnes qui ont consommé, sans tenir compte du prix de la consommation de chacun ; c'est ce qu'on appelle **pagar a escote** s'il y a plusieurs personnes ou **a medias** si l'on n'est que deux.

# Accueillir

**¡Bienvenido! Estás en tu casa.**
Sois le bienvenu ! Fais comme chez toi.
**Ponte cómodo.**
Mets-toi à l'aise.
**Sírvase./Servíos.**
Servez-vous.

## 📖 Lexique

| Verbes et expressions | recibir a alguien | Noms |
|---|---|---|
| **invitar** | recevoir qqn | **la invitación** |
| inviter | **dar** (v. irr.) **la bienvenida** | l'invitation |
| **pagar una ronda** | souhaiter la bienvenue | **el invitado** |
| payer une tournée | | l'invité |
| | | **el recibimiento, la acogida** |
| | | l'accueil |

#### Traduction du texte p. 206

Au téléphone... / Inés Salut, c'est Inés. Je t'appelle parce que Mario et moi, on organise une soirée. Tu veux venir ? / José Bien sûr, c'est quand ? / Inés Samedi prochain. Nuria est invitée aussi, bien évidemment. / José Merci. Moi, je viendrai, c'est sûr, mais Nuria a déjà quelque chose de prévu. / Inés C'est dommage ! Bon, on t'attend samedi vers 20 heures. / Le jour de la soirée... / Inés Quelle surprise ! Finalement, vous êtes là tous les deux. Super ! Entrez. Qu'est-ce que vous voulez boire ? / José Moi, quelque chose de pas trop fort... pour commencer.

# Féliciter, offrir, remercier

*En la oficina...*

David ¡Bravo! Has estado muy convincente y nos has defendido muy bien.

Celia Bueno, no he hecho más que mi trabajo de jefa de personal; tenía que conseguir que nos aumentaran el sueldo.

Jaime Pues, ¡has estado genial!

Celia Vamos a celebrarlo tomando algo todos juntos.

Sol Sí, además tenemos una sorpresa. Toma, esto es para ti, por el buen trabajo que has hecho desde que nos representas.

Celia ¿Un regalo? Pero, ¿por qué os habéis molestado? ¡Ay! No sé que decir... muchas gracias, sois geniales.

@ www.bescherelle.com

## Adresser des félicitations

**Ha sido un buen discurso. ¡Enhorabuena!**
*Ton discours a été très bien. Félicitations!*
**¡Feliz cumpleaños!** *Joyeux anniversaire!*
**¡Felicidades!** *Bon anniversaire! ou Bonne fête!*

## Offrir un cadeau

**Esto es para ti, de parte de todos.**
*C'est pour toi, de la part de tous.*
**Toma, espero que te guste.**
*Tiens, j'espère que cela te fera plaisir.*

## Remercier, répondre à un remerciement

**Gracias, es precioso. – De nada.**
*Merci, c'est très joli. – De rien.*
**Muchísimas gracias. – No hay de qué.**
*Merci beaucoup. – Je t'en/vous en prie.*
**No teníais que haberos molestado. – No es nada.**
*Vous n'auriez pas dû. – Ce n'est rien.*

**Lexique**

| | | |
|---|---|---|
| Verbes et expressions | **agradecer** (v. irr.), | Noms |
| **felicitar a alguien** | **dar** (v. irr.) **las gracias** | **la felicitación** |
| *féliciter qqn* | *remercier* | *la félicitation* |
| **regalar** | | **el regalo** |
| *offrir [un cadeau]* | | *le cadeau* |

### Traduction du texte p. 208

Au bureau…. / David Bravo ! Tu as été très convaincante et tu nous as très bien défendus. / Celia Je n'ai fait que mon travail de représentante du personnel ; je devais obtenir l'augmentation des salaires. / Jaime Tu as été parfaite ! / Celia Allons prendre un verre ensemble, il faut arroser ça. / Sol Oui, en plus nous avons une surprise. Tiens, c'est pour toi, pour le bon travail que tu as fait depuis que tu nous représentes. / Celia Un cadeau ?! Mais, vous n'auriez pas dû ! Je ne sais pas quoi dire… merci beaucoup, vous êtes adorables.

# 10 Fixer un rendez-vous

*Planeando el fin de semana…*

Miguel ¿Qué os parece si quedamos el próximo fin de semana?

Adolfo No, el próximo fin de semana no puedo, ya he quedado…

Ana Anda, ¿y eso?

Adolfo Pues nada, que Julia me ha invitado a su casa en la montaña y, claro…, he aceptado.

Miguel Y, ¿por qué no le propones que venga con nosotros?

Adolfo Es que… bueno, yo… en realidad… creo que prefiero estar a solas con ella. Espero que lo entendáis.

Miguel ¡Qué calladito te lo tenías, tío!

Ana En realidad, a mí tampoco me viene muy bien, tenía cita en el dentista, así no la anulo.

Miguel Pues nada, lo dejamos para otra vez.

@ www.bescherelle.com

# Fixer un rendez-vous, l'accepter, le refuser

**¿Nos vemos después de clase? – Vale, hasta luego.**
*On se voit après le cours? – D'accord, à plus.*
**Tengo hora a las once (11:00) en la peluquería.**
*J'ai rendez-vous à 11 heures chez le coiffeur.*
**¿Quedamos para ir al cine? – No puedo, tengo un compromiso.**
*On se voit pour aller au cinéma? – Je ne peux pas, je suis pris.*
**Llamo para pedir cita con el responsable. – Lo siento, no está.**
*J'appelle pour prendre rendez-vous avec le responsable. – Désolé, il n'est pas là.*

# Confirmer un rendez-vous, le reporter, l'annuler

**Habíamos dicho a las cinco (17:00), ¿no?**
*On avait dit 17 heures, n'est-ce pas?*
**Quisiera cambiar mi cita de las diez (10:00). ¿No puede darme hora antes?**
*Je voudrais changer mon rendez-vous de 10 heures.*
*Pourriez-vous me donner rendez-vous plus tôt?*

---

## 📖 Lexique

**Verbes et expressions**
**concertar** (v. irr. e>ie) **una cita**
*fixer un rendez-vous* [contexte formel]
**tener** (v. irr.) **una cita**
*avoir rendez-vous*
**aplazar/cancelar/anular una cita**
*reporter/décommander/annuler un rendez-vous*

**quedar**
*avoir rendez-vous, donner rendez-vous* [contexte informel]
**tener** (v. irr.) **un compromiso/ un contratiempo**
*avoir un engagement/ un contretemps*

---

## & Notez bien

■ Il faut bien distinguer l'expression **tener una cita**, utilisée pour un rendez-vous professionnel ou galant, de l'expression **tener hora**, utilisée pour parler de rendez-vous de la vie quotidienne (chez le médecin, chez le coiffeur, etc.), ainsi que du verbe **quedar**, réservé aux rendez-vous informels (amis, famille...).

**Tengo una cita con mi abogado.** *J'ai rendez-vous chez mon avocat.*

**Tengo hora en la peluquería.** *J'ai rendez-vous chez le coiffeur.*

**He quedado con Luis para ir al cine.**
*J'ai rendez-vous avec Luis pour aller au ciné.*

**Traduction du texte p. 209**

*Un plan pour le week-end... / Miguel Ça vous dirait de faire quelque chose le week-end prochain? / Adolfo Non, le week-end prochain je ne peux pas, je suis déjà pris... / Ana Tiens! Comment ça? / Adolfo Eh, ben... Julia m'a invité chez elle à la montagne et, j'ai accepté, bien sûr. / Miguel Pourquoi tu ne lui proposerais pas de venir avec nous? / Adolfo En fait... enfin, je... à vrai dire, je crois que je préfère être seul avec elle. J'espère que vous comprendrez. / Miguel Tiens, tiens, tu t'étais bien gardé de nous le dire... / Ana En fait, moi, ça ne m'arrange pas non plus, j'ai rendez-vous chez le dentiste, du coup, je ne l'annule pas. / Miguel Ça ne fait rien, on remet ça à un autre jour.*

# 11 Donner, prendre la parole

*Un debate en la radio...*

Moderadora ... Hoy iniciamos este debate con nuestros asiduos participantes y nuestra invitada de honor, la profesora García, de la Universidad de Alcalá. Profesora, ¿qué piensa de la conquista del espacio?

Profesora Bueno, pues pienso que...

Sr. Martínez Pido la palabra.

Moderadora Pero, señor Martínez, la profesora aún no ha dado su opinión; espere su turno por favor.

Profesora Pues como intentaba decir, para mí, la conquista del espacio representa un gran paso para la Humanidad porque...

Sr. Martínez Hablando de la Humanidad, ¿qué me dicen de los progresos de la ciencia? ¿No es increíble que...?

Moderadora Señor Martínez, aparte de no respetar su turno de palabra, se desvía del tema.

Sr. Martínez Lo siento, pero intentaba dar mi opinión sobre el debate de la semana pasada; su invitado no me dejó intervenir ni una sola vez.

Moderadora Cada semana es igual, creo que me voy a dedicar a presentar el tiempo; no estoy hecha para moderar debates.

@ www.bescherelle.com

## Donner la parole

**¿Quién ha pedido la palabra?** Qui a demandé la parole?
**Puede dar su opinión.** Vous pouvez donner votre avis.
**¿Alguien quiere añadir algo?**
Quelqu'un veut-il ajouter quelque chose?

# Prendre la parole

**¿Puedo decir algo?**
Je peux dire quelque chose?
**Me toca a mí.**
C'est à moi.
**Es mi turno.**
C'est mon tour.
**Perdona que te corte, pero me gustaría intervenir.**
Je m'excuse de te couper la parole, mais je voudrais intervenir.
**Quisiera exponer mi punto de vista.**
Je voudrais exprimer mon point de vue.

# Changer de sujet

**Cambiando de tema...**
Pour parler d'autre chose...
**A propósito.../Por cierto...**
À propos.../Au fait...
**Volviendo a lo de antes...**
Revenons à ce qui nous occupait...

---

 **Lexique**

| | |
|---|---|
| **Verbes et expressions** | **cambiar de tema** |
| **hablar** parler | changer de sujet |

→ p. 25 (Le langage)

**Traduction du texte p. 211**
Un débat à la radio... / **Modératrice** ... Aujourd'hui, nous ouvrons le débat avec nos participants habituels et notre invitée spéciale, Mme le professeur García, de l'Université d'Alcalá. Professeur, que pensez-vous de la conquête de l'espace? / **Mme le professeur** Et bien, je pense que... / **M. Martínez** Je demande la parole. / **Modératrice** Mais, M. Martínez, Mme le Professeur n'a pas encore donné son avis. Attendez votre tour, s'il vous plaît. / **Mme le professeur** Bien, comme j'essayais de vous dire, pour moi, la conquête de l'espace représente un grand pas pour l'humanité parce que... / **M. Martínez** À propos de l'humanité, que pensez-vous des progrès de la science? N'est-il pas incroyable que...? / **Modératrice** M. Martínez, non seulement vous n'attendez pas votre tour de parole, mais en plus vous vous éloignez du sujet. / **M. Martínez** Désolé, j'essayais seulement de donner mon avis sur le débat de la semaine dernière, votre invité ne m'a pas laissé intervenir une seule fois. / **Modératrice** C'est toujours pareil, je crois que je vais plutôt présenter la météo. Je ne suis pas faite pour animer des débats.

# 12 Décrire quelqu'un

---

*Mirando fotos...*

María José Fíjate, aquí tendría unos tres años.

Paco ¡Qué graciosa! Tenías el pelo castaño y rizado.

María José Y esta es en el colegio. Mira, aquí está la señorita Mari Carmen. Era muy bajita y parecía muy mayor. Cuando se puso lentillas rejuveneció mucho.

Paco Bueno, en esta foto ya estoy yo, es cuando hicimos la fiesta para celebrar nuestros dieciocho años: la mayoría de edad... Nos reunimos todos los amigos.

María José Ya me acuerdo. ¿No crees que yo era la más guapa, inteligente, elegante y simpática de todas las chicas?

Paco Sí, tienes razón, "eras".

*@ www.bescherelle.com*

## Décrire le physique

**¿Cómo es?**
**– Es alta y morena.**
Comment est-elle ?
– Elle est grande et brune.

**¿Cuánto mide?**
**– Mide un metro ochenta y tres (1,83 m).**
Combien mesure-t-il ?
– Il mesure 1,83 m.

**¿Cuánto pesa usted?**
**– Sesenta y cinco (65) kilos.**
Quel est votre poids ?
– 65 kilos.

**¿A quién se parece?**
**– Es igual que su padre.**
À qui ressemble-t-elle ?
– C'est le portrait de son père.

# Demander l'âge, donner l'âge

**¿Cuántos años tiene Alberto?**
**– Unos treinta (30), pero no los aparenta.**
Quel âge a Alberto?
– La trentaine, mais il ne les fait pas.
**¿Qué edad tiene usted?**
**– Noventa (90) y tantos.**
Quel âge avez-vous?
– Quatre-vingt-dix ans et des poussières.

# Décrire le caractère

**¿Qué te parece Mario?**
**– Me parece muy buena persona.**
Qu'est-ce que tu penses de Mario?
– Il m'a l'air d'être quelqu'un de bien.
**¿Cómo es el nuevo director?**
**– Es una persona muy abierta.**
Comment est le nouveau directeur?
– C'est quelqu'un de très ouvert.

##  Lexique

**Noms**
**el físico** le physique
➡ p. 14 (L'apparence physique)

**la personalidad** la personnalité
➡ p. 15 (La personnalité)

**Traduction du texte p. 213**
En regardant des photos… / **María José** Regarde, là, je devais avoir dans les trois ans. / **Paco** Qu'est-ce que tu étais mignonne! Tu avais les cheveux châtains et frisés. / **María José** Et celle-ci, c'est à l'école. Regarde, c'est notre maîtresse Mari Carmen. Elle était très petite et elle faisait plus que son âge. Quand elle a porté des lentilles, ça l'a beaucoup rajeunie. / **Paco** Tiens, me voilà enfin sur cette photo. C'est au moment où nous avons fêté nos dix-huit ans, la majorité… On s'était tous réunis, tous les copains. / **María José** Je m'en souviens. Tu ne crois pas que j'étais la plus belle, la plus intelligente, la plus élégante et la plus sympathique de toutes les filles? / **Paco** Oui, tu as tout à fait raison, tu « étais ».

# 13 Prendre, donner des renseignements sur quelqu'un, prendre, donner des nouvelles

*En el mercado...*
Pepita ¿No sabes que vi a Virginia en casa de Fermín?
Benita Y, ¿qué tal está?
Pepita Bien, estaba con otro chico.
Benita ¿Sí? ¿Y quién era? ¿Lo conoces?
Pepita Pues claro, es Mario, el primo de...
Benita ¿Y cómo es?
Pepita Pues es un chico... muy...
Benita ¿Es de aquí? ¿Dónde vive?
Pepita En realidad...
Benita ¿Dónde trabaja? ¿Cuánto gana?
Pepita Tranquila y te lo cuento todo.

@ www.bescherelle.com

## S'informer, donner des informations sur quelqu'un

**¿Quién es? – Es el tío de Carlos.**
Qui est-ce? – C'est l'oncle de Carlos.
**¿De dónde es usted? – Soy de Cuba.**
D'où venez-vous? – Je viens de Cuba.
**¿Está casado? – No, está soltero.**
Il est marié? – Non, il est célibataire.
**¿Qué hace?/¿En qué trabaja? – Es delineante.**
Qu'est-ce qu'elle fait dans la vie? – Elle est dessinatrice industrielle.

## Prendre des nouvelles de quelqu'un, en donner

**¿Qué es de su vida? – Pues, va tirando.**
Qu'est-ce qu'elle devient? – Ça va, sans plus.

**¿Cómo está Soraya? ¿Está mejor? – Sí, ayer salió del hospital.**
Comment va Soraya ? Elle va mieux ? – Oui, elle est sortie hier de l'hôpital.
**¿Qué tal le va a tu primo? – Está harto de su trabajo.** *(fam.)*
Et ton cousin, ça va ? – Il en a marre de son travail.
**¿Sabes algo de Lucas? – Sí, ahora vive en Argentina.**
Tu as des nouvelles de Lucas ? – Oui, maintenant il habite en Argentine.

---

### 📖 Lexique

| Verbes et expressions | Noms |
|---|---|
| **preguntar por alguien** | **la familia** la famille |
| prendre des nouvelles de qqn | → p. 45 (Les membres de la famille) |
| **cotillear** *(fam.)* | **la profesión** le métier |
| raconter des ragots | → p. 62 (Quelques professions) |
| **criticar** | **la nacionalidad** la nationalité |
| critiquer | → p. 184 (Continents et pays) |

**Traduction du texte p. 215**
Au marché... / **Pepita** Tu sais, j'ai vu Virginia chez Fermín ! / **Benita** Et, elle va bien ? / **Pepita** Oui, oui, elle était avec un autre garçon. / **Benita** C'est vrai ? C'était qui ? Tu le connais ? / **Pepita** Bien sûr, c'est Mario, le cousin de... / **Benita** Et comment est-il ? / **Pepita** C'est un garçon... très... / **Benita** Il est d'ici ? Il habite où ? / **Pepita** À vrai dire... / **Benita** Où il travaille ? Combien il gagne ? / **Pepita** Calme-toi ! Je vais te raconter.

## 14 Décrire quelque chose

*Jugando a las adivinanzas en el patio de la escuela...*

**Félix** ¡Qué aburrimiento!
¿Jugamos a algo?

**Chema** ¡Vale! Al "veo, veo...".
Empiezo yo: veo, veo.

**Félix** ¿Qué ves?

**Chema** Una cosita.

**Félix** ¿Cómo es?

**Chema** Es pequeña.

**Félix** ¿Qué forma tiene?

**Chema** Es redonda.

**Félix** ¿Para qué sirve?

**Chema** Para jugar.

**Félix** ¡Es una canica!

**Chema** No, no es de cristal.

**Félix** Entonces, ¿de qué material es?

**Chema** Pues, no lo sé...

**Félix** Bueno, ¿de qué color es?

**Chema** Es amarilla.

**Félix** Ya lo tengo: ¡una pelota de tenis!

**Chema** Sí, lo has adivinado. Ahora te toca a ti.

@ www.bescherelle.com

**No sé poner el DVD ¿Cómo funciona?**
**– Apretando el botón de la derecha.**
*Je ne sais pas faire marcher le lecteur de DVD. Comment fonctionne-t-il ?*
*– En appuyant sur le bouton de droite.*

**¿Para qué sirve este aparato?**
**– Para escuchar música, abuelo. Es un iPod.**
*À quoi sert cet appareil ?*
*– Ça sert à écouter de la musique, grand-père. C'est un iPod.*

**¿Puedo lavar esta chaqueta en la lavadora?**
**– Si es de lana, no.**
*Est-ce que je peux laver cette veste à la machine ?*
*– Non, pas si c'est de la laine.*

**¡Oh, qué bonitos estos pendientes en forma de estrella!**
*Oh ! Comme elles sont belles, ces boucles d'oreilles en forme d'étoile !*

**Este paquete pesa muchísimo. ¿Qué hay dentro?**
*Ce colis pèse très lourd. Qu'est-ce qu'il y a à l'intérieur ?*

**¿Cuánto mide ese armario?**
**– Dos metros (2 m) de alto por un metro y medio (1,50 m) de ancho.**
*Combien mesure cette armoire ?*
*– Elle fait deux mètres de haut sur 1,50 m de large.*

**Ese diccionario de bolsillo es buenísimo y muy completo.**
**Además el formato es muy práctico.**
*Ce dictionnaire de poche est très bon et très complet.*
*En plus, le format est très pratique.*

---

## 📖 Lexique

**Noms**

| | |
|---|---|
| **la forma** la forme ➜ p. 65 (Les formes) | **la materia** la matière |
| **el color** la couleur ➜ p. 64 (Les couleurs) | ➜ p. 65 (Les matières) |
| **el tamaño** la taille ➜ p. 67 (Dimensions) | **el tejido** le tissu ➜ p. 39 (Les tissus) |

**Traduction du texte p. 217**

En jouant aux devinettes dans la cour de récré… / Félix Qu'est-ce qu'on s'ennuie ! On joue à quelque chose ? / Chema D'accord ! On peut jouer aux devinettes… C'est moi qui commence. Je vois, je vois… / Félix Et, qu'est-ce que tu vois ? / Chema Je vois une chose. / Félix Comment est-elle ? / Chema Elle est petite… / Félix Quelle est sa forme ? / Chema Elle est ronde. / Félix À quoi sert-elle ? / Chema À jouer. / Félix C'est une bille ! / Chema Nan, ce n'est pas en verre… / Félix Alors, c'est en quelle matière ? / Chema Ben, je n'en sais rien… / Félix Bon, c'est de quelle couleur ? / Chema Jaune. / Félix Je sais ! Une balle de tennis ! / Chema Oui ! Tu as deviné. À toi, maintenant !

# 15 Parler de l'actualité

*Viendo la televisión...*

Presentador ... y terminamos este telediario con una noticia de última hora: el ministro de medio ambiente y sus colaboradores han decidido hacer un estudio sobre la contaminación acústica. Para llevarlo a cabo se distribuirá un cuestionario en sus buzones los próximos días.

Gustavo ¿Has oído?

Susana Sí, me parece una noticia estupenda. Espero que los vecinos de arriba también se hayan enterado y dejen de hacer ruido. ¡Son insoportables!

Gustavo Pero, con el jaleo que arman siempre, ¿tú crees que en esa casa se puede escuchar la televisión?

@ www.bescherelle.com

**¿Te has enterado?**
**– Sí, ¡vaya notición!** *(fam.)*
*Tu es au courant?, As-tu appris la nouvelle?*
*– Oui, quel scoop!*
**¿No lo sabías?**
**– No, no tenía ni la menor idea.**
*Tu ne le savais pas?*
*– Non, je n'en avais pas la moindre idée.*
**Tengo que contarte algo increíble. – ¿El qué?**
*Il faut que je te raconte quelque chose d'incroyable. – Quoi?*
**¿Puede informarme sobre lo que se dijo en la reunión?**
**– Que el director se va.**
*Pouvez-vous m'informer de ce qui a été dit à la réunion?*
*– Le directeur nous quitte.*

## 📖 Lexique

| Verbes et expressions | contar (v. irr. o>ue) | ocurrir, pasar, suceder |
|---|---|---|
| **dar** (v. irr.) **una noticia** | **algo a alguien** | *se passer, arriver* |
| *donner une nouvelle* | *raconter qqch. à qqn* | |
| **enterarse de algo** | **estar al día** *ou* **al** | Noms |
| *apprendre qqch.* | **corriente de** | **los medios de comunicación** |
| | *être au courant de* | *les médias* → p. 128 (Les médias) |

218

■ Lorsqu'il s'agit d'une nouvelle, la traduction du verbe *apprendre* est variable : **dar una noticia a alguien**, *apprendre une nouvelle à qqn*, et **enterarse de una noticia**, *apprendre une nouvelle (par soi-même).*

#### Traduction du texte p. 218

Devant la télé… / Animateur … Et nous concluons ce journal par une information de dernière minute : le ministre de l'Environnement et ses collaborateurs ont décidé de faire une étude sur la pollution acoustique. Pour la mener à bien, un questionnaire sera distribué dans vos boîtes aux lettres dans les jours à venir. / Gustavo Tu as entendu ? / Susana Oui, c'est une très bonne nouvelle. J'espère que les voisins du dessus ont aussi entendu et qu'ils arrêteront de faire du bruit. Ils sont insupportables ! / Gustavo Vu le tapage qu'ils font tout le temps, tu crois qu'il est possible d'écouter la télé chez eux ?

## 16 S'informer sur le monde environnant

*Haciendo planes…*

Juan ¿Qué os parece si recorremos la costa norte durante las vacaciones?

Carlos Podemos salir de Navarra y atravesar el País Vasco y Cantabria, hay unos pueblos muy bonitos en la costa.

Rosa Pero en el Norte llueve mucho y el clima no es tan bueno como en el Sur.

Carlos Y ¿qué quieres? ¿Estar a cuarenta grados (40°)? Además, eso del mal tiempo es un tópico. Claro que por la noche hace fresquito pero, ¡créeme, vale la pena!

Juan Además, no vamos buscando sol, para eso ya sabemos adonde ir. Podremos practicar todo tipo de actividades al aire libre.

Carlos No tenemos que olvidar los Picos de Europa. Yo estuve una vez y el paisaje es maravilloso. Hay dos lagos rodeados de montañas nevadas casi permanentemente.

Rosa ¿Y tendremos que desviarnos mucho?

Juan Pues no, están cerca del Cantábrico, entre Asturias, Cantabria y Léon.

Rosa ¿Y si nos quedamos en Zaragoza y preparamos una buena fiesta? Seguro que es menos cansado…

@ www.bescherelle.com

# Situer géographiquement

**España está al sur de Francia.**
L'Espagne est au sud de la France.
**El País Vasco está en el norte de España.**
Le Pays basque se trouve dans le nord de l'Espagne.
**Mi pueblo está en medio del bosque.**
Mon village est en pleine forêt.

# Parler du climat

**¡Qué asco de tiempo!** *(fam.)* **¡Abrígate bien!**
Quel sale temps! Couvre-toi bien!
**¡Qué calor hace! Ya podemos vestirnos de verano.**
Qu'est-ce qu'il fait chaud! On peut mettre ses vêtements d'été.
**¡Cómo llueve! No te olvides del paraguas.**
Qu'est-ce qu'il pleut! N'oublie pas ton parapluie.

---

 **Lexique**

| Noms | el Norte/el Sur/el Este/el Oeste |
|---|---|
| **el interior** l'arrière-pays | le nord/le sud/l'est/l'ouest |

➜ p. 73 (Environnement naturel), ➜ p. 181 (Le climat, le temps qu'il fait)

---

**Traduction du texte p. 219**

Des projets... / **Juan** Ça vous dirait de parcourir le littoral nord pendant les vacances? / **Carlos** Nous pourrions partir de Navarre et traverser le Pays basque et la Cantabrie, il y a de très beaux villages le long de cette côte. / **Rosa** Mais dans le nord il pleut beaucoup et le climat n'est pas aussi agréable que dans le sud. / **Carlos** Et, qu'est-ce que tu veux? 40 °C? En plus, cette histoire de mauvais temps est un stéréotype. Il est clair que la nuit il fait frisquet mais, crois-moi, ça vaut le coup! / **Juan** En plus, nous n'allons pas à la recherche de soleil, ça on sait où le trouver. Là-bas, nous pourrons avoir des activités de plein air. / **Carlos** Sans oublier les Pics d'Europe. Moi, j'y suis allé une fois et le paysage est merveilleux. Il y a deux lacs entourés de montagnes qui sont enneigées presque toute l'année. / **Rosa** Et ça nous fera faire un grand détour? / **Juan** Non, ils se trouvent près de l'océan Atlantique, entre les Asturies, la Cantabrie et Léon. / **Rosa** Et si nous restions à Saragosse et que nous préparions une super soirée? Ce serait sûrement moins fatigant...

# 17 Situer dans l'espace

*Ana describe su nuevo piso a Santi...*

Ana Mi casa está cerca de la plaza Mayor, al lado del ambulatorio, entre el bar "Casa Paco" y la farmacia. La estación de autobuses no está lejos, a unos diez minutos, pero hay que atravesar el parque.

Santi Y ¿cómo es?

Ana Pues es un piso grande, bastante antiguo. Hay un pasillo central, a la derecha está la cocina y después el salón-comedor con una terraza que da al parque; a la izquierda del pasillo están las habitaciones, una grande con baño dentro y dos pequeñas con un baño común, al fondo del pasillo está el despacho donde trabajo.

Santi Debe de estar muy bien. A ver si me invitas un día y me lo enseñas.

Ana Cuando quieras. ¿Haces algo mañana por la noche?

@ www.bescherelle.com

**¿Hay alguna farmacia por aquí cerca?**
**– Hay una aquí mismo, a veinte metros (20 m).**
*Y a-t-il une pharmacie dans le coin ?*
*– Il y en a une tout près, à 20 mètres.*
**Por favor, ¿dónde están los servicios?**
**– En la primera planta, al final del pasillo.**
*Les toilettes, s'il vous plaît ?*
*– Au premier étage, au bout du couloir.*
**¿Vives cerca del centro?**
**– Pues no, vivo lejos, a treinta (30) minutos a pie.**
*Tu habites près du centre ?*
*– Pas tout à fait, j'habite loin, à 30 minutes à pied.*
**A su derecha pueden admirar el museo y a su izquierda la catedral.**
*À votre droite vous pouvez admirer le musée et à votre gauche la cathédrale.*
**Han abierto un parque de atracciones en la afueras de la ciudad.**
*Un parc d'attractions a été ouvert dans les environs de la ville.*

# Lexique

**Verbes**
**orientarse** s'orienter

**estar en**
être à *ou* en, se trouver à *ou* en

→ p. 67 (Situer dans l'espace)

## & Notez bien

■ La préposition **en** est de loin la plus utilisée en espagnol, et peut avoir plusieurs traductions :

**Los papeles están en la mesa.** Les papiers sont sur la table.

**Las llaves están en el cajón.** Les clés sont dans le tiroir.

**Estoy en casa.** Je suis chez moi.

**Yo vivo en Colombia y él en México.** J'habite en Colombie et lui au Mexique.

### Traduction du texte p. 221

Ana décrit son nouvel appart à Santi… / **Ana** Mon appartement est près de la grande place, à côté du centre de soins, entre le bar « Casa Paco » et la pharmacie. La gare routière n'est pas loin, à dix minutes environ, mais il faut traverser le parc. / **Santi** Et il est comment ? / **Ana** Euh… c'est un grand appartement, assez ancien. Il y a un couloir central, sur la droite se trouvent la cuisine et le double séjour avec une terrasse qui donne sur le parc. Les chambres sont sur la gauche, il y en a une grande avec une salle de bains à l'intérieur et deux autres plus petites avec une salle de bains commune, au fond du couloir se trouve le bureau où je travaille. / **Santi** Il doit être très bien. Tu n'as qu'à m'inviter un jour, ça sera l'occasion de me le montrer. / **Ana** Quand tu voudras. Tu as quelque chose de prévu demain soir ?

# 18 Demander, donner un itinéraire

---

*En la calle...*

Sabela Perdón, ¿puede decirme cómo se va al ayuntamiento?

Don Manuel Pues sí, es muy fácil. El autobús veintisiete (27) para justo delante.

Sabela Ya, pero es que quiero caminar. ¿Está muy lejos a pie? ¿Qué calle debo tomar?

Don Manuel ¿Por qué ir andando? La parada del veintisiete (27) está aquí mismo...

*(Un poco más tarde...)*

Sabela Perdone, ¿para ir al ayuntamiento, por favor?

Don Paco Pues sí señorita, mire, usted camina unos doscientos metros (200 m) y allí está el teatro La Solera, justo al lado de la comisaría central. Un poco más lejos está la plaza Mayor, tiene que visitarla, hay una fuente y unos árboles centenarios. Si mira usted a la izquierda, podrá ver la colina del Monte Sagrado, que en esta época está nevado. Una vez en la plaza Mayor, tiene usted que pararse a probar una fabadita en el bar "Los Picos", se chupará los dedos. ¿Qué era lo que quería saber?... Pero joven, ¿dónde se ha metido?...

@ www.bescherelle.com

---

**¿Para ir a Correos? – Gira a la izquierda al llegar al semáforo.**
*Pour aller à la Poste ? – Tourne à gauche après le feu.*

**¿Cómo se va a la estación? – Siga todo recto hasta el final de la calle.**
*Pour aller à la gare ? – Continuez tout droit jusqu'au bout de la rue.*

**¿La calle de la República, por favor? – Tome la segunda a la derecha.**
*La rue de la República, s'il vous plaît ? – Prenez la deuxième rue à droite.*

**¿Cuál es el camino más corto para ir a Sevilla? – Atraviese Córdoba por la Nacional 4 (cuatro).**
*Quel est le chemin le plus court pour aller à Séville ? – Traversez Cordoue par la Nationale 4.*

**¿Por dónde pasa el autobús que va a Colón?**
**– Por delante del ayuntamiento.**
*Par où passe l'autobus qui va à Colón ? – Il passe devant la mairie.*

| Verbes et expressions | seguir (v. irr. e>i) continuer | Noms |
|---|---|---|
| **pasar por** | **girar, torcer** (v. irr. o>ue) | **la dirección** la direction |
| passer par, traverser | tourner | **el camino** le chemin |
| **llegar a** arriver à | **coger, tomar** prendre | **la calle** la rue |

➜ p. 68 (S'orienter dans l'espace), ➜ p. 69 (Environnement urbain)

**Traduction du texte p. 223**

Dans la rue... / Sabela Excusez-moi, pouvez-vous m'indiquer comment aller à la mairie ? / M. Manuel C'est très simple. Le bus 27 s'arrête juste devant. / Sabela Oui, mais je voulais marcher. C'est très loin à pied ? Quelle rue dois-je prendre ? / M. Manuel Pourquoi y aller à pied ? L'arrêt du 27 est juste là... / (Un peu plus tard...) / Sabela Excusez-moi, pour aller à la mairie, s'il vous plaît ? / M. Paco Oui, bien sûr ! Vous marchez 200 mètres environ jusqu'au théâtre La Solera, juste à côté du commissariat central. Un peu plus loin se trouve la grande place, vous devez absolument vous y arrêter, il y a une fontaine et des arbres centenaires. Si vous regardez sur votre gauche, vous verrez la colline du Monte Sagrado, qui en ce moment est enneigé. Arrivée sur la grande place, vous devez goûter une « fabada » au bar « Los Picos », vous vous en lécherez les doigts. Qu'est-ce que vous vouliez savoir, déjà ? Mais, où êtes-vous passée ?

# 19 Situer dans le temps

Lucas Estoy un poco nervioso. Por fin voy a ver a Julián mañana por la noche. Hace siglos que no lo veo.

Sara Hombre, no seas exagerado. ¿No estuviste con él justo antes del verano?

Lucas Anda, es verdad, ¡solo han pasado dos meses! Exactamente el veinticuatro de junio, era un martes por la tarde... Lo estuve esperando durante casi una hora, todo eso para decirme que solo podría quedarse un ratito.

Sara Pues de aquí a mañana, ya te imagino: contando cada segundo, cada minuto, cada hora... ¡Lo que voy a tener que aguantar!

@ www.bescherelle.com

## La date

**Hoy es quince (15) de octubre.**
Aujourd'hui, nous sommes le 15 octobre.
**Estamos a trece de mayo de dos mil nueve (13/05/2009).**
Nous sommes le 13 mai 2009.

# Situer dans la journée

**A primera y a última hora de la mañana hay poca gente.**
*En début et en fin de matinée il n'y a pas beaucoup de monde.*
**A media mañana tendré cinco minutos para tomar un café.**
*Vers le milieu de la matinée, j'aurai cinq minutes pour prendre un café.*
**A eso de** *ou* **Hacia las once llega el director.**
*Le directeur arrive vers onze heures.*
**¿Quedamos a mediodía para comer?**
*On se voit ce midi pour déjeuner?*
**Por la tarde tengo una cita importante.**
*Cet après-midi, j'ai un rendez-vous important.*
**Esta noche iré al teatro.** *Ce soir, je vais au théâtre.*

# Situer chronologiquement

**La reunión es el lunes de la semana que viene.**
*La réunion aura lieu lundi prochain.*
**El pedido llegó el mes pasado.**
*La commande est arrivée le mois dernier.*
**A mediados de julio nos vamos de vacaciones.**
*Nous partons en vacances à la mi-juillet.*
**En nuestra empresa cobramos a primeros/finales de mes.**
*Dans notre entreprise, nous sommes payés en début/fin de mois.*

## & Notez bien

■ Pour exprimer la date en espagnol, on utilise la préposition **de** entre le jour et
le mois et entre le mois et l'année.
   **Nació el 12 de febrero de 1967.** *Il est né le 12 février 1967.*
■ Les jours de la semaine sont généralement précédés de l'article **el**.
   **El lunes que viene es fiesta.** *Lundi prochain, c'est férié.*
Au pluriel, l'article **los** équivaut à **todos los**, tous les.
   **Los lunes voy al gimnasio.** *Le lundi ou Tous les lundis, je vais à la gym.*
Cependant, il n'y a pas d'article dans certains cas :
– Lorsque le jour de la semaine est précédé d'un adverbe de temps, même
sous-entendu.
   **Mañana es lunes.** *Demain, c'est lundi.*
– Lorsqu'on écrit la date, dans une lettre par exemple.
   **Lunes, veintidós (22) de octubre de 2010.** *Lundi 22 octobre 2010.*

**Lexique**

**Noms**                                         la fecha *la date*
**el tiempo** *le temps*

→ p. 169 (Le temps, la mesure du temps)

**Traduction du texte p. 224**

Lucas J'angoisse un peu là. Je vais enfin revoir Julián demain soir. Ça fait un bail qu'on ne s'est pas
vus. / Sara Bah, tu exagères un peu. Tu ne l'as pas vu avant l'été ? Lucas Tiens, c'est vrai. Ça ne fait
que deux mois. Le 24 juin exactement, c'était un mardi après-midi... Je l'ai attendu pendant presque
une heure, tout ça pour qu'il me dise qu'il ne pouvait pas rester longtemps... / Sara Je te vois déjà en
train de compter les secondes, les minutes, les heures... Tout ce que je vais devoir endurer d'ici demain !

# 20 Demander, dire l'heure

> *En la oficina...*
>
> Iván Pero, ¿qué haces tú a estas horas en la oficina? ¡Si siempre llegas
> el último!
>
> Diego ¿Y hoy no? Ya son las nueve y media (09:30) y normalmente
> entramos a las nueve (09:00) en punto. ¿Dónde están los demás?
>
> Iván Todavía no han llegado, ¡si solo son las ocho y media (08:30)!
>
> Diego Pues yo tengo las nueve y media (09:30). Mira.
>
> Iván Claro, ¿no sabías que había que atrasar una hora los relojes el
> sábado por la noche?
>
> Diego ¡No me digas, no tenía ni idea!
>
> Iván Encima de impuntual, eres despistado. Anda, invítame a un café.
> ¡Para una vez que llegas pronto!
>
> @ www.bescherelle.com

## Demander l'heure, dire l'heure

**¿Qué hora es?/¿Qué hora tienes? – Son las cuatro menos cinco (15:55).**
Quelle heure est-il ?/Quelle heure as-tu ? – Il est quatre heures moins cinq *ou*
quinze heures cinquante cinq.

**¿Tiene hora, por favor? – Es la una en punto (13:00).**
Vous avez l'heure, s'il vous plaît ? – Il est une heure *ou* treize heures pile.

**¿Puede decirme la hora? – Son las ocho y diez (20:10).**
Pouvez-vous me dire l'heure ? – Il est huit heures dix *ou* vingt heures dix.

# Se renseigner sur les horaires

**¿De qué hora a qué hora abren los bancos? – De nueve a tres.**
Quels sont les horaires d'ouverture des banques?
– Neuf heures, quinze heures.
**¿A qué hora es el concierto? – Sobre las siete (19:00).**
À quelle heure commence le concert? – Vers dix-neuf heures.

## 📖 Lexique

| Verbes et expressions | **en punto** | **menos cuarto** |
|---|---|---|
| **preguntar/decir** (v. irr.) **la hora** | pile, précise(s) | moins le quart |
| demander/dire l'heure | **y cuarto** | |
| **llegar pronto/tarde** | et quart | **Noms** |
| être en avance/en retard | **y media** | **la hora** l'heure |
| **ser puntual** | et demi | **el minuto** la minute |
| être ponctuel | | **el segundo** la seconde |

➜ p. 169 (Le temps, la mesure du temps)

## & Notez bien

■ À la question **¿Qué hora es?** (Quelle heure est-il?), on obtient les réponses :
**Es la una.** (Il est une heure.) mais **Son las tres.** (Il est trois heures.)
L'article féminin **la** ou **las** précède toujours le numéral ; le mot **hora(s)** est sous-entendu.
■ En espagnol, on utilise rarement le cadran de vingt-quatre heures, sauf pour indiquer les horaires de trains ou d'avions.
**Hay un vuelo a las dieciséis quince (16:15) y otro a las veinte diez (20:10).**
Il y a un vol à 16 h 15 et un autre à 20 h 10.
Dans tous les autres cas, on utilise le cadran de douze heures, en précisant **de la mañana** (du matin) ou **de la tarde** (de l'après midi ou du soir) si nécessaire.
**Venid a cenar a las nueve.** Venez dîner à 21 heures.
**Podemos vernos mañana a las nueve de la noche.**
On peut se voir demain à 21 heures.

**Traduction du texte p. 226**
Au bureau... / Iván Mais, qu'est-ce que tu fais au bureau à cette heure-ci? Toi qui arrives toujours le dernier! / Diego Et pas aujourd'hui? Il est déjà neuf heures et demie et normalement on commence à neuf heures. Où sont les autres? / Iván Ils ne sont pas encore arrivés, il n'est que huit heures trente. / Diego Moi, j'ai neuf heures et demie, regarde. / Iván Eh oui! Tu ne savais pas que samedi soir il fallait retarder les montres d'une heure? / Diego Ce n'est pas vrai! Je n'en avais pas la moindre idée. / Iván Non seulement tu n'es jamais à l'heure mais en plus tu es tête en l'air. Ah là là! Offre-moi un café, pour une fois que tu arrives en avance!

**Exprimer la durée**

*Esperando a Chelo...*

Chema ¡Cuánto tarda Chelo!

Bernardo Tratándose de ella, no es de extrañar, sabes que siempre llega tarde.

Chema Pues es tardísimo. Tardaremos unas dos horas en llegar. Y luego la visita dura tres horas.

Bernardo ¡Imposible! Nunca llegaremos a tiempo; habrá que dejarlo para otro día... ¡sin contar con ella!

Chelo ¡Hola, chicos! ¿Llego tarde? ¿Me estabais esperando?

@ www.bescherelle.com

## Exprimer la durée

**¿Cuánto dura la clase? – Dura una hora.**
*Combien de temps dure le cours? – Il dure une heure.*

**¿Cuánto tardas en llegar a la oficina?**
**– Depende. Suelo tardar unos treinta minutos.**
*Combien de temps mets-tu pour aller au bureau?*
*– Ça dépend. Normalement, je mets 30 minutes.*

**La duración del vuelo está estimada en tres horas.**
*Le temps de vol est estimé à trois heures.*

**Te espero desde hace un buen rato.**
*Je t'attends depuis un bon moment.*

## Se renseigner sur la durée

**¿Desde cuándo vives aquí?**
**– Vivo aquí desde el 2000 (dos mil).**
*Depuis quand tu habites ici?*
*– J'habite là depuis l'an 2000.*

**¿Hasta cuándo te quedas?**
**– Hasta el próximo jueves.**
*Tu restes jusqu'à quand?*
*– Jusqu'à jeudi prochain.*

## ¿Cuánto llevas sin fumar?
## – Tres meses y medio.

Depuis quand tu ne fumes plus ?
– Depuis trois mois et demi.

## 📖 Lexique

Verbes

**durar**
durer

**tardar**
mettre [un certain temps], tarder

➜ p. 171 (Durée et fréquence)

## &   Notez bien

■ **Desde** est employé pour exprimer le moment initial d'une action.
**Vivo en Niza desde 1998 (mil novecientos noventa y ocho).**
J'habite Nice depuis 1998.

■ Par contre, pour exprimer l'action dans sa durée, on emploie **desde hace** +
période de temps au sein d'une phrase et **hace** + période de temps en début
de phrase.
**Estudio inglés desde hace cinco años.**
J'apprends l'anglais depuis cinq ans.
**Hace cinco años que estudio inglés.**
Cela fait cinq ans que j'apprends l'anglais.

■ Les constructions **llevar** + gérondif (tournure affirmative) et **llevar sin** + infinitif
(tournure négative) sont très utilisées en espagnol pour exprimer la durée.
**Llevo trabajando en el proyecto seis meses.**
Je travaille sur ce projet depuis six mois.
**Llevo dos noches sin dormir.**
Ça fait deux nuits que je ne dors pas.

---

**Traduction du texte p. 228**

En attendant Chelo... / **Chema** Qu'est-ce que Chelo est en retard ! / **Bernardo** Ça ne m'étonne pas
d'elle, elle n'arrive jamais à l'heure. / **Chema** Oui, mais il est très tard. Il faut compter deux heures
pour y aller, puis trois heures pour la visite. / **Bernardo** Impossible ! Nous n'arriverons jamais à
temps, il faudra reporter ça à une autre fois... sans elle ! / **Chelo** Salut les garçons ! Je suis en
retard ? Vous m'attendiez ?

*El funcionario modelo*

Charo Estoy harta, ¡Juan es un coñazo!

Meri Pero, ¿qué te pasa?

Charo Pues nada, que desde que es ayudante del fiscal, lleva una vida que él llama de "funcionario modelo": cada día se levanta a la misma hora y repite los mismos gestos.

Meri Pero chica, es normal, ya sabes, la monotonía del trabajo...

Charo Ya, pero hay límites... Nunca se sale de la rutina, ¡ni los fines de semana! A veces tengo la impresión de que está programado... Por ejemplo, cada seis horas tiene que comer, pase lo que pase.

Meri ¿Y no has hablado con él?

Charo Lo he intentado muchas veces, pero me dice que está muy ocupado, siempre tiene algo más importante en lo que pensar, no, ¡si voy a tener que pedir cita con su secretario! Y, pensándolo bien... ¡con él a lo mejor me aburriría menos!

@ www.bescherelle.com

## Exprimer la fréquence

**Siempre que puedo voy de vacaciones.**

Je pars en vacances chaque fois que j'en ai l'occasion.

**¿Cada cuánto pasa el autobús?**

Le bus passe tous les combien?, Quelle est la fréquence de passage du bus?

**Todos los días dormíamos la siesta.**

Nous faisions la sieste tous les jours.

**Cada día saca a pasear al perro a la misma hora.**

Chaque jour à la même heure, il sort promener son chien.

# Exprimer l'habitude

**Se ha acostumbrado a leer un poco antes de acostarse.**
Elle a pris l'habitude de lire un peu avant de se coucher.
**Por regla general no desayuno.**
En règle générale, je ne prends pas de petit déjeuner.
**Suelo levantarme pronto pero no me acostumbro a ello.**
Normalement je me lève tôt, mais je ne m'y fais pas.

## 📖 Lexique

| Verbes et expressions | Adjectifs |
|---|---|
| **soler** (v. irr. o>ue), | **diario, cotidiano** |
| **tener** (v. irr.) **por costumbre** | quotidien |
| avoir l'habitude de | **semanal** |
| **acostumbrarse a** | hebdomadaire |
| s'habituer à | **mensual** |
| **tener** (v. irr.) **la mala costumbre de** | mensuel |
| avoir la mauvaise habitude de | **anual** |
| | annuel |

➜ p. 171 (Durée et fréquence)

**Traduction du texte p. 230**
Le fonctionnaire modèle / Charo J'en ai marre! Qu'est-ce qu'il est chiant, Juan! / Meri Mais, qu'est-ce qu'il t'arrive? / Charo Rien. Seulement que, depuis qu'il est assistant du procureur, il mène ce qu'il appelle une vie de « fonctionnaire modèle » : chaque jour, il se lève à la même heure et répète les mêmes gestes. / Meri Mais, c'est normal, tu sais bien, c'est la routine du travail... / Charo Oui, mais il y a des limites. C'est tous les jours pareil, même le week-end. Parfois, j'ai l'impression qu'il est programmé. Par exemple, quoi qu'il arrive, toutes les six heures il doit manger. / Meri Et tu ne lui en as pas parlé? / Charo J'ai essayé plusieurs fois, mais il me dit toujours qu'il est très pris, il a toujours quelque chose de plus important en tête. C'est incroyable, je vais devoir prendre rendez-vous avec son secrétaire! Et à bien y réfléchir... peut-être qu'avec lui, je ne m'ennuierais pas autant!

*Al volver a casa, después del trabajo...*

Padre Hola, ¿qué estás haciendo?

Hija Estoy leyendo un poco. He llegado antes a casa porque tenía poco trabajo.

Padre No, si, hoy en día, nadie hace nada: trabajar lo mínimo pero, eso sí, ganar el máximo de dinero para gastarlo lo antes posible.

Hija ¿Qué te pasa? ¿Has tenido un mal día? Creo que exageras un poco. Lo que pasa es que actualmente tenemos otros alicientes, no se vive solo para trabajar.

Padre Ya, ya lo veo. Ahora el objetivo es terminar cuanto antes la jornada laboral sin pensar en la calidad del trabajo. Antes no era así.

Hija Pues yo creo que en nuestra época se entiende mejor la vida. Hay que trabajar para vivir y ser útil a la sociedad pero también disfrutar. Tú eres un poco anticuado.

Padre Claro, así va el mundo. ¡Con todos los que piensan como tú...!

@ www.bescherelle.com

## Parler d'un événement présent

**Actualmente trabajo en una sociedad de bolsa.**
*Actuellement, je travaille pour une société boursière.*
**En este momento no puedo atenderle.**
*En ce moment, je ne peux pas m'occuper de vous.*
**Esperadme, que termino ahora mismo.**
*Attendez-moi, je finis tout de suite.*

## Énoncer un événement au moment de son déroulement

**Cállate, que estoy escuchando las noticias.**
*Tais-toi, j'écoute les infos.*
**¡Últimamente estás trabajando a buen ritmo!**
*Dernièrement, tu travailles à un bon rythme!*

##  Lexique

| Adverbes et expressions | ahora mismo | últimamente |
|---|---|---|
| **ahora** | à présent, tout de suite | dernièrement |
| maintenant | **actualmente,** | **hoy** |
| **en este momento** | **en la actualidad** | aujourd'hui |
| en ce moment | actuellement | |

→ p. 171 (Passé, présent et avenir)

## & Notez bien

■ **Estar** + participe présent est utilisé pour souligner la durée d'une action en cours.

**Leo mucho. Ahora estoy leyendo un libro de poemas.**
Je lis beaucoup. En ce moment, je lis un livre de poésie.

### Traduction du texte p. 232

En rentrant après le travail... / Père Salut, qu'est-ce que tu fais ? / Fille Je lis un peu. Je suis rentrée plus tôt que prévu parce que je n'avais pas beaucoup de travail. / Père C'est sûr, de nos jours, personne ne fait plus rien : travailler le minimum mais pour gagner le plus possible et le dépenser aussitôt. / Fille Mais, qu'est-ce qui t'arrive ? Tu as eu une mauvaise journée ? Je pense que tu exagères un peu. On a d'autres centres d'intérêt aujourd'hui, on ne vit pas que pour travailler. / Père Oui, je vois bien. De nos jours, le but c'est de finir sa journée le plus tôt possible, sans penser à la qualité du travail. De mon temps, c'était différent ! / Fille Eh bien moi, je crois que de nos jours on profite d'avantage de la vie. Il faut travailler pour vivre et être utile à la société, mais il faut aussi pouvoir se distraire. Toi, tu as des idées un peu d'un autre âge ! / Père C'est cela ! Et voilà le résultat, avec tous ceux qui pensent comme toi... !

*Vacaciones en la granja...*

Encarna ¿Sabes?, he estado unos días en la granja que me recomendaste.

Maite Y ¿qué has hecho?

Encarna De todo. He dado de comer a los animales, he recogido los huevos del gallinero, he trabajado un poco en el huerto y he ayudado a los dueños a hacer el pan. ¿Tú estuviste el verano pasado, verdad?

Maite Sí, fui dos semanas. Yo también hice todo eso. Además en verano está su hijo Tomás, que organiza actividades muy interesantes. Todas las mañanas temprano íbamos a pasear al bosque, para ver amanecer, éramos un grupo de seis. Después, por la tarde recogíamos hierbas para hacer infusiones y antes de cenar hacíamos yoga. Me lo pasé muy bien y volví muy relajada. Eran todos muy majos, sobre todo Tomás.

Encarna Creo que voy a volver este verano, ¡tengo que conocer a Tomás!

@ www.bescherelle.com

## Exprimer des événements ayant eu lieu dans une période de temps révolue

**Su primer hijo nació en 1999 (mil novecientos noventa y nueve).**
Son premier fils est né en 1999.

**Ayer no pude llamarte porque estaba muy ocupada.**
Hier, je n'ai pas pu t'appeler parce que j'étais très occupée.

### Rattacher des événements passés au présent

**¿Ya has visto su último espectáculo?**
Tu as déjà vu son dernier spectacle?

**Esta mañana me he dormido y he llegado tarde al trabajo.**
Ce matin, je ne me suis pas réveillé à temps et je suis arrivé en retard au travail.

### Exprimer la répétition d'une action dans le passé

**De pequeña montaba a caballo todos los fines de semana.**
Petite, je faisais du cheval tous les week-ends.

# Décrire le passé

**Mi abuela era una mujer muy generosa.**
Ma grand-mère était une femme très généreuse.
**En aquellos tiempos se vivía mejor.**
Autrefois, on vivait mieux.

# Exprimer un lien entre deux actions du passé

**Estaba durmiendo cuando llamaron al timbre.**
Je dormais quand on a sonné à la porte.
**Llegó antes de que acabara la película.**
Elle est arrivée avant que le film soit fini.

## 📖 Lexique

| Adverbes et expressions | |
|---|---|
| **ayer** | **el año pasado** |
| hier | l'an dernier |
| **anteayer** | **antes** |
| avant-hier | avant |
| **el día anterior, la víspera** | **hace unos días/mucho (tiempo)** |
| la veille | il y a quelques jours/longtemps |

→ p. 171 (Passé, présent et avenir)

## & Notez bien

■ **Le pretérito perfecto** (passé composé) se forme exclusivement avec l'auxiliaire **haber**, suivi du participe passé, toujours invariable. Notez aussi que lorsqu'il y a un adverbe, celui-ci se place soit avant le verbe soit après, mais jamais entre l'auxiliaire et le participe passé.

**Nos hemos divertido mucho.** Nous nous sommes beaucoup amusés.

### Traduction du texte p. 234

Des vacances à la ferme… / Encarna Tu sais, j'ai passé quelques jours à la ferme dont tu m'avais parlé. / Maite Et qu'est-ce que tu y as fait? / Encarna J'ai fait un peu de tout. J'ai donné à manger aux animaux, j'ai ramassé les œufs du poulailler, j'ai fait un peu de jardinage dans le potager et j'ai même aidé les fermiers à faire du pain. Toi, tu y es allée l'été dernier, n'est-ce pas? / Maite Oui, pendant deux semaines. Moi aussi, j'ai fait tout ça. En plus, l'été, leur fils Tomás est là. Il organise des activités très intéressantes. Tous les matins à l'aube, on allait se promener dans la forêt pour voir le lever du soleil, on était six. Puis, l'après-midi, on cueillait des plantes pour faire des tisanes et avant le dîner, on faisait du yoga. Je me suis beaucoup amusée et j'ai bien décompressé. Tout le monde était très sympa, surtout Tomás. / Encarna Je crois que je vais y retourner cet été, je tiens à rencontrer ce fameux Tomás.

# 25 Se souvenir

*Después de un accidente...*

Natalia No recuerdo nada, ¿qué ha pasado?, ¿dónde estoy?, ¿quién soy?...

Sonia Tranquila, no pasa nada, has tenido un accidente y estamos en el hospital. Te has dado un golpe en la cabeza y has perdido la memoria.

Natalia ¿Qué puedo hacer para recuperarla? Cuéntame cosas sobre mí.

Sonia En el momento del accidente, venías de vacaciones. Habías ido a pasar unos días a la casa que compraste el mes pasado.

Natalia ¿Yo? ¿De dónde saqué el dinero? Si nunca consigo llegar a fin de mes...

Sonia ¡Anda, por lo menos te acuerdas de algo! ¡Es una buena señal!

@ www.bescherelle.com

## Dire qu'on se souvient

**Me suena su cara... ¡Ya caigo: me recuerda a Lorenzo!**
*Son visage me dit quelque chose... Ça me revient : il me fait penser à Lorenzo !*

**Tiene una memoria de elefante. Recuerda todos los cumpleaños.**
*Elle a une mémoire d'éléphant. Elle se souvient de tous les anniversaires.*

## Dire qu'on a oublié

**No me acuerdo de nada.**
*Je ne me souviens de rien.*

**Siempre olvido su número de teléfono.**
*J'oublie toujours son numéro de téléphone.*

**Me falla la memoria.** *J'ai des trous de mémoire.*

**Soy muy olvidadiza.** *Je suis très tête en l'air.*

## Dire qu'on a en tête

**No hago más que darle vueltas.**
*J'y pense sans arrêt.*

**Tengo pensado escribirle pronto.**
*Je compte lui écrire bientôt.*

## Rappeler quelque chose à quelqu'un

**No olvides contestar a Merche.**
N'oublie pas de répondre à Merche.
**¿Podrías recordarme que debo invitar al señor Gómez?**
Pourrais-tu me faire penser à inviter M. Gómez?

---

### 🗒 Lexique

**Verbes et expressions**
**memorizar**
mémoriser
**recordar** (v. irr. o>ue) **algo**
se rappeler qqch.
**acordarse** (v. irr. o>ue) **de algo**
se souvenir de qqch.

**olvidar algo, olvidarse de algo**
oublier qqch.

**Ser (être) + adjectif**
**inolvidable**
inoubliable

➜ p. 23 (La mémoire et l'observation)

---

**Traduction du texte p. 236**
Après un accident... / Natalia Je ne me souviens de rien, que s'est-il passé? Où suis-je? Qui suis-je? /
Sonia Du calme, ce n'est rien, tu as eu un accident et nous sommes à l'hôpital. Tu t'es cogné la
tête et tu as perdu la mémoire. / Natalia Qu'est-ce que je peux faire pour le retrouver? Raconte-moi
des choses sur moi. / Sonia Au moment de l'accident, tu rentrais de vacances. Tu étais allée passer
quelques jours dans la maison que tu as achetée le mois dernier. / Natalia Moi? Mais d'où j'ai sorti
l'argent? Je n'arrive jamais à joindre les deux bouts! / Sonia Tu vois que tu n'as pas tout oublié.
C'est bon signe!

# 26 Parler de l'avenir

*En la guardería... (Lupita cecea)*
La maestra A ver, Lupita, ¿tú, qué quieres ser de mayor?
Lupita Cuando sea grande seré bailarina y viajaré por todo el mundo y en
mi casa habrá una piscina para todos los niños y tendré muchos novios
y comeré piruletas y regaliz todo el día porque los grandes no me podrán
reñir y daré limosnas a los pobres y...
La maestra Lupita, ¿me das un caramelo?
Lupita ¡Nooo! Son míos. Te los daré cuando sea grande.

@ www.bescherelle.com

## Parler d'un avenir proche

**Mañana a estás horas, ¡por fin estaremos de vacaciones!**
*Demain à cette heure-ci, nous serons enfin en vacances !*
**Voy a inscribirme a un curso de fotografía.**
*Je vais m'inscrire à un stage de photo.*
**Dentro de dos días empieza el campeonato.**
*Le championnat commence dans deux jours.*
**Enseguida llegamos a casa.** *On est bientôt arrivés à la maison.*

## Parler d'un avenir lointain

**Cuando sea mayor, seré veterinario.**
*Quand je serai grand, je serai vétérinaire.*
**Le espera un brillante porvenir.** *Il a un bel avenir devant lui.*

---

### 🗐 Lexique

| Noms, adverbes et expressions | | mañana |
|---|---|---|
| **el futuro** | | demain |
| le futur, l'avenir | | **próximamente** |
| **el día de mañana** | | prochainement |
| dans l'avenir | | **el día siguiente** |
| | | le lendemain |

→ p. 171 (Passé, présent et avenir)

---

### **&** Notez bien

■ Remarquez les différents sens du mot **mañana**.

　　**mañana** demain　　**la mañana** la matinée　　**por la mañana** le matin

■ Les subordonnées temporelles futures introduites par **cuando**, **en cuanto**, etc.
sont toujours au subjonctif.

　　**En cuanto sepa algo, te llamaré.** *Je t'appellerai dès que j'aurai du nouveau.*

En revanche, on utilise le futur dans les questions directes.

　　**¿Cuándo vendrás a verme? – Iré cuando tenga tiempo.**
　　*Quand est-ce que tu viendras me voir ? – Je viendrai quand j'aurai le temps.*

---

**Traduction du texte p. 237**

À la crèche… (Lupita zozote) / La maîtresse Voyons Lupita, qu'est-ce que tu veux être quand tu
seras grande ? / Lupita Quand je serai grande, je serai danseuse et je ferai le tour du monde et
chez moi il y aura une piscine pour tous les enfants et j'aurai beaucoup de fiancés et je mangerai
des sucettes et du réglisse toute la journée parce que les grands ne pourront plus me gronder
et je donnerai de l'argent aux pauvres et… / La maîtresse Lupita, tu me donnes un bonbon ? /
Lupita Non ! Ils sont à moi. Je t'en donnerai quand je serai grande !

# 27 Chiffrer

*Haciendo cálculos...*

**Fernando** Estos dos años viviendo con mi suegra me han parecido siglos.
¡No puedo más! Este verano arreglamos nuestra casa y nos marchamos.
A ver, voy a hacer cuentas: 530 (quinientos treinta) euros de pintura, 850
(ochocientos cincuenta) de fontanería, 3.300 (tres mil trescientos) los
muebles del salón, sin olvidar cambiar las ventanas, fácilmente pueden
ser 3.600 (tres mil seiscientos) o quizás 2.700 (dos mil setecientos)
si son de PVC en lugar de madera. El blindaje de la puerta unos 1.500
(mil quinientos) y la moqueta 1.650 (mil seiscientos cincuenta) más o
menos, porque el parqué subía a 2.550 (dos mil quinientos cincuenta)
y además está el IVA al 12% (doce por ciento) si lo hacemos todo antes
del 31 (treinta y uno) de diciembre, después pasa al 15% (quince por
ciento). A ver... todo eso hace un total de 11.793,60 euros (once mil
setecientos noventa y tres euros con sesenta céntimos). Menos el 8%
(ocho por ciento) de desgravación fiscal, hace un total de 10.850,11
euros (diez mil ochocientos cincuenta euros con once céntimos).
¡¡Carmen!!

**Carmen** ¿Sí, cariño?

**Fernando** Nada chica, que creo que tendremos que seguir viviendo con tu
madre otra temporadita...

@ www.bescherelle.com

## Les opérations

### Additionner – une addition   Sumar – una suma

**5 + 4 = 9**
**Cinco más cuatro igual a nueve./Cinco y cuatro, (son) nueve.**
*Cinq et quatre font neuf.*

### Soustraire – une soustraction   Restar – una resta

**8 – 1 = 7**
**Ocho menos uno igual a siete./Ocho menos uno, (son) siete.**
*Huit moins un, sept.*

### Multiplier – une multiplication  Multiplicar – una multiplicación

**3 x 6 = 18**
**Tres por seis igual a dieciocho./Tres por seis, (son) dieciocho.**
Trois fois six, dix-huit.

### Diviser – une division  Dividir – una división

**14 : 2 = 7**
**Catorce entre dos igual a siete./Catorce dividido por dos, son siete.**
Quatorze divisé par deux égal sept.

## Les fractions

**Quedan las tres cuartas partes del trabajo por hacer.**
Il reste les trois quarts du travail à faire.
**Necesitamos un kilo y medio de arroz.**
Il nous faut un kilo et demi de riz.

## Les décimales

**1 euro son 166,386 (ciento sesenta y seis coma trescientos ochenta y seis) pesetas.** 1 euro équivaut à 166,386 pesetas.

## Les ordinaux

**Felipe II (segundo) fue rey de España entre 1556 y 1598.**
Philippe II fut roi d'Espagne entre 1556 et 1598.
**Yo vivo en el tercer (3°) piso y mi hermano en el octavo (8°).**
J'habite au 3ᵉ étage et mon frère au 8ᵉ.
**Es la cuarta (4ª) vez que gana las elecciones.**
C'est la quatrième fois qu'il remporte les élections.

---

### 📖 Lexique

| Verbes | Noms |
|---|---|
| **calcular** | **el cálculo** |
| calculer | le calcul |
| | **la cantidad** |
| | la quantité |

➜ p. 65 (Les nombres et les chiffres), ➜ p. 101 (Les mathématiques)

## & Notez bien

■ Les centaines et les ordinaux s'accordent en genre et en nombre avec le nom qu'ils accompagnent.

**doscientos kilómetros** deux cents kilomètres
**doscientas personas** deux cents personnes
**la primera carrera** la première course
**los segundos calificados** les deuxièmes qualifiés

■ À partir de 11ᵉ, on emploie les nombres cardinaux.

**Alfonso X (décimo) y Alfonso XII (doce) fueron reyes de España.**
Alphonse X et Alphonse XII furent des rois d'Espagne.

■ Pour les siècles, on utilise les cardinaux et non pas les ordinaux après le mot **siglo**.

**en el siglo XXI (veintiuno)** au xxiᵉ siècle

■ Devant un nom masculin singulier, **primero** et **tercero** deviennent **primer** et **tercer**.

**el primer ejercicio** le premier exercice
**el primero de todos** le premier de tous

■ On utilise l'article masculin déterminé pour exprimer un pourcentage.

**El 80% de los alumnos ha aprobado el examen.**
80 % des élèves a réussi l'examen.

**Traduction du texte p. 239**

En faisant des comptes… / **Fernando** Ces deux dernières années passées à vivre chez ma belle-mère m'ont semblé des siècles. Je n'en peux plus! Cet été on refait la maison et on s'en va. Voyons, je vais faire les comptes : 530 € la peinture, 850 la plomberie, 3 300 les meubles du salon, sans oublier les fenêtres, ça peut facilement revenir à 3 600 euros ou peut-être 2 700 si elles sont en PVC et pas en bois. Faire blinder la porte, 1 500 et la moquette 1 650 environ, parce que le parquet revenait à 2 550 avec une TVA à 12 %, si on finit tout avant le 31 décembre, après elle passe à 15 %. Voyons voir, tout cela fait un total de 11 793,60 €. Moins 8% de réductions d'impôts, ça fait 10 850,11 €. Carmen! / **Carmen** Oui, chéri? / **Fernando** Je crois qu'il va falloir qu'on reste vivre chez ta mère encore un bon petit moment!

# 28 Conseiller, déconseiller

*¿Qué puedo hacer?*

Alba No sé qué hacer, no sé si hablarle o pasar de él.

Mara Si me permites un consejo, creo que es mejor que lo llames.

Alba Sí, pero ¿qué le digo?, ¿que lo sé todo o espero a que me lo cuente?

Mara No merece la pena que te preocupes tanto. Si yo fuera tú, esperaría a que él se explicara, seguro que tiene buenas razones.

Alba ¿Una razón para vender mi coche sin decirme nada?

Mara ¿No has pensado que quizás te reserve una buena sorpresa?

Alba ¿Por qué lo dices? ¿Sabes algo?

@ www.bescherelle.com

## Conseiller

**Te aconsejo que vengas.**
Je te conseille de venir.
**El médico me recomendó que guardara cama unos días.**
Le docteur m'a conseillé de rester au lit quelques jours.
**Si yo fuera tú, compraría esta casa.**
Si j'étais toi, j'achèterais cette maison.
**Yo en tu lugar no diría nada.**
Moi, à ta place, je ne dirais rien.
**Tómese unos días de vacaciones.**
Prenez quelques jours de vacances.
**Estaría bien que lo invitaras.**
Ce serait bien que tu l'invites.
**Es mejor que le escribas.**
Il vaut mieux que tu lui écrives.

## Déconseiller

**No vayas, no merece la pena.**
N'y va pas, ça n'en vaut pas la peine.
**Si me permite un consejo, no lo llame.**
Si vous me permettez un conseil, ne l'appelez pas.

# Demander conseil

**¿Qué harías tú en mi lugar?**
*Qu'est-ce que tu ferais à ma place?*
**No sé si iré, ¿qué te parece?**
*Je ne sais pas si j'irai, qu'est-ce que tu en penses?*
**¿Qué me recomienda?**
*Que me conseillez-vous?*
**¿Qué me aconsejas que me ponga para la fiesta?**
*Qu'es-ce que tu me conseilles de mettre pour la soirée?*

---

## 🗂 Lexique

| Verbes et expressions | | Adjectifs |
|---|---|---|
| **aconsejar** | **seguir** (v. irr. e>i) **los** | Adjectifs |
| *conseiller* | **consejos de alguien** | **ser** *ou* **estar** |
| **recomendar** (v. irr. e>ie) | *suivre les conseils de qqn* | **recomendado** |
| *recommander* | **desaconsejar** | *être recommandé* |
| **pedir** (v. irr. e>i)/**dar** | *déconseiller* | **ser aconsejable** |
| (v. irr.) **un consejo** | | *être conseillé* |
| *demander/donner un* | **Noms** | **estar desaconsejado** |
| *conseil* | **un consejo** | *être déconseillé* |
| | *un conseil* | |
| | **una recomendación** | |
| | *une recommandation* | |

---

## & Notez bien

■ En espagnol, tout comme en français, l'impératif peut avoir valeur de conseil :
**Conduce despacio.** *Ne conduis pas vite.*

■ Il a aussi valeur d'invitation (→ p. 206) et, dans ce cas, on a tendance à répéter le verbe :
**¡Pasa, pasa!** *Vas-y, entre!*

---

**Traduction du texte p. 242**

Qu'est-ce que je peux faire? / **Alba** Je ne sais pas quoi faire, continuer à jouer les vexées ou l'ignorer. / **Mara** Si tu me permets un conseil, je crois qu'il vaut mieux que tu l'appelles. / **Alba** Oui, mais, qu'est-ce que je lui dis? Que je sais tout ou j'attends qu'il me raconte? / **Mara** Ce n'est pas la peine de t'inquiéter autant. Moi, à ta place, j'attendrais qu'il s'explique, il a sûrement de bonnes raisons. / **Alba** Une raison pour vendre ma voiture sans m'en parler? / **Mara** Tu n'as pas pensé qu'il pouvait te réserver peut-être une belle surprise? / **Alba** Pourquoi tu dis ça? Tu en sais quelque chose?

# 29 Persuader, dissuader

*¡Me has convencido!*

Diego Pues sí, definitivamente me decido por este.

Eduardo Pero Diego, ¿estás seguro? ¡Hombre, mira el precio!

Diego Que sí, que sí, que ya no lo pienso más.

Eduardo Pero Diego, ¡que cuesta casi el doble!

Diego Sí, la verdad es que es un poco caro, pero ¡fíjate qué potencia!

Eduardo Pero la potencia para circular por ciudad no sirve para nada.

Diego ¿Tú crees?

Eduardo Créeme, yo tuve uno de esta marca y he tenido un montón de problemas.

Diego ¿Ah sí?

Eduardo Te lo aseguro, hazme caso, no ganas para averías.

Diego Vale, creo que me has convencido, tienes razón.

@ www.bescherelle.com

## Persuader

**Tienes que convencerte de que es importante.**
*Tu dois te convaincre que c'est important.*

**Ha conseguido persuadirme de que vote por él.**
*Il a réussi à me persuader de voter pour lui.*

**Estoy convencido de que lo vas a conseguir.**
*Je suis persuadé que tu vas y arriver.*

**Te aseguro que tengo razón.**
*Je t'assure que j'ai raison.*

## Dissuader

**Le disuadimos de que aceptara el trabajo.**
*On l'a dissuadé d'accepter le travail.*

**Quítatelo de la cabeza, no te conviene.**
*N'y pense même pas, ça ne te convient pas.*

##  Lexique

| Verbes | Ser (être) + adjectifs |
|---|---|
| **convencer** convaincre | **convincente** convaincant |
| **persuadir** persuader | **persuasivo** persuasif |
| **disuadir** dissuader | **disuasivo** dissuasif |

### Traduction du texte p. 244

*Tu m'as convaincu ! / Diego Oui, c'est décidé, je prends celle-là. / Eduardo Mais, Diego, tu es sûr ? Regarde le prix ! / Diego Non, non, je ne réfléchis plus. / Eduardo Mais, Diego, elle coûte presque le double ! / Diego Oui, c'est vrai qu'elle est un peu chère, mais, quelle puissance ! / Eduardo Mais pour rouler en ville, la puissance ne sert à rien. / Diego Tu crois ? / Eduardo Crois-moi, j'en ai eu une de cette marque et j'ai eu plein de problèmes. / Diego Ah bon ? / Eduardo Je t'assure, écoute ce que je te dis, elle sera tout le temps au garage. / Diego D'accord, je crois que tu m'as convaincu, tu as raison.*

# 30 Insister

> *Fin de semana en la sierra*
>
> Elena De este fin de semana no pasa, tienes que venir con nosotros al chalé.
>
> Gloria Pero ya te he dicho muchas veces que no puedo. Últimamente hay tanto trabajo en la empresa que tengo que terminarlo en casa, incluso los fines de semana.
>
> Elena Pero por una vez... Además en la sierra se está muy tranquilo y puedes trabajar por la mañana en el jardín.
>
> Gloria Bueno, si insistes...
>
> Elena ¡Claro que insisto!
>
> Gloria Pero que conste que por la mañana voy a trabajar; no me vengáis luego con sorpresitas.
>
> Elena Entonces pasamos a recogerte el viernes a la salida del trabajo. Estamos de acuerdo, ¿no?
>
> Gloria Vale, vale.
>
> @ www.bescherelle.com

**Tenéis que venir sea como sea.** *Il faut absolument que vous veniez.*
**Anda, dímelo porfa...** *(fam.) Allez, dis-le-moi, s'il te plaît...*
**He dicho que no, y es que no.** *J'ai dit non, c'est non.*

**Se lo he repetido ya mil veces.**
Je vous l'ai déjà répété mille fois.
**Insisto, es muy urgente.**
J'insiste, c'est très urgent.
**Al final de la presentación hizo hincapié en el primer punto.**
À la fin de la présentation, elle a insisté sur le premier point.

## 📖 Lexique

| Verbes | Noms | Ser (être) + adjectifs |
|---|---|---|
| **insistir** | **la repetición** | **repetitivo** |
| insister | la répétition | répétitif |
| **repetir** (v. irr. e>i) | **la obstinación** | **perseverante** |
| répéter | l'obstination | persévérant |
| **recalcar** | | |
| souligner | | |

**Traduction du texte p. 245**
Week-end à la montagne / Elena Cette fois-ci tu n'y échapperas pas, ce week-end tu viens avec nous au chalet. / Gloria Je t'ai déjà dit mille fois que je ne peux pas. Ces derniers temps, il y a tellement de travail dans ma boîte, que je dois travailler chez moi, même le week-end. / Elena Pour une fois... En plus à la montagne, c'est très calme et le matin tu pourras travailler dans le jardin. / Gloria Bon, si tu insistes... / Elena Bien sûr que j'insiste. / Gloria Mais, je te préviens, le matin je vais travailler, ne commencez pas avec vos petites surprises... / Elena Alors, on passe te chercher vendredi à la sortie du bureau. Nous sommes d'accord? / Gloria Bon, d'accord.

# 31 Promettre

*Una niña caprichosa*

Azucena ¡Mira, son las pulseras que se llevan ahora! ¿Me compras una?

Rocío Siempre que salimos a la calle quieres algo. Me prometiste que ya no ibas a pedirme nada más.

Azucena Pero mamá, es que son preciosas. Te prometo que ya...

Rocío Anda, es mejor que no digas nada. Nunca consigues cumplir tus promesas.

Azucena Entonces, ¿me la compras o no?

Rocío Sí, hija. Con tal de que te calles... Pero te juro que es la última vez que cedo.

**¡Prometido! No lo volveré a hacer.**

*Promis! Je ne le referai plus.*

**Te prometo que tendrás todo lo que quieras.**

*Je te promets que tu auras tout ce que tu voudras.*

**Siempre cumple sus promesas.**

*Il tient toujours ses promesses.*

**Me comprometo a cuidar de él hasta su mayoría de edad.**

*Je m'engage à prendre soin de lui jusqu'à ce qu'il soit majeur.*

**Te juro que no se lo diré.**

*Je te jure que je ne le lui dirai pas.*

**Le garantizo que terminaré a tiempo.**

*Je vous garantis que je finirai à temps.*

**Te aseguro que iré a tu boda.**

*Je t'assure que je viendrai à ton mariage.*

---

## 📖 Lexique

| Verbes et expressions | **comprometerse** |
|---|---|
| **prometer** | *s'engager* |
| *promettre* | |
| **hacer** (v. irr.)**/cumplir una promesa** | Nom |
| *faire/tenir une promesse* | **el compromiso** |
| | *l'engagement* |

**Traduction du texte p. 246**

Une enfant capricieuse / Azucena Regarde, ce sont les bracelets à la mode en ce moment, tu m'en achètes un? / Rocío À chaque fois que l'on sort tu veux quelque chose. Tu m'avais promis que tu ne me demanderais plus rien. / Azucena Mais, maman, ils sont trop beaux. Je te promets que... / Rocío Il vaut mieux que tu te taises. Tu n'arrives jamais à tenir une promesse. / Azucena Alors, tu me l'achètes ou pas? / Rocío Oui, ma chérie, si cela peut te faire taire... Mais je te jure que c'est bien la dernière fois que je cède.

# 32 Encourager, exprimer son découragement

En las carreras de caballos...

Mario ¡Venga, ánimo, más rápido!

Ángela ¿Por cuál has apostado?

Mario Por el número nueve (9), pero nunca gana. Esta es la última vez que apuesto por él.

Ángela No hay que desanimarse, todavía no ha terminado la carrera. ¡Mira, está adelantando a los otros! ¡Es increíble!

Mario ¡Muy bien, venga, haz un último esfuerzo!... ¡Bravo, lo ha conseguido!... ¡He ganado!... Oye, ¿y tú por cuál habías apostado?

Ángela Por el ocho (8), como siempre; pero ese sí que nunca gana, renuncio a ese caballo.

Mario ¡Anda, anímate! Un día u otro ganarás.

@ www.bescherelle.com

## Encourager quelqu'un

**¡Está muy bien! Has mejorado mucho.**
C'est très bien! Tu as fait d'énormes progrès.
**Ánimo y... ¡sigue así!**
Courage et... continue comme ça!
**Le apoyaré pase lo que pase.**
Je vous soutiendrai quoi qu'il arrive.

## Dire à quelqu'un de ne pas se décourager

**No te preocupes hombre, ya saldrás de ésta.**
Ne t'en fais pas, tu t'en sortiras.
**¡No es para tanto, ya lo conseguirás!**
N'exagère pas, tu vas y arriver!
**No te desanimes, ya verás como todo sale bien.**
Ne te décourage pas, tout va s'arranger.
**¡Venga! No está tan mal, hombre.**
Allez! Ce n'est pas si mal!

# Exprimer son découragement

**De todos modos, no sirve para nada.**
*De toute façon, ça ne sert à rien.*
**Yo, ni lo intentaría, es inútil.**
*Moi, je n'essaierais même pas, c'est inutile.*
**Nunca lo conseguiremos; yo abandono...**
*On n'y arrivera jamais ; moi, j'abandonne...*
**Ya no puedo más. Me doy por vencido.**
*Je n'en peux plus. Je m'avoue vaincu.*

## 🖋 Lexique

| Verbes | Noms | Estar (être) + adjectifs |
|---|---|---|
| **animar a alguien** | **el ánimo** | **animado** |
| *encourager qqn* | *le courage* | *en forme* |
| **apoyar a alguien** | **el apoyo** | **desanimado** |
| *soutenir qqn* | *le soutien* | *découragé* |
| **desanimarse** | **el desánimo** | **desmoralizado** |
| *se décourager* | *le découragement* | *démoralisé* |
| **rendirse** (v. irr. e>i) | | |
| *abandonner, laisser tomber* | | |

**Traduction du texte p. 248**
Aux courses de chevaux... / Mario Allez, vas-y, plus vite ! / Ángela Pour lequel tu as parié ? /
Mario Pour le numéro 9, mais il ne gagne jamais. C'est bien la dernière fois que je parie pour lui /
Ángela Il ne faut pas perdre espoir, la course n'est pas encore finie. Regarde, il est en train de
dépasser les autres. Incroyable ! / Mario Très bien, allez, un dernier effort !... Bravo ! Il y est arrivé !...
J'ai gagné !... Et toi, pour lequel avais-tu parié ? / Ángela Pour le 8 comme d'habitude, mais lui,
il ne gagne vraiment jamais ; je renonce à ce cheval. / Mario Allez, courage ! Un jour ou l'autre,
tu vas bien finir par gagner !

*Por teléfono...*

Justo ¿Dígame?

Roque Hola, soy Roque. Llamo para decirte que no puedo ir a tu fiesta. Quería decírtelo con tiempo para que no cuentes conmigo.

Justo ¡Con tiempo! Pero, ¡si es mañana! Había previsto que te encargaras tú de la música. ¡Vaya faena! Te advierto que como no vengas me voy a enfadar.

Roque No te pongas así hombre, ¡no es para tanto! Seguro que entre tus invitados habrá uno que sepa hacer de pincha.

Justo Sí, pero no es eso; quiero que la gente venga a divertirse.

Roque ¡Ah! ¡Y yo a trabajar! Pues lo siento, no voy.

Justo Vale, vale. Te vas a enterar.

Roque Anda, encima me amenazas. Mira, ahora si que, te pongas como te pongas, no voy. Adiós.

@ www.bescherelle.com

## Avertir

**Ojo con los coches. Mira antes de cruzar.**
Attention aux voitures. Regarde avant de traverser.
**Le avisé del peligro.** Je l'ai averti du danger.
**Me previno de su ausencia.** Il m'a prévenu de son absence.
**Te advierto que me da lo mismo.**
Je te signale que ça m'est égal.

## Mettre en garde

**Cuidado con lo que vas a decir.** Attention à ce que tu vas dire.
**Me las vas a pagar.** *(fam.)* Tu vas me le payer.
**Estás avisado, más vale que no lo olvides.**
Tu auras été prévenu, il vaut mieux que tu ne l'oublies pas.
**Deja de decir tonterías, si no, atente a las consecuencias.**
Arrête de dire des bêtises ou attends-toi à en subir les conséquences.
**¡Ni lo sueñes!** N'y songe même pas!
**Como te atrevas a repetirlo...** Si jamais tu oses le répéter...

## Lexique

| Verbes | | Noms |
|---|---|---|
| **avisar, prevenir** (v. irr.) | **amenazar** | **la advertencia** |
| prévenir | mettre en garde, menacer | l'avertissement |
| **advertir** (v. irr. e>ie) | **chantajear, hacer** | **la amenaza** |
| avertir, signaler | (v. irr.) **chantaje** | la menace |
| | faire du chantage | |

**Traduction du texte p. 250**

Au téléphone… / **Justo** Allô? / **Roque** Salut, c'est Roque. Je t'appelle pour te dire que je ne peux pas venir à ta soirée. Je voulais te prévenir à l'avance pour que tu ne comptes pas sur moi. / **Justo** À l'avance? Mais, c'est demain! J'avais prévu que tu t'occuperais de la musique. Là, tu me joues un sale tour! Je te préviens, si tu ne viens pas, je vais me fâcher. / **Roque** Ne te mets pas dans cet état-là! Il ne faut pas en faire tout un plat! Je suis sûr que parmi tes invités, il y en aura un pour faire le DJ. / **Justo** Oui, mais le problème c'est que je veux que les gens viennent pour s'amuser. / **Roque** Ah, bon! Et moi, pour travailler! Désolé, mais puisque c'est comme ça, je ne viens pas. / **Justo** D'accord, tu vas voir… / **Roque** Et en plus, tu me menaces. Là, vraiment, quoi que tu dises, je ne viendrai pas. Au revoir.

## 34 Donner des ordres

*Hablando con una amiga…*

Clara "…Recoge la habitación, no veas tanto la tele, haz esto, haz lo otro…" Desde que mi hermana ha cumplido dieciocho (18) años está insoportable; ¡no para de mandar!

Cristina Y tú, ¿qué le dices?

Clara Que no quiero, que no me apetece, y cuando me enfado mucho, que no me da la gana. Al final siempre acabamos discutiendo.

Cristina Tranquila, ¡ya se le pasará!

@ www.bescherelle.com

## Ordonner

**Te ordeno que vengas.** Je t'ordonne de venir.
**Te lo mando yo.** C'est moi qui te l'ordonne.
**¡Que te calles! ¡Escúchame!**
Je te demande de te taire! Écoute-moi!

## Interdire

**Está prohibido fumar.** Il est interdit de fumer.

**Le prohíbo que me hable en ese tono.**

Je vous interdis de me parler sur ce ton.

**No te permito que se lo digas.** Je ne te permets pas de le lui dire.

**"Prohibido fijar carteles"** « Défense d'afficher »

## Refuser d'obéir

**No quiero hacerlo. No me da la gana.**

Je ne veux pas le faire. Je n'en ai pas envie.

**¡Ya te he dicho que no te obedeceré! Déjame en paz.**

Je t'ai déjà dit que je ne t'obéirai pas! Fiche-moi la paix.

**Me niego./¡Ni hablar!** Je refuse./Pas question!

### ⬜ Lexique

| Verbes et expressions | mandar | Noms |
|---|---|---|
| **ordenar** | ordonner, commander, | **la orden** |
| ordonner | demander | l'ordre |
| **dar** (v. irr.) **una orden** | **negarse** (v. irr. e>ie) **a** | **la prohibición** |
| donner un ordre | **hacer algo** | l'interdiction |
| **prohibir** | refuser de faire qqch. | |
| interdire, défendre | | |

### **&** Notez bien

■ Notez les différents sens du verbe **mandar** : ordonner, commander, demander, mais aussi envoyer → p. 319.

> **Me mandó que viniera.** Il m'a demandé de venir.
>
> **Le he mandado un regalo para su cumpleaños.**
>
> Je lui ai envoyé un cadeau pour son anniversaire.

■ Le verbe **ordenar** a aussi le sens de ranger.

> **Ha ordenado su habitación.** Il a rangé sa chambre.

**Traduction du texte p. 251**

Bavardage entre copines... / Clara « Range ta chambre, ne regarde pas autant la télé, fais-ci, fais-ça... » Depuis que ma sœur a eu ses dix-huit ans, elle est insupportable, elle n'arrête pas de me donner des ordres. / Cristina Et, qu'est-ce que tu lui réponds ? / Clara Que je ne veux pas, que ça ne me dit rien et quand je suis très fâchée, que je n'en ai pas envie. À la fin, nous finissons toujours par nous disputer. / Cristina Ne t'inquiète pas, ça lui passera !

## 35 Exprimer l'intention, le but

*En la oficina...*
Horacio No comprendo la reacción que ha tenido Rubén en la reunión. ¿Qué pretende?
Yolanda Está muy claro, el puesto de subdirector se libera dentro de unos días y tiene la intención de ocuparlo.
Horacio ¿Y para eso tiene que despreciar el trabajo de los demás?
Yolanda Lo ha hecho para llamar la atención del director. Su único objetivo es el poder.
Horacio Pues no pienso apoyarlo en absoluto. Es más, voy a hacer todo lo contrario. Yo también quiero ascender.

*@ www.bescherelle.com*

## Exprimer l'intention

**Tengo la intención de volver a estudiar.**
*J'ai l'intention de reprendre mes études.*
**Pienso comprar su nuevo libro sin falta.**
*Je ne manquerai pas d'acheter son nouveau livre.*
**Cuento quedarme allí tres semanas.**
*Je compte rester là-bas trois semaines.*
**He previsto invitarlo a cenar.**
*J'ai prévu de l'inviter à dîner.*
**Pensamos alquilar un barco.**
*Nous comptons louer un bateau.*

## Exprimer le but

**Le escribo con el fin de pedirle ciertas aclaraciones.**
*Je vous écris afin de vous demander quelques précisions.*
**Mi objetivo en la vida es ser feliz.**
*Mon but dans la vie, c'est d'être heureuse.*
**Lo he hecho para que te sientas mejor.**
*Je l'ai fait pour que tu te sentes mieux.*

## 🗐 Lexique

**Verbes et expressions**
**tener** (v. irr.) **la intención/el propósito de**
avoir l'intention de/compter [faire qqch.]
**pensar** (v. irr. e>ie) **hacer algo**
compter faire qqch.

**Noms**
**el fin, la finalidad**
le but
**el objetivo**
l'objectif, le but
**el proyecto**
le projet

**Traduction du texte p. 253**
Au bureau... / **Horacio** Je ne comprends pas la réaction qu'a eu Rubén lors de la réunion. Que veut-il? / **Yolanda** C'est très clair. Le poste de sous-directeur se libère dans quelques jours et il a l'intention de l'obtenir. / **Horacio** Et c'est pour cela qu'il doit dénigrer le travail des autres? / **Yolanda** Il l'a fait pour attirer l'attention du directeur. Son seul but est le pouvoir. / **Horacio** Eh bien, je pense que je ne vais absolument pas le soutenir. En fait, je vais même faire tout le contraire. Moi aussi je veux avoir de l'avancement.

## 36 Exprimer l'obligation, le besoin

*¡Qué fin de semana!...*
**Alba** Este fin de semana tenemos que hacer muchas cosas.
**Vicente** Pues yo que no quería hacer nada...
**Alba** Sí, pero... hay que arreglar la casa, llevar el coche al garaje, cambiar tus pantalones, ir de compras...
**Vicente** ¿Ir de compras?
**Alba** Sí, he adelgazado mucho y ¡me hace falta de todo!
**Vicente** También necesitas a alguien que te acompañe, claro. Pero da la casualidad de que yo debo descansar; me lo dijo el médico.
**Alba** Te lo dijo el mes pasado, cuando tuviste la gripe. Ahora estás en plena forma, así que no tienes excusa.
**Vicente** ¡Qué fin de semana me espera!

@ www.bescherelle.com

# Exprimer l'obligation

**Tienes que terminar esto para mañana.**
Tu dois finir ceci pour demain.
**Debo quedarme con mis hermanos este fin de semana.**
Je dois garder mes frères ce week-end.
**Hay que regar esta planta dos veces por semana.**
Il faut arroser cette plante deux fois par semaine.
**La obligación de los padres es educar a sus hijos.**
Les parents ont pour obligation d'éduquer leurs enfants.

# Exprimer le besoin

**Necesito unos días de vacaciones.**
J'ai besoin de quelques jours de vacances.
**¿Qué más te hace falta?**
Tu as besoin de quelque chose d'autre?
**Tu presencia me es imprescindible para esa cita.**
Ta présence m'est indispensable pour ce rendez-vous.

## 📖 Lexique

| Verbes | Noms | Ser (être) + adjectifs |
|---|---|---|
| **deber** + infinitivo | **la obligación** | **obligatorio** |
| devoir + infinitif | l'obligation | obligatoire |
| **tener que** + infinitivo | **el deber** | **necesario** |
| devoir + infinitif | le devoir | nécessaire |
| **hay que** + infinitivo | **la necesidad** | |
| il faut + infinitif | le besoin | |
| **necesitar** | | |
| avoir besoin de | | |
| **hacer falta** | | |
| falloir | | |

■ **Hacer falta** et **necesitar** ont beau vouloir dire la même chose, leur construction est pourtant très différente (celle du premier verbe étant la même que celle du verbe **gustar**).

**Me hace falta una semana/Me hacen falta dos semanas para tenerlo listo.**
*Il me faut une semaine/deux semaines pour que ce soit prêt.*

**Necesito más tiempo para decidirme.**
*J'ai besoin de plus de temps pour me décider.*

■ Le verbe devoir se traduit par **tener que** + infinitif ou par **deber** + infinitif lorsque l'obligation est plutôt d'ordre morale.

**Tengo que estudiar más, se acercan los exámenes.**
*Je dois étudier plus, la date des examens approche.*

**No debes mentir a tus amigos.** *Tu ne dois pas mentir à tes amis.*

■ Pour exprimer l'obligation impersonnelle (*il faut*), on utilise **hay que** + infinitif.

**Esta situación es insoportable, hay que hacer algo.**
*Cette situation est intenable, il faut faire quelque chose.*

■ La construction **deber de** indique la probabilité (➜ p. 294).

**Debe de estar al llegar.** *Il doit être sur le point d'arriver.*

---

**Traduction du texte p. 254**

Drôle de week-end… / Alba Ce week-end, nous avons plein de choses à faire. / Vicente Et moi qui ne voulais rien faire… / Alba Oui, mais il faut ranger la maison, amener la voiture chez le garagiste, échanger ton pantalon, faire les magasins… / Vicente Faire les magasins ? / Alba Oui, j'ai beaucoup maigri, et je n'ai plus rien à me mettre ! / Vicente Et tu as besoin de quelqu'un pour t'accompagner, bien sûr ! Mais voilà, moi, je dois me reposer, c'est le médecin qui me l'a dit. / Alba Il te l'a dit le mois dernier, quand tu as eu la grippe. Là, tu es en pleine forme, tu n'as pas d'excuse. / Vicente Drôle de week-end en perspective !

# 37 Être capable de faire, réussir à faire quelque chose

*¡Cuánto ha cambiado!*

Manu ¿Te acuerdas de Marcelino?

Isi ¿Ese chico tan alto que estudiaba con nosotros el primer año de facultad? ¡Claro que me acuerdo! ¡Mira que era patoso! Siempre que lo elegíamos de portero perdíamos; era incapaz de parar un gol. Y en los estudios, no aprobaba nunca.

Manu Pues ha cambiado mucho. No sé qué hizo después de abandonar la universidad, pero ahora es director general de un gran banco, se pasea en un descapotable y su casa no está nada mal. Se puede decir que ha triunfado en la vida.

Isi ¿Y cómo sabes todo eso?

Manu Porque me lo encontré el otro día en la calle, fuimos a su casa a tomar algo y estuvimos charlando un rato.

@ www.bescherelle.com

## Être capable

**Déjame, puedo hacerlo sin tu ayuda.**
*Laisse-moi, je peux le faire sans ton aide.*
**Se le dan muy bien los idiomas.** *Il est très doué pour les langues.*
**Soy capaz de defenderme solo.**
*Je suis capable de me défendre tout seul.*
**Se las apaña muy bien en el extranjero.** *(fam.)*
*Elle se débrouille très bien à l'étranger.*
**Se desenvuelve muy bien en las situaciones delicadas.**
*Il sait très bien se tirer de situations délicates.*

## Être incapable

**No sé montar a caballo.** *Je ne sais pas monter à cheval.*
**Está por encima de mis capacidades.** *C'est au-dessus de mes capacités.*
**Se le da mal la informática; es un negado.**
*Il n'est pas bon en informatique ; il est nul.*

# Réussir

**Consigue todo lo que se propone.**
Il réussit tout ce qu'il entreprend.
**Sale adelante en cualquier situación.**
Il se sort de n'importe quelle situation.
**Su nueva empresa es un éxito total.**
Sa nouvelle société est un vrai succès.
**Siempre se las arregla para no pagar.** *(fam.)*
Elle s'arrange toujours pour ne pas payer.

# Échouer

**Han perdido todos los partidos.**
Ils ont perdu tous les matchs.
**Nada le sale bien.**
Rien ne lui réussit.
**Mi negocio ha fracasado.**
Mon affaire a fait faillite.

---

## 📖 Lexique

| Verbes et expressions | conseguir (v. irr. e>i) hacer algo | Noms |
|---|---|---|
| **saber** (v. irr.) **hacer algo** | réussir à faire qqch., | **el éxito** |
| savoir faire qqch. | parvenir à faire qqch. | le succès |
| **apañárselas** *(fam.)* | **tener** (v. irr.) **éxito** | **la victoria** |
| se débrouiller | avoir du succès, réussir | la victoire |
| **desenvolverse** (v. irr. o>ue) | **triunfar** | **el fracaso** |
| s'en sortir | triompher | l'échec |
| **arreglárselas** *(fam.)* | **fracasar** | |
| s'arranger, se débrouiller | échouer | |

**Traduction du texte p. 257**

Qu'est-ce qu'il a changé ! / Manu Tu te souviens de Marcelino ? / Isi Ce garçon si grand qui était avec nous en première année de fac ? Si je me rappelle ! Il était d'une maladresse ! À chaque fois qu'il était gardien de but, nous perdions, il était incapable d'arrêter un seul but. Quant à ses études, il avait de très mauvais résultats. / Manu Eh ben, il a bien changé. Je ne sais pas ce qu'il a fait après avoir abandonné la fac, mais actuellement il est directeur général dans une grande banque, il a un cabriolet et sa maison n'est pas mal du tout. On peut dire que la vie lui a réussi. / Isi Et comment sais-tu tout ça ? / Manu Je l'ai rencontré par hasard l'autre jour dans la rue, nous sommes allés chez lui boire un verre et on a discuté un moment.

# 38 Exprimer la manière, le moyen

*Unos socios...*

Felipe Nada, que no hay manera de hacerle ver que con los medios que tenemos no se puede trabajar, ¡parece que estamos en la Edad Media!

Rosalía Tienes razón, pero no deberías habérselo dicho de esa manera.

Felipe Pero, cómo quieres que se lo diga, ¿cantando?

Rosalía Tienes que tener más tacto con él.

Felipe Mira, ya no aguanto más. Si quieres, mañana vamos a comprar todo lo que nos hace falta y cuando esté hecho ya no podrá decir nada.

Rosalía Sí, pero... a mí no me gusta actuar así. Tenemos que estar los tres de acuerdo.

Felipe Puf... ¡por qué me habré asociado con vosotros!

*@ www.bescherelle.com*

## Exprimer la manière

**Reaccionó rápidamente.**
Il a réagi rapidement.
**El gazpacho se prepara así.**
C'est comme ça qu'on fait le gazpacho.
**Hace sus deberes escuchando música.**
Il fait ses devoirs en écoutant de la musique.
**Yo lo hago a mi manera.**
Moi, je le fais à ma façon.

## Exprimer le moyen

**Tenemos todos los medios para realizarlo.**
On a tous les moyens pour le faire.
**Lo haremos con la ayuda de voluntarios.**
On le fera avec l'aide de bénévoles.
**Hacen su trabajo con técnicas muy avanzadas.**
Ils font leur travail grâce à des techniques très avancées.
**Recorrió toda Europa en bici.**
Elle a parcouru toute l'Europe à vélo.

## Lexique

| | |
|---|---|
| Noms | **la técnica** |
| **el medio** | la technique |
| le moyen | **la manera, la forma** |
| | la manière, la façon |

**Traduction du texte p. 259**

Des associés… / Felipe Impossible de lui faire comprendre qu'avec les moyens dont nous disposons, nous ne pouvons pas travailler. On se croirait au Moyen Âge! / Rosalía Tu as raison, mais tu n'aurais pas dû le lui dire comme ça. / Felipe Et comment veux-tu que je le lui dise, en chantant? / Rosalía Tu dois avoir plus de tact avec lui. / Felipe Moi, je ne tiens plus. Si tu veux, demain nous allons acheter tout ce dont nous avons besoin, et lorsque ça sera fait, il ne pourra plus rien dire. / Rosalía Oui, mais moi… je n'aime pas agir comme ça, il faut que nous soyons tous les trois d'accord. / Felipe Je n'aurais jamais dû m'associer à vous.

## 39 Faire une réclamation

*En el servicio posventa…*

Cliente Buenos días. Vengo a hacer una reclamación.

Empleada Sí, muy bien. ¿De qué se trata?

Cliente Pues mire, es la tercera vez que recibo el mismo pedido en mal estado.

Empleada No se preocupe, solucionaremos su problema lo antes posible. Rellene este impreso con sus datos y el motivo de la reclamación. Dentro de unos días recibirá un nuevo pedido sin gastos suplementarios por su parte y si no queda satisfecho se procederá a la devolución total del importe. ¡Ah!, y la próxima vez no hace falta que se desplace, nuestro servicio de reclamaciones por Internet funciona muy bien.

Cliente Espero que no se repita, ¡esto es una tomadura de pelo!

@ www.bescherelle.com

**Vengo a poner una queja.** *Je viens faire une réclamation.*
**Quisiera decirle que no estamos satisfechos.**
*Je tiens à vous dire que nous ne sommes pas satisfaits.*
**Quiero que se tomen las medidas oportunas.**
*Je veux que l'on prenne les mesures nécessaires.*

**Deme la hoja de reclamaciones.**
*Donnez-moi le livre de réclamations.*
**¡Devuélvame el dinero o hágame un vale!**
*Remboursez-moi ou faites-moi un avoir!*

## 📖 Lexique

| Verbes et expressions | quejarse, protestar | Noms |
|---|---|---|
| **hacer** (v. irr.) **una** | *se plaindre* | **la reclamación** |
| **reclamación, reclamar** | **presentar una queja** | *la réclamation* |
| *faire une réclamation* | *faire une réclamation* | **la queja, la demanda** |
| | | *la plainte* |

### Traduction du texte p. 260

Au service après-vente… / Client Bonjour, je viens faire une réclamation. / Employée Très bien, de quoi s'agit-il? / Client C'est la troisième fois que je reçois le même article en mauvais état. / Employée Ne vous inquiétez pas, nous allons résoudre ce problème au plus vite. Remplissez ce formulaire avec vos coordonnées et le motif de la réclamation. Dans quelques jours, vous recevrez un nouvel article, sans frais supplémentaire, et si vous n'êtes pas satisfait, vous serez remboursé. Et pour la prochaine fois, sachez qu'il n'est pas nécessaire de vous déplacer, notre service de réclamations sur Internet fonctionne parfaitement. / Client J'espère que ça ne se reproduira pas. De qui se moque-t-on?

# 40 Exprimer l'inquiétude, le soulagement

*¡Qué nervios!*
Esther Estoy algo preocupada. Ha dicho que me llamaría a las diez y ya son las diez y cuarto.
Ángel Tranquila mujer, no te pongas nerviosa, por un cuarto de hora… ¡Ya llamará!
Esther ¿Y si le ha pasado algo? Si no llama dentro de quince minutos, llamaré a la policía, o al hospital…
Ángel Pero siempre estás igual; seguro que está en un atasco…
*Ring… ring… ring…*
Esther ¡Ay, por fin, qué alivio!

@ www.bescherelle.com

# Exprimer l'inquiétude

**Estoy nerviosísimo, estoy esperando la nota del examen.**
Je suis très anxieux, j'attends le résultat de mon examen.
**Tengo los nervios de punta.** *(fam.)*
J'ai les nerfs en boule.
**Está preocupado por el porvenir de su hija.**
Il s'inquiète pour l'avenir de sa fille.

# Exprimer le soulagement

**¡Uf, por fin respiro!**
Ouf! Enfin, je respire!
**¡Qué peso se me quita de encima!**
Ça m'enlève une épine du pied! *ou* Quel soulagement!
**Sus palabras me han tranquilizado.**
Ses mots m'ont rassuré.

## 📖 Lexique

| Verbes et expressions | Noms | Estar (être) + adjectif |
|---|---|---|
| **ponerse** (v. irr.) **nervioso** | **los nervios** | **nervioso** |
| angoisser, s'énerver | les nerfs | angoissé, énervé |
| **preocuparse** | **la preocupación** | **preocupado** |
| s'inquiéter, se faire du souci | le souci | inquiet |
| **tranquilizar(se), calmar(se)** | **la tranquilidad** | **tranquilo** |
| (se) calmer | le calme, la tranquillité | calme |

**Traduction du texte p. 261**

L'angoisse! / **Esther** Je commence à m'inquiéter. Il a dit qu'il m'appellerait à dix heures et il est déjà dix heures quinze. / **Ángel** Calme-toi, ne t'inquiète pas, ça fait juste un quart d'heure de retard. Il va bien finir par appeler! / **Esther** Mais, et s'il lui est arrivé quelque chose? S'il n'a pas appelé d'ici quinze minutes, j'appelle la police... ou l'hôpital... / **Ángel** Mais, tu ne changeras donc jamais! Il doit être dans un embouteillage... / Dring... dring... dring... / **Esther** Ah, enfin! Quel soulagement!

# 41 Exprimer l'ennui, la colère

*En la oficina...*

**Mario** Estoy harto de Carlos. En cuanto no salen las cosas como él quiere, ¡se pone como una fiera!

**Fonso** Sí, ¡tiene un pronto! A mí, me saca de quicio. No veas qué numerito me montó ayer porque llegué media hora tarde. Bueno, cuando llego pronto es lo mismo: solo mi presencia le pone los nervios de punta.

**Mario** Es verdad. El otro día no sé quién dijo algo de lo bien que habías llevado el último caso y, ¡vaya bronca que le echó! Se coge unos mosqueos... ¡Qué borde!

**Fonso** Bah, yo creo que me tiene manía. Total, ¡por un par de coches que le abollé! ¡No es para tanto!

**Mario** Nada chico, hay que resignarse, nunca cambiará.

@ www.bescherelle.com

## Exprimer l'ennui

**¡Qué fastidio! Mañana tengo que madrugar.**
Quelle barbe! Demain je dois me lever tôt.
**Siempre está dando la lata con sus historias.** *(fam.)*
Qu'est-ce qu'il nous embête avec ses histoires!
**Al final, la semana que viene no hacemos puente. ¡Qué rabia!**
Finalement, la semaine prochaine, on ne fait pas le pont. C'est rageant!
**Me fastidia tener que gastar dinero en eso.**
Ça m'ennuie de devoir dépenser de l'argent pour cela.
**¡Vaya rollo de película!** *(fam.)* **¡Qué aburrimiento!**
Qu'est-ce qu'il est nul, ce film... un vrai navet!

## Exprimer la colère

**¿Te estás burlando de mí?**
Tu te moques de moi?
**¡Qué se fastidie!** *(fam.)* **¡No pienso llamarlo!**
Il peut toujours attendre! Je n'ai pas l'intention de l'appeler.
**¡Estoy hasta las narices!** *(fam.)*
J'en ai plus que marre!

**¡Le voy a echar una bronca!** *(fam.)*

Je vais lui passer un de ces savons !

**Cada vez que voy a tomar una copa con mi ex, mi novio se cabrea.** *(fam.)*

Chaque fois que je prends un verre avec mon ex, mon copain se fout en rogne.

## 📖 Lexique

**Verbes**

**fastidiar**
ennuyer
**discutir, pelearse**
se disputer
**cabrearse** *(fam.)*
se foutre en rogne

**Noms**

**el fastidio**
l'ennui
**la discusión, la pelea, la riña**
la dispute

➜ p. 52 (Querelles et réconciliation)

## &️ Notez bien

■ Indépendamment de l'intensité de la colère que l'on ressent, le verbe **enfadarse** est largement le plus utilisé et traduit les idées de *se fâcher, se mettre en colère, bouder, faire la tête…*
En Amérique latine, on préfère **enojarse**.

■ **Pelearse** peut avoir le sens de *se disputer* (attitude verbale) ou de *se battre* (action physique).

■ Le verbe **reñir** change de sens selon la préposition qui l'accompagne.

**reñir** (v. irr. e>i) **a alguien** *gronder qqn*

**reñir** (v. irr. e>i) **con alguien** *se disputer avec qqn, se brouiller avec qqn*

■ Attention aux termes **discusión** et **discutir**, qui expriment une forte idée de dispute et non un simple bavardage.

---

**Traduction du texte p. 263**

Au bureau… / **Mario** J'en ai marre de Carlos. Dès que les choses ne marchent pas comme il veut, il se met en colère. / **Fonso** Oui, il a de ces sautes d'humeur ! Il me met hors de moi. Je ne te raconte pas la scène qu'il m'a faite hier parce que je suis arrivé avec une demi-heure de retard. De toute façon, quand j'arrive en avance c'est pareil, ma seul présence l'énerve. / **Mario** C'est vrai. L'autre jour quelqu'un a dit du bien sur le dernier dossier que tu as traité et il lui a passé un de ces savons ! Il s'emporte très facilement… qu'est-ce qu'il est pénible ! / **Fonso** Bah, je crois qu'il m'en veut, tout ça parce que je lui ai cabossé deux voitures ! Il exagère ! / **Mario** Laisse, il faut se résigner, il ne changera jamais.

# 42 Exprimer la confiance, la méfiance

*Un secreto...*

Charo Hoy en día no se puede confiar en nadie, excepto en ti. Sé que no repetirás nunca lo que te voy a contar.

Puri Dime, dime, ya sabes que puedes contar con mi discreción. Yo sé guardar un secreto, no como Dori, que es tan indiscreta que no le puedes decir nada. Yo, en cambio, soy una tumba. A propósito... *(bajando la voz)* Sale con un hombre casado...

Charo Pero, ¿qué me dices?, ¿en serio?

Puri Y tanto que es verdad, me lo contó ella misma el otro día. Pero que quede entre nosotras ¿eh?, no se lo digas a nadie, ¿vale?

Charo Tranquila mujer, ya sabes que nunca traicionaré a una amiga.

@ www.bescherelle.com

## Exprimer la confiance

**Sergio se fía de todo el mundo.**
*Sergio fait confiance à tout le monde.*
**No te preocupes, es de fiar** *ou* **de confianza.**
*Ne t'inquiète pas, c'est quelqu'un de confiance.*
**Confía en mí, ¡no tengas miedo!**
*Fais-moi confiance, n'aie pas peur !*
**¡Increíble! Te has ganado su confianza.**
*Incroyable ! Tu as gagné sa confiance.*

## Exprimer la méfiance

**No tengo ninguna confianza en él.**
*Je n'ai aucune confiance en lui.*
**No se fía ni de su propia sombra.**
*Il n'a confiance en personne.*
**Eso es una falta de confianza.**
*C'est un manque de confiance.*

**Desconfía de él.**
Méfie-toi de lui.
**No me fío ni un pelo del nuevo contable.** *(fam.)*
Je me méfie énormément du nouveau comptable.

## 📖 Lexique

| Verbes et expressions | Noms | Ser (être) + adjectifs |
|---|---|---|
| **confiar en alguien** | **la confianza** | **confiado** |
| avoir confiance en qqn | la confiance | confiant |
| **desconfiar de alguien** | **la desconfianza** | **desconfiado** |
| se méfier de qqn | la méfiance | méfiant |

➜ p. 49 (La confianza), ➜ p. 51 (La méfiance)

## & Notez bien

■ Attention aux différentes prépositions qui peuvent accompagner le verbe **confiar** et **confiarse**.

**confiar en alguien** avoir confiance en qqn, faire confiance à qqn

**confiarse a alguien** se confier à qqn

■ En revanche, on utilise la préposition **de** avec **fiarse** et **desconfiar**.

**fiarse de alguien** faire confiance à qqn

**desconfiar de alguien** se méfier de qqn

**Traduction du texte p. 265**

Un secret… / Charo Aujourd'hui, je ne fais confiance à personne, sauf à toi. Je sais que tu ne répéteras jamais ce que je vais te raconter. / Puri Raconte, tu sais bien que tu peux compter sur ma discrétion. Moi, je sais garder un secret, je ne suis pas comme Dori, elle est si indiscrète qu'on ne peut rien lui dire. Moi, par contre, je suis une tombe. Au fait… (en baissant la voix) Elle sort avec un homme marié… / Charo Mais, qu'est-ce que tu me racontes, t'es sérieuse ? / Puri Je te jure que c'est vrai, c'est elle-même qui me l'a dit l'autre jour. Mais, que ça reste entre nous, hein ? Ne le dis à personne, promis ? / Charo Ne t'inquiète pas, tu sais que je ne trahirais jamais une amie.

# 43 Exprimer la déception, la peine, la résignation

*Todo va mal...*

Alberto ¡Pobre Luis! ¡Qué mala suerte tiene en este momento!

Marce ¿Qué le pasa? Es verdad que parece que está decaído.

Alberto Pobre, debe de estar muy disgustado, no es fácil levantar cabeza después de todo lo que le ha pasado. Da pena verlo en ese estado...

Marce Pero, ¿realmente qué es lo que le pasa? Yo sabía lo del canario, pero eso ya lo había superado.

Alberto Sí, eso sin contar con su último desengaño amoroso, su decepción porque su hijo suspendió las oposiciones y, además...

Marce Sí, pero bueno, tampoco es para tanto, eso no es nada. Si supiera lo que es sufrir de verdad... ¡Ya es la segunda vez esta temporada que mi equipo de fútbol pierde en casa!

*@ www.bescherelle.com*

## Exprimer la déception

**¡Menudo chasco! Estaba convencido de que nos ayudaría.**
Quelle déception ! J'étais convaincu qu'il nous aiderait.

**El pobre va de desengaño en desengaño.**
Le pauvre, il va de désillusion en désillusion.

**¡Vaya por Dios! Acabo de perder el autobús por los pelos.**
Zut alors ! Je viens de rater le bus de justesse.

**¡Qué pena! Parecía tan fácil...** Dommage ! Ça avait l'air si facile...

**¡Qué decepción! No me lo esperaba.**
Quelle déception ! Je ne m'attendais pas à cela.

**Me has decepcionado por completo.** Tu m'as vraiment déçu.

**¡Desengáñate! No es generosidad sino puro cálculo.**
Détrompe-toi ! Ce n'est pas de la générosité mais du calcul.

## Exprimer la peine

**Está disgustado por la noticia que ha recibido.**
Il est très peiné par la nouvelle qu'on lui a annoncée.

**César me da pena, ¡tiene tantos problemas!**
*César me fait de la peine, il a tellement de problèmes!*
**Está muy triste, no para de llorar.**
*Il est très triste, il n'arrête pas de pleurer.*
**Tu actitud me apena.** *Ton attitude me peine.*
**¿Has roto con Cristóbal? ¡Qué pena! Con la buena pareja que hacíais...**
*Tu n'es plus avec Cristóbal? Quel dommage! Vous alliez tellement bien ensemble...*
**Sufre mucho por la separación de sus padres.**
*Il souffre beaucoup de la séparation de ses parents.*
**Estoy muy triste, se ha muerto mi perro.**
*Je suis très triste, mon chien est mort.*

## Exprimer la résignation

**¡Qué se le va a hacer!** *On n'y peut rien.*
**Confórmate con lo que tienes.** *Contente-toi de ce que tu as.*
**Me aguantaré, si no hay otro remedio.**
*Je ferai avec, si je n'ai pas le choix.*

---

### 📖 Lexique

**Verbes et expressions**
**desilusionarse**
être déçu
**decepcionar** décevoir
**decepcionarse**
être déçu
**disgustarse**
être navré, éprouver
du chagrin
**sufrir** souffrir

→ p. 54 (La tristesse)

**tener** (v. irr.)**/dar** (v. irr.) **pena**
avoir/faire de la peine
**resignarse** se résigner
**conformarse con algo**
se contenter de qqch.

**Noms**
**la desilusión**
la déception, la désillusion
**la decepción** la déception

**el disgusto** la contrariété
**el sufrimiento** la souffrance
**la resignación** la résignation

**Adjectifs**
**estar triste** être triste
**estar desilusionado**
être déçu
**ser decepcionante**
être décevant

---

**Traducción du texte p. 267**
Rien ne va plus... / Alberto Pauvre Luis! En ce moment, ça ne marche pas fort pour lui! /
Marce Qu'est-ce qu'il a? C'est vrai qu'il a l'air abattu. / Alberto Le pauvre, il doit être très
malheureux, pas facile de remonter la pente après tout ce qu'il lui est arrivé. C'est triste de le voir
dans cet état-là... / Marce Mais, que lui arrive-t-il au juste? Je savais pour son canari, mais il s'y
était résigné. / Alberto Oui, mais c'était sans compter son dernier chagrin d'amour, la déception
occasionnée par l'échec de son fils à son concours, et puis... / Marce Oui mais bon, en même
temps, il n'y a pas de quoi en faire un drame, c'est rien ça... S'il connaissait la vraie souffrance!
Cette saison, ça fait deux fois que mon équipe de foot perd un match à domicile!

# 44 Exprimer la satisfaction, l'insatisfaction

*El trabajo bien hecho...*

Talia ¡Por fin hemos terminado! ¡Creo que nos ha quedado perfecto!

Félix ¿Perfecto? ¡Qué exagerada!... No es para tanto, siempre se puede mejorar. Yo no creo que esté tan bien y además la portada es horrible... no sé, creo que le falta algo...

Talia Tú, siempre igual, nunca estás contento con nada de lo que haces. Eres demasiado exigente contigo mismo.

Félix Sí, claro. Para ti todo es muy fácil: escribes un libro y ¡es número uno en ventas! Cualquier día haces una película y ganas un Óscar... ¡Así cualquiera no está satisfecho de sí mismo!

@ www.bescherelle.com

## Exprimer la satisfaction

**Estoy satisfecho del resultado. Es justo lo que yo quería.**
Je suis satisfait du résultat. C'est tout à fait ce que je voulais.

**Le estoy tomando gusto a mi trabajo.**
Je commence à prendre goût à mon travail.

**Estamos muy contentos de tu éxito. Estamos orgullosos de ti.**
Nous sommes très contents de ton succès. Nous sommes fiers de toi.

**Da gusto trabajar con Bárbara; todo le parece bien.**
C'est un plaisir de travailler avec Bárbara, tout lui convient.

**El chalé que alquilamos para las vacaciones era perfecto. ¡Tenemos que volver!**
Le chalet que nous avons loué pour les vacances était vraiment parfait. Il faut qu'on y retourne !

## Exprimer l'insatisfaction

**No me esperaba eso.**
Je ne m'attendais pas à cela.

**Nunca os conformáis con nada.**
Vous ne vous contentez jamais de rien.

**Siempre te estás quejando, ¡qué protestón eres!**
Tu es un râleur, tu n'arrêtes pas de te plaindre!
**Estoy harto de levantarme pronto.** *(fam.)*
J'en ai assez de me lever tôt.
**Se pasa el día protestando.**
Il se plaint à longueur de journée.

## 📖 Lexique

| Verbes | Noms | Estar (être) + adjectifs |
|---|---|---|
| **protestar** | **la satisfacción** | **satisfecho** |
| râler | la satisfaction | satisfait |
| **quejarse** | **la insatisfacción** | **insatisfecho** |
| se plaindre | l'insatisfaction | insatisfait |
| | | **contento** |
| | | content |
| | | **descontento** |
| | | mécontent |

**Traduction du texte p. 269**
Le travail bien fait... / Talia Enfin nous avons fini! Le résultat me semble parfait. / Félix Parfait?
Non mais, ça va pas?!... Il ne faut pas exagérer, ça peut toujours s'améliorer. Je ne crois pas que ce
soit si bien que ça et en plus la couverture est horrible... je ne sais pas, je pense qu'il lui manque
quelque chose... / Talia Avec toi, c'est toujours pareil, tu n'es jamais content de ce que tu fais.
Tu es trop exigeant avec toi-même. / Félix Évidemment. Pour toi tout est très facile : tu écris un
livre et c'est un best-seller, un jour tu feras un film et tu gagneras un Oscar... Dans ces conditions,
c'est facile d'être content de soi-même!

## 45 Exprimer la surprise, la joie

*En casa de Ramón...*
Azucena ¡Qué fiesta más bien organizada! ¡Está genial!
Ramón Y eso no es todo. Falta lo mejor, la sorpresa final.
Azucena ¿El qué? ¡Dímelo!
Ramón ¡Que viene Óscar!
Azucena ¡Óscar! ¡Qué me dices! ¿De verdad?
Ramón ¡Que sí!
Azucena ¡Qué alegría, hace siglos que no lo veo!

@ www.bescherelle.com

# Exprimer la surprise

**No sé qué decir, me ha cogido por sorpresa.**
Je ne sais pas quoi dire, il m'a pris au dépourvu.
**¡No me digas! ¡No me lo puedo creer!**
Ce n'est pas vrai! Je n'arrive pas à y croire!
**¿Te parece raro que haya dicho eso? Pues a mí no me extraña.**
Tu trouves bizarre qu'il ait dit ça ? Moi, ça ne m'étonne pas.
**Cuando le di la noticia se quedó boquiabierto.**
Quand je lui ai annoncé la nouvelle, il est resté bouche bée.
**¡Anda! ¿Y eso? ¿En serio?** Tiens! Comment ça? Sérieux?

# Exprimer la joie

**¡Vivan las vacaciones!** Vive les vacances!
**¡Me alegro tanto de que hayas venido!**
Je suis tellement content que tu sois venu!
**A la mínima, se parte de risa.**
À la moindre occasion, il éclate de rire.
**Está tan contento que da saltos de alegría.**
Il est si content qu'il saute de joie.
**¡Qué orgullosa estoy de ti, hijo mío!**
Qu'est-ce que je suis fière de toi, mon fils!

## 📖 Lexique

| Verbes | Noms | Estar (être) + adjectifs |
|---|---|---|
| **alegrarse (de)** | **la alegría** | **alegre** |
| être content (de), se réjouir (de) | la joie | joyeux |
| **sorprenderse, extrañarse** | **la risa** | **contento** |
| s'étonner, être surpris | le rire | content |
| **asombrarse** | **la sorpresa** | **sorprendido** |
| s'étonner | la surprise | surpris |
| **reír(se)** (v. irr. e>i) | **el asombro** | |
| rire | l'étonnement | |

→ p. 54 (La surprise), → p. 53 (La joie et le bonheur)

**Traduction du texte p. 270**
Chez Ramón… / Azucena Qu'est-ce qu'elle est bien organisée, ta soirée! C'est génial! / Ramón Et ce n'est pas tout! Le meilleur est à venir ; la surprise finale! / Azucena Quoi? Dis-le-moi! / Ramón Óscar vient aussi! / Azucena Óscar! Qu'est-ce que tu racontes! C'est vrai? / Ramón Ben oui! / Azucena Je suis trop contente! Ça fait un bail que je ne l'ai pas vu!

## 46 Exprimer l'admiration, le mépris

> *Cotilleos...*
>
> Laura No te puedes imaginar cómo está Ángela con su nieta. ¡Se le cae la baba!
>
> Sofía Ya, ya lo he visto. En cambio, su marido ¡como si no existiera!
>
> Laura Pues sí, lo trata como un cero a la izquierda...
>
> Sofía Pobre Juan, ¡con lo bueno que es! ¡Admiro su paciencia!
>
> Laura No me extrañaría que un día de estos él le pidiera el divorcio...
>
> @ www.bescherelle.com

## Exprimer l'admiration

**Es una persona digna de admiración.** C'est quelqu'un digne d'admiration.
**Tiene a Olvido en un pedestal.** Il met Olvido sur un piédestal.
**Solo tiene ojos para él.** Elle n'a d'yeux que pour lui.
**Siento una gran admiración por su talento artístico.**
J'éprouve une grande admiration pour son talent artistique.
**Le tengo mucha estima. Siempre está ahí cuando se le necesita.**
Je l'apprécie beaucoup. Il est toujours là quand on a besoin de lui.

## Exprimer le mépris

**Mira a todo el mundo por encima del hombro.**
Elle regarde tout le monde par-dessus l'épaule.
**No hace más que humillarla delante de todos.**
Il ne cesse de l'humilier devant tout le monde.
**Despreciando así a los demás, solo conseguirás crearte enemigos.**
En méprisant comme ça les autres, tu vas finir par te faire plein d'ennemis.
**No le falta ocasión para hacerme de menos.**
Il ne rate pas une occasion de me rabaisser.
**¡Dices las cosas con un desprecio!** Quel ton méprisant!
**Tu actitud es vergonzosa.** Ton attitude est honteuse.
**No valora nada mis esfuerzos. Estoy harta de que me subestime.**
Elle ne reconnaît pas du tout mes efforts. J'en ai assez qu'elle me sous-estime.

## 📖 Lexique

| Verbes | Noms | Ser (être) + adjectifs |
|---|---|---|
| **admirar** admirer | **la admiración** | **admirado** |
| **despreciar, menospreciar** | l'admiration | admiré |
| mépriser | **el desprecio,** | **despreciado** |
| **humillar** | **el menosprecio** | méprisé |
| humilier | le mépris | **humillante** |
| **subestimar** | **la humillación** | humiliant |
| sous-estimer | l'humiliation | |

➡ p. 50 (L'admiration), ➡ p. 51 (Le mépris)

### Traduction du texte p. 272

Quelques potins… / Laura Tu n'imagines pas comment est Ángela avec sa petite-fille ; elle en est gaga ! / Sofía Oui, j'avais déjà remarqué. Par contre, son mari, elle le néglige complètement. / Laura Oui, elle le traite comme un moins que rien. / Sofía Pauvre Juan, il est si gentil ! J'admire sa patience ! / Laura Ça ne m'étonnerait pas qu'un de ces quatre, il demande le divorce…

# 47 Parler des relations entre personnes

*Cinco años después…*

Virginia A ver, cuéntame, ¡cinco años sin vernos es mucho! ¿Sigues viviendo con César?

Blanca Sí, nos va todo muy bien.

Virginia Me acuerdo de cuando lo conocimos. ¡Lo vuestro fue un auténtico flechazo!

Blanca Todavía me acuerdo. ¡Estábamos tan enamorados!

Virginia Os quisisteis desde el primer momento. ¡Lo que te pude odiar!, porque a mí también me gustaba…

Blanca ¿De verdad? Nunca me lo dijiste.

Virginia Bah, eso fue al principio, luego me di cuenta de que no era mi tipo. Además, para mí, era más importante nuestra amistad.

@ www.bescherelle.com

# Relations cordiales

**Nos conocemos de toda la vida.** On se connaît depuis toujours.

**Es como un hermano para mí, nos queremos muchísimo.**
C'est comme un frère pour moi, on s'aime beaucoup.

**Conozco muy bien a Mar, salimos juntos durante nueve años.**
Je connais très bien Mar, nous sommes sortis ensemble pendant neuf ans.

**A ese chico lo conozco de vista, vivía en mi barrio.**
Je connais ce garçon de vue, il habitait dans mon quartier.

**El nuevo profesor es majísimo. Me cae genial.**
Le nouveau prof est très sympa. Je le trouve super.

**Te quiero. Estoy loco por ti.** Je t'aime. Je suis fou de toi.

**Le tengo mucho cariño.** Je lui porte beaucoup d'affection.

**Creo que me he enamorado.** Je crois que je suis amoureuse.

**Se lleva bien con todo el mundo.** Il s'entend bien avec tout le monde.

> ## & Notez bien
>
> ■ Lorsque l'on fait référence à des personnes, le verbe **querer** signifie aimer et non pas vouloir.
>
> **Quiero mucho a mi abuela, me eduqué con ella.**
> J'aime beaucoup ma grand-mère, c'est elle qui m'a élevée.
>
> mais
>
> **Quiero cambiar de coche.** Je veux changer de voiture.

# Relations tendues

**Se lleva muy mal con sus hermanas.**
Il s'entend très mal avec ses sœurs.

**No te soporto, ¡no hay quien viva contigo!**
Je ne te supporte pas, tu es invivable !

**El maestro me tiene manía. ¡Ha vuelto a castigarme!**
Le maître m'a pris en grippe. J'ai encore été puni !

**Odia a las personas hipócritas.** Elle déteste les gens hypocrites.

**No aguanto más tus tonterías.** Je ne supporte plus tes bêtises.

**Es insoportable estar contigo.**
C'est insupportable d'être avec toi.

**A Antonio no lo trago** (fam.)**, ¡no puedo ni verlo!**
Antonio, je ne peux pas le saquer, je ne peux pas le voir !

## 📖 Lexique

| Verbes et expressions | Noms | Ser (être) + nom |
|---|---|---|
| **querer** (v. irr. e>ie), **amar** | **el amor** l'amour | **novios** fiancés |
| aimer | **el cariño** | **amigos** amis |
| **odiar** | l'affection, la tendresse | **colegas** (fam.) potes |
| haïr, détester | **el odio** la haine | **compañeros de trabajo** |
| **convivir con alguien** | **la amistad** l'amitié | collègues |
| vivre avec qqn | **la convivencia** | **compañeros de clase** |
| **salir** (v. irr.) **con alguien** | la vie en commun | camarades de classe |
| sortir avec qqn | | **vecinos** voisins |

➜ p. 49 (Les relations avec autrui)

**Traduction du texte p. 273**

Cinq ans plus tard... / Virginia Alors, raconte-moi. Cinq ans sans se voir, c'est énorme! Tu vis toujours avec César? / Blanca Oui, ça se passe très bien. / Virginia Je me rappelle quand nous l'avons rencontré. Ça a été le coup de foudre entre vous! / Blanca Oui, je me souviens encore. Nous étions si amoureux! / Virginia Vous vous êtes aimés dès le premier instant. Tu ne peux pas savoir comment je t'ai détestée, parce qu'il me plaisait, à moi aussi. / Blanca C'est vrai? Tu ne me l'avais jamais dit. / Virginia Bah! C'était au début, après je me suis rendu compte qu'il n'était pas mon style de mec. En plus, pour moi, notre amitié était plus importante.

## 48 Exprimer ses sensations

*Al llegar a casa por la noche...*

Gema ¡Hola!, ¡qué bien huele! ¿Qué has preparado de cena? ¡Tengo un hambre que me muero!

Camilo Es una receta nueva, ¿quieres probarlo?

Gema Sí, ¡qué buena pinta tiene! Solo de verlo se me hace la boca agua. ¡Puaf! ¡Qué asco! ¿Qué es esto?

Camilo ¿Eres tonta o qué?, ¿no ves que es la comida del perro? Anda, prueba esto otro, ya verás...

Gema ¡Humm! Está buenísimo.

Camilo Pues venga, vamos a cenar. Pon tú la mesa que yo estoy hecho polvo, ¡no he parado en todo el día! Esta tarde me he llevado un susto de muerte, me han llamado del hospital para decirme que Luis había tenido un accidente con la moto. Al principio, ¡he pasado un miedo!, porque claro, como siempre corre tanto..., pero al final todo se ha quedado en nada, solo algunos arañazos. ¡Qué difícil es ser padre!

@ www.bescherelle.com

## Exprimer ses sensations

**¡Qué calor! ¡Tengo una sed!**
*Qu'est-ce qu'il fait chaud! J'ai une de ces soifs!*
**¡Qué frío hace aquí! Estoy helado.**
*Qu'est-ce qu'il fait froid ici! Je suis gelé.*
**¡Tengo un sueño! Hoy estoy muy cansada.**
*Qu'est-ce que j'ai sommeil! Aujourd'hui je suis très fatiguée.*
**¡Qué susto me has dado! ¿Cómo has entrado?**
*Tu m'as fait peur! Comment es-tu entré ?*
**No sé qué me pasa, estoy muy nervioso.**
*Je ne sais pas ce qui m'arrive, je me sens très anxieux.*
**¡Tengo un hambre!**
*J'ai une de ces faims!*
**¡Qué vergüenza he pasado!**
*Qu'est-ce que j'ai eu honte!*
**Martín tiene miedo a la oscuridad. Siempre duerme con una luz encendida.**
*Martin a peur du noir. Il laisse toujours une lumière allumée pour dormir.*

## Exprimer des perceptions

**Con todo este jaleo no oigo nada.**
*Avec tout ce brouhaha, je n'entends rien.*
**Últimamente veo fatal. Tendría que ir al oculista.**
*Depuis quelque temps ma vue baisse. Il faudrait que j'aille chez l'ophtalmo.*
**¡Qué bien sabe este vino! ¿Me echas un poco más?**
*Qu'il est bon, ce vin! Tu m'en ressers?*
**Mira que agradable es esta tela al tacto.**
*Regarde comme ce tissu est agréable au toucher.*
**¿A qué huele aquí? ¿Has estado fumando?**
*Qu'est-ce que ça sent ici ? Tu as fumé?*

# 🗐 Lexique

| Verbes et expressions | tener (v. irr.) **frío** | Adjectifs |
|---|---|---|
| tener (v. irr.) **hambre/sed** | avoir froid | **estar hambriento/sediento** |
| avoir faim/soif | tener (v. irr.) **calor** | être affamé/assoiffé |
| dar (v. irr.) **asco** | avoir chaud | **ser/estar asqueroso** |
| dégoûter | tener (v. irr.) **sueño** | être dégoûtant |
| tener (v. irr.) **miedo** | avoir sommeil | **ser miedoso** |
| avoir peur | sentir (v. irr. e>ie) **una** | être peureux |
| sentir (v. irr. e>ie) | **sensación** | **estar avergonzado** |
| **vergüenza, avergonzarse** | ressentir, éprouver | avoir honte |
| avoir honte | une sensation | **ser friolero** |
| | | être frileux |

➜ p. 19 (Les sens)

# ▩ Notez bien

■ Les noms qui expriment les sensations (**hambre** faim, **sed** soif, **asco** dégoût…) s'emploient souvent avec la particule exclamative ¡qué…!

> ¡Qué vergüenza! Quelle honte!

■ Ne pas confondre **el miedo**, sensation abstraite et permanente, avec **un susto**, beaucoup plus précis et ponctuel, et qui fait en général sursauter.

> Tiene miedo a los perros. Il a peur des chiens.

> ¡Qué susto me has dado! No te he oído llegar…
> Tu m'as fait peur! Je ne t'ai pas entendu arriver…

■ Les cinq sens qui correspondent aux verbes **ver** voir, **oír** entendre, **tocar** toucher, **oler** sentir et **probar** goûter sont : **la vista** la vue, **el oído** l'ouïe, **el tacto** le toucher, **el olfato** l'odorat et **el gusto** le goût.

**Traduction du texte p. 275**

Le soir, en rentrant chez soi… / Gema Salut! Hmmm, ça sent bon! Qu'est-ce que tu as préparé à dîner? J'ai une de ces faims! / Camilo C'est une nouvelle recette. Tu veux goûter? / Gema Oui, ça a l'air si bon! J'en ai l'eau à la bouche rien qu'à le voir. Beurk! C'est dégoûtant! Qu'est-ce que c'est que ça? / Camilo Mais, tu es bête ou quoi! Tu ne vois pas que c'est la nourriture du chien? Tiens, goûte ça plutôt, tu verras. / Gema Humm! C'est délicieux. / Camilo Alors, on mange. Mets la table, moi, je suis épuisé, je n'ai pas arrêté de la journée! Cet après-midi j'ai eu une de ces peurs! On m'a appelé de l'hôpital pour me dire que Luis avait eu un accident de moto. Au début, j'ai eu peur parce que… il roule toujours tellement vite… mais finalement il n'a eu que quelques égratignures. Qu'est-ce que c'est difficile d'être père!

## 49 Exprimer des souhaits

*En el campo...*

Edurne ¡Mira! He encontrado un trébol de cuatro hojas.

Estíbaliz ¡Qué suerte! ¿Sabes que puedes pedir un deseo?

Edurne Sí, pero no sé qué pedir. En realidad no creo mucho en esas cosas.

Estíbaliz Yo tampoco, pero nunca se sabe. Dámelo, ¡me apetecen tantas cosas! Tengo ganas de cambiar de coche, de trabajo, de apartamento, de novio, de...

Edurne ¡Pobrecita! Tú lo que necesitas no es un trébol sino ¡un campo de tréboles! Toma, anda, ¡a ver si se te cumple algo!

@ www.bescherelle.com

## Exprimer des souhaits

### Pour les autres

**¡Que tengas buena suerte!**
*Je te souhaite bonne chance!*
**¡Que se cumplan todos sus deseos!**
*Que tous vos désirs se réalisent!*
**Les deseo mucha felicidad.**
*Je vous présente tous mes vœux de bonheur.*

### Pour soi-même

**¡Cómo me gustaría ir de vacaciones!**
*Qu'est-ce que j'aimerais partir en vacances!*
**¡Quisiera tanto poder explicárselo!**
*J'aimerais tellement pouvoir le lui expliquer!*
**¡Ojalá haga bueno! Tenemos previsto ir de excursión.**
*J'espère qu'il fera beau! On a prévu de faire une excursion.*
**¡Ojalá pudiéramos seguir siendo amigos!**
*Si seulement on pouvait rester copains!*

■ Le mot **ojalá**, d'origine arabe (on y reconnaît aisément le mot **Alá**, Allah, Dieu) sert à exprimer un espoir.
Suivi d'un verbe au subjonctif présent, il exprime le souhait intense qu'une chose se réalise.

**¡Ojalá no llueva!** Pourvu qu'il ne pleuve pas!

Suivi d'un imparfait du subjonctif, il indique un certain regret.

**¡Ojalá estuvieras aquí conmigo!** Si seulement tu étais ici avec moi!

**¡Ojalá pudiera ayudarte!** Si seulement je pouvais t'aider!

# Exprimer ses envies

**Me apetece mucho ir a la montaña este fin de semana.**
J'ai très envie d'aller à la montagne ce week-end.

**Me apetece de verdad volver a verla antes de que se vaya.**
Ça me ferait vraiment plaisir de la revoir avant son départ.

**Tengo ganas de ver esa película; dicen que es muy buena.**
J'ai envie de voir ce film ; on dit qu'il est très bon.

## Lexique

| Verbes et expressions | | Noms |
|---|---|---|
| **desear algo (a alguien)** souhaiter qqch. (à qqn) | **querer** (v. irr. e>ie) **algo** vouloir qqch. | **el deseo** le souhait, le vœu |
| **apetecer, tener** (v. irr.) **ganas de** avoir envie de | **pedir** (v. irr. e>i) **un deseo** faire un vœu | **el antojo** la lubie |
| | **esperar algo** espérer qqch. | **el capricho** le caprice |

**&** Notez bien

■ Les verbes **esperar** et **desear** sont suivis d'un subjonctif lorsque le sujet de la phrase subordonnée ne coïncide pas avec celui de la phrase principale.

**Espero que lo consigas.** J'espère que tu vas y arriver.

■ Le verbe **apetecer** a la même construction que le verbe **gustar**.

**No me apetece mucho ir.** Je n'ai pas trop envie d'y aller.

**Traduction du texte p. 278**
À la campagne... / **Edurne** Regarde! J'ai trouvé un trèfle à quatre feuilles. / **Estíbaliz** Quelle chance! Tu sais que tu peux faire un vœu? / **Edurne** Oui, mais je ne sais pas trop quoi. En réalité, je ne crois pas trop à ces choses-là. / **Estíbaliz** Moi non plus, mais on ne sait jamais. Donne-le moi, je désire tellement de choses! J'ai envie de changer de voiture, de travail, d'appartement, de copain, de... / **Edurne** Ma pauvre! Ce n'est pas d'un trèfle dont tu as besoin mais d'un champ de trèfles. Tiens, prends-le, on verra si l'un de tes vœux se réalise.

# 50 Exprimer l'espoir, le désespoir

*¿Qué hacemos con Menchu?*

**Soraya** Ya no sabemos qué hacer. Estamos desesperados con Menchu. Ahora se le ha metido en la cabeza estudiar diseño industrial. Y nosotros que esperábamos que continuara con el negocio familiar...

**Miguel** Pues esa profesión no tiene ningún porvenir, pero no te preocupes..., ya verás cómo cambia de idea tres o cuatro veces antes de que termine el curso. Ya sabes que se ilusiona y se desilusiona con facilidad.

**Soraya** Eso espero. Su padre y yo contamos con ella para no tener que cerrar la carnicería.

@ www.bescherelle.com

## Exprimer l'espoir

**Con los estudios que ha hecho tiene el porvenir asegurado.**
Avec les études qu'il a faites, il a un bel avenir devant lui.
**Espero que todo salga bien.**
J'espère que tout ira bien.
**El médico le ha dado muchas esperanzas.**
Le médecin lui a donné bon espoir.
**Van a dar el resultado de la lotería, crucemos los dedos.**
On va annoncer les résultats du Loto, croisons les doigts.
**Confío en que todo se solucione antes de la semana próxima.**
J'ai bon espoir que tout s'arrangera avant la semaine prochaine.
**De ilusiones también se vive.**
L'espoir fait vivre.
**La esperanza es lo último que se pierde.**
Il faut toujours garder espoir.
**Mientras haya vida, hay esperanza.**
Tant qu'il y a de la vie, il y a de l'espoir.

# Exprimer le désespoir

**Estoy desesperado, no tengo ni un duro.** *(fam.)*
Je n'en peux plus, je n'ai pas un sou.
**¡Qué desesperación! ¡No para de llover!**
Quelle horreur! Il n'arrête pas de pleuvoir!
**Ha perdido la esperanza de encontrar trabajo.**
Il a perdu tout espoir de retrouver du travail.
**Ya no espero nada de tí.**
Je n'attends plus rien de toi.
**Lo he intentado todo, me doy por vencido.**
J'ai tout essayé, je m'avoue vaincu.

## 📖 Lexique

| Verbes | Adjectifs | estar desesperado |
|---|---|---|
| **esperar algo** | **estar ilusionado** | être désespéré |
| espérer qqch. | être plein d'illusions | **ser esperanzador** |
| **desesperarse** | **estar desilusionado** | être encourageant |
| se désespérer | être déçu | **ser desesperanzador** |
| | | être décourageant |

## & Notez bien

■ Le verbe **esperar** peut être traduit par attendre ou espérer.
**Espero el autobús.** J'attends le bus.
**Espero que venga.** J'espère qu'il viendra.

**Traduction du texte p. 280**
Que va-t-on faire avec Menchu? / Soraya On ne sait plus quoi faire. Menchu nous désespère. Maintenant, elle n'a plus qu'un truc en tête, c'est de faire du dessin industriel. Et nous qui espérions tellement qu'elle reprenne l'affaire familiale... / Miguel Du dessin industriel? Ce n'est pas un métier d'avenir, mais ne t'inquiète pas... tu verras qu'elle changera encore d'avis deux ou trois fois avant que l'année scolaire finisse. Tu sais bien que c'est une vraie girouette. / Soraya J'espère! Son père et moi comptons sur elle pour ne pas avoir à fermer la boucherie.

## 51 Manifester de l'intérêt, de l'indifférence

*Un mensaje en el contestador...*
Curro, ¿no estás? Mira tío, escuché tu mensaje ayer y llamo para decirte que paso de ir a la fiesta de Puri. Ya sé que te vas a mosquear pero no me interesa esa gente. Espero que lo comprendas. Llámame si quieres pero en realidad me da igual. Además no pienso votar, y ¿sabes qué?, que me da lo mismo quién gane. Por cierto, debes comprar el último número de *El más allá*, es una pasada.

@ www.bescherelle.com

### Exprimer de l'intérêt

**¡Qué libro más interesante!**
Qu'est-ce qu'il est intéressant, ce livre !
**¿De verdad? Cuéntame lo que ha pasado.**
Vraiment ? Raconte-moi ce qui s'est passé.
**El conferenciante supo despertar nuestro interés.**
Le conférencier a su éveiller notre intérêt.
**El director ha mostrado mucho interés por tu proyecto.**
Le directeur a montré beaucoup d'intérêt pour ton projet.
**¿Te interesa la política?**
**– Me entusiasma.**
Tu t'intéresses à la politique ?
– Ça me passionne.

### Exprimer de l'indifférence

**No me importa que te enfades.**
Cela m'est égal que tu sois fâché.
**Me da exactamente lo mismo.**
Cela m'est indifférent.
**Me trae sin cuidado cómo pueda reaccionar.**
Je me moque de sa réaction.

**Le da igual, ¡pasa de todo!** *(fam.)*
Ça lui est égal, il se fiche carrément de tout!
**¿Que te vas? ¡Y a mí qué!**
Tu pars? Et alors!
**No tiene ningún interés por nada. Todo lo hace con desgana.**
Il ne s'intéresse à rien. Il fait tout sans entrain.
**Para ellos la vida no tiene ningún aliciente.**
Pour eux, la vie n'a plus aucun intérêt.

## 📖 Lexique

| Verbes et expressions | Noms | Ser (être) + adjectifs |
|---|---|---|
| **interesarse por algo** | **el interés** | **interesante** |
| s'intéresser à qqch. | l'intérêt | intéressant |
| **pasar de algo** *(fam.)* | **el aliciente** | **cautivador** |
| se ficher de qqch. | l'attrait, l'intérêt | captivant |
| **ser indiferente a algo** | **el pasota** *(fam.)* | **indiferente** |
| être indifférent à qqch. | le je-m'en-foutiste | indifférent |
| **a desgana** | | |
| sans entrain, sans avoir envie, | | |
| sans y mettre le cœur | | |

**Traduction du texte p. 282**
Un message sur le répondeur… / Curro, t'es pas là? Tu sais mon vieux, j'ai écouté ton message hier et je t'appelle pour te dire que je me fiche pas mal de la fête de Puri. Je sais bien que tu vas te vexer mais je n'en ai rien à cirer de ces gens-là. J'espère que tu comprendras. Rappelle-moi si tu veux, mais en réalité ça m'est égal. En plus, je n'ai pas l'intention d'aller voter et, tu sais quoi? Je m'en fiche de savoir qui va gagner. Ah! Au fait, il faut que tu achètes le dernier numéro de *El más allá*, c'est trop génial.

*Una votación difícil*

Gaby ¿Qué pensáis de la huelga de la semana próxima? ¿Qué votamos? Hay que tomar una decisión.

Susana A mí me parece una buena idea. De alguna manera tenemos que hacer ver que no estamos de acuerdo con las nuevas reformas.

Gema En mi opinión, una huelga no es la solución. Estimo que el diálogo es la mejor manera para llegar a un acuerdo.

Susana ¿Estás segura de lo que dices? A veces hablar no sirve para nada, ¡hay que actuar!

Gema Pues no sé... La verdad es que no tengo una opinión definida al respecto. Prefiero abstenerme.

Gaby Vale, cada uno tiene su punto de vista. Podemos pasar a la votación, si no nunca llegaremos a un acuerdo...

@ www.bescherelle.com

## Demander à quelqu'un son opinion

**¿Qué te parece la nueva campaña antitabaco?**
*Que penses-tu de la nouvelle campagne anti-tabac ?*
**¿Cómo encuentras a Miguel?** *Comment tu trouves Miguel ?*
**Dame tu opinión sobre el tema.**
*Donne-moi ton avis sur ce sujet.*
**Para ti, ¿quién ha jugado mejor?**
*D'après toi, qui a le mieux joué ?*
**¿Qué opina usted sobre el último proyecto de ley?**
*Quel est votre avis sur le dernier projet de loi ?*

## Donner son opinion

**Pienso que es completamente incoherente.**
*Je pense que c'est totalement incohérent.*
**Estoy convencido de que es lo más importante.**
*Je suis persuadé que c'est la chose la plus importante.*

**¿Que qué pienso? Creo que es necesario.**
Ce que j'en pense ? Je crois que c'est nécessaire.
**Va contra mis convicciones.**
Cela va à l'encontre de mes convictions.
**En mi opinión, deberías cambiar de traje.**
À mon avis, tu devrais changer de costume.
**Bien pensado, me parece que tienes razón.**
À bien y réfléchir, il me semble que tu as raison.

## Refuser de donner son opinion

**Es difícil responder a esa pregunta.**
Il est difficile de répondre à cette question.
**Prefiero no opinar.** Je préfère ne pas donner mon avis.
**De momento no puedo decirte nada.**
Pour l'instant, je ne peux rien te dire.
**No tengo una opinión clara sobre el tema.**
Je n'ai pas d'opinion arrêtée sur ce sujet.

### 📖 Lexique

| Verbes et expressions | Noms |
|---|---|
| **opinar** donner son avis | **la opinión, el parecer** |
| **pronunciarse acerca de** se prononcer sur | l'avis |
| **pensar** (v. irr. e>ie) penser | **la opinión favorable/** |
| **creer** croire | **desfavorable** |
| **dar** (v. irr.)/**expresar su punto de vista** | l'avis favorable/défavorable |
| donner/exprimer son point de vue | **la apreciación** |
| **cambiar de opinión** | l'appréciation |
| changer d'avis | **el punto de vista** |
| **hacerse** (v. irr.) **su propia opinión** | le point de vue |
| se forger une opinion | |

➜ p. 25 (Le langage)

**Traduction du texte p. 284**

Un vote difficile... / Gaby Que pensez-vous de la grève de la semaine prochaine ? On vote quoi ? Il faut prendre une décision. / Susana Je crois que c'est une bonne idée, nous devons montrer d'une façon ou d'une autre que nous ne sommes pas d'accord avec les nouvelles réformes. / Gema À mon avis, la grève n'est pas la solution. Je considère que le dialogue est le meilleur moyen pour parvenir à un accord. / Susana Es-tu sûre de ce que tu dis ? Parler ne sert à rien parfois, il faut agir. / Gema En fait, je n'en sais rien, je n'ai pas d'opinion arrêtée sur le sujet. Je préfère m'abstenir. / Gaby D'accord, chacun son point de vue. Passons au vote, autrement nous ne tomberons jamais d'accord...

*Organizando las vacaciones...*

Clara ¡Vaya buena idea que ha tenido Anabel para las vacaciones!

Jorge ¿Tú crees? A mí me parece una tontería. Yo creo que no piensa lo que dice. Antes de hablar, debería reflexionar un poco. ¿Te has parado a pensar en todo lo que hay que preparar si queremos hacer ese circuito?

Clara Siempre pones en duda las palabras de Anabel, a ver cuándo te decides y das tú alguna idea. Además, si hubiera que analizar siempre las ventajas, los inconvenientes, los pros, los contras, no nos moveríamos nunca de casa.

Jorge Vale mujer, tranquila, solo era una opinión. Es verdad que su idea puede ser genial.

Clara ¿Y si nos dejamos de juzgar y nos ponemos a prepararlo todo?

@ www.bescherelle.com

## Exprimer un jugement positif

**¡Bravo! Es una buena idea.**
Bravo! C'est une bonne idée.

**¡Vaya idea más original!**
Quelle drôle d'idée!, Qu'est-ce que c'est original!

**Eso sí que está bien.**
Voilà qui est plutôt bien.

**No está mal, ¿eh?**
Pas mal, hein?

## Exprimer un jugement négatif

**Es una idea malísima.**
C'est une très mauvaise idée.

**¡Qué tontería!**
C'est n'importe quoi!

**¡Qué va! Eso no se puede hacer.**
Pas du tout! On ne peut pas faire cela.

**Lo que dice no tiene ni pies ni cabeza.**
Ce qu'il dit n'a ni queue ni tête.

# Peser le pour et le contre

**Tendremos que analizar las ventajas y los inconvenientes.**
Il faudra analyser les avantages et les inconvénients.
**Hay que sopesar los pros y los contras.**
Il faut peser le pour et le contre.
**Debemos saber quién está a favor y quién en contra.**
Nous devons savoir qui est pour et qui est contre.

## 📖 Lexique

| Verbes | Noms | |
|---|---|---|
| **analizar** | **el análisis** | **la ventaja** |
| analyser | l'analyse | l'avantage |
| **estimar** | **la estimación** | **el inconveniente** |
| estimer | l'estimation | l'inconvénient |
| **juzgar** | **el juicio (de valores)** | |
| juger | le jugement (de valeurs) | **Ser (être) + adjectifs** |
| **interpretar** | **la interpretación** | **objetivo** |
| interpréter | l'interprétation | objectif |
| **evaluar** | **la evaluación** | **subjetivo** |
| évaluer | l'évaluation | subjectif |
| **equivocarse** | **la equivocación, el error** | **ventajoso** |
| se tromper | l'erreur | avantageux |
| | **la objetividad** | **favorable** |
| | l'objectivité | favorable |
| | **la subjetividad** | **desfavorable** |
| | la subjectivité | défavorable |

→ p. 199 (Comprendre, se faire comprendre)

**Traduction du texte p. 286**

Des projets pour les vacances... / Clara Super l'idée d'Anabel pour les vacances ! / Jorge Tu trouves ?
Moi, je pense que c'est n'importe quoi. À mon avis, elle ne se rend pas compte de ce qu'elle dit.
Avant de parler elle devrait réfléchir un peu. Tu as pensé à tout ce qu'il faut préparer si on veut
faire ce circuit ? / Clara Tu mets toujours en doute les paroles d'Anabel, tu ferais mieux de donner
une idée toi-même. En plus, s'il fallait toujours analyser les avantages, les inconvénients, le pour,
le contre, nous ne sortirions jamais de chez nous. / Jorge D'accord, calme-toi, ce n'était qu'un avis,
c'est vrai que son idée peut être géniale. / Clara Et si on arrêtait de juger et on commençait à tout
préparer ?

## 54 Exprimer l'accord, le désaccord

*En la fiesta de Blas...*

Marta Bueno, ya está bien. Debemos llegar a un acuerdo. De todos modos hace una hora que decimos prácticamente lo mismo.

Rubén Sí, pero discrepamos en lo principal. Además, creo que te equivocas cuando dices que siempre estamos dando vueltas a lo mismo.

Rosa Estoy totalmente de acuerdo contigo. Estamos aquí para debatir sobre algo importante y creo que tenemos derecho a expresar los puntos en los que coincidimos y en los que no, si no, ¿para qué sirve un debate?

Gerardo ¿Puedo decir una cosa? No hago más que escuchar tonterías desde que hemos llegado. ¿Os parece realmente normal hablar de una forma tan solemne para decidir qué música vamos a poner en la fiesta de Blas?

@ www.bescherelle.com

### Exprimer l'accord total

**Estoy totalmente de acuerdo.**
Je suis tout à fait d'accord.
**Pensamos igual.**
On est du même avis.
**A mí también me parece que tienes razón.**
Moi aussi, je pense que tu as raison.

### Exprimer l'accord partiel

**Decimos casi lo mismo.**
On dit presque la même chose.
**Tenemos ideas parecidas.**
Nous avons à peu près les mêmes idées.
**Coincidimos en varios puntos.**
Nous sommes d'accord sur plusieurs points.

# Exprimer le désaccord partiel

**No termina de convencerme.**
*Je ne suis pas tout à fait convaincu.*
**No pienso exactamente como tú.**
*Je ne suis pas tout à fait du même avis que toi.*
**No es del todo así.**
*Ce n'est pas tout à fait comme cela.*
**Discrepamos en nuestros puntos de vista.**
*Nous n'avons pas le même point de vue.*

# Exprimer le désaccord total

**No estoy en absoluto de acuerdo.**
*Je ne suis absolument pas d'accord.*
**No comparto para nada vuestro punto de vista.**
*Je ne partage en rien votre point de vue.*
**Creo que te equivocas.**
*Je crois que tu te trompes.*

## 📖 Lexique

**Verbes et expressions**
**compartir una opinión**
partager une opinion
**acordar** (v. irr. o>ue) **algo**
se mettre d'accord sur qqch.
**estar de acuerdo (en algo/ con alguien)**
être d'accord (sur qqch./ avec qqn)

**tener** (v. irr.) **razón**
avoir raison
**llegar a un acuerdo**
arriver à un accord, trouver un compromis
**discrepar (sobre)**
diverger (sur)

**compartir un punto de vista**
partager un point de vue
**estar en desacuerdo**
être en désaccord
**dar** (v. irr.) **la razón**
donner raison

**Traduction du texte p. 288**
À la soirée de Blas… / **Marta** Bon, ça suffit. Nous devons trouver un compromis. De toute façon, ça fait une heure qu'on dit à peu près la même chose. / **Rubén** Oui, mais nous divergeons sur l'essentiel. En plus, je crois que tu te trompes quand tu dis que nous tournons toujours autour du même thème. / **Rosa** Je suis tout à fait d'accord avec toi. Nous sommes là pour débattre de quelque chose d'important et je crois qu'on a le droit d'exprimer ce sur quoi nous sommes d'accord ou pas, autrement, à quoi sert un débat? / **Gerardo** Je peux dire quelque chose? Je ne fais qu'entendre des bêtises depuis que nous sommes arrivés. Franchement, vous trouvez ça normal de parler de façon si solennelle pour décider de la musique à passer à la soirée de Blas?

*Amor virtual...*

Nerea ¿No sabes que he conocido a un chico chateando?

Silvia ¡No me digas! Y ¿cómo es?

Nerea Pues todavía no he visto su foto, vamos a intercambiárnoslas esta noche, pero ya sé que me va a gustar... Me encanta hablar con él... Tenemos un montón de cosas en común.

Silvia Pues qué suerte, porque Julián y yo no nos parecemos en nada. A él le gusta ir a la discoteca y a mí al cine, a él le gustan los mangas y a mí la poesía... Resumiendo, a él le gusta todo lo que yo detesto... Pero en fin, hablemos de ti... ¡Cuenta! ¿Ya habéis quedado?

Nerea Sí. Como a los dos nos apasiona la comida asiática, hemos pensado en ir a un restaurante japonés, tú ya sabes que me encanta comer con palillos. Para decirte la verdad, me importa poco dónde nos veamos. Estoy loca por conocerlo... Odio la espera, no voy a poder soportar hasta el fin de semana...

@ www.bescherelle.com

## Adorer

**Le vuelve loco el fútbol./Está loco por el fútbol.**
Il est passionné de foot.

**Me encantan las fiestas que haces, la música es estupenda.**
J'adore tes soirées, la musique est géniale.

**Nos gusta mucho tu manera de enseñar, ¡eres la mejor de las profesoras!**
Nous adorons ta façon d'enseigner, tu es la meilleure des profs!

## Aimer

**Me gusta correr riesgos en la vida.**
J'aime prendre des risques dans la vie.

**A Cecilia le gustan los pelirrojos.** Cécilia aime bien les rouquins.

**Siente debilidad por el chocolate.** Il a un faible pour le chocolat.

# Ne pas aimer

**No me gusta este autor.**
*Je n'aime pas cet auteur.*
**No me gustan nada tus insinuaciones.**
*Je n'aime pas du tout tes insinuations.*

# Détester

**No soporto que me tomen el pelo.** *(fam.)*
*Je ne supporte pas qu'on se paie ma tête.*
**¡Es de un perezoso! Detesta madrugar.**
*Qu'est-ce qu'il peut être paresseux! Il déteste se lever tôt.*
**Odio a la gente que miente, no aguanto las mentiras.**
*J'ai horreur des gens qui mentent, je ne supporte pas le mensonge.*
**¡Te odio!** *Je te hais!, Je te déteste!*

# Exprimer ses préférences

**Lo que más me gusta en vacaciones es levantarme tarde.**
*Ce que je préfère pendant les vacances, c'est me lever tard.*
**Prefiero cenar en la terraza que dentro.**
*Je préfère dîner en terrasse qu'en salle.*
**¿Cuál es tu actor favorito?**
*Quel est ton acteur préféré ?*
**Lo que ella quiere es venir con nosotros.**
*Ce qu'elle veut, c'est venir avec nous.*

## 📖 Lexique

| Verbes | Noms | Ser (être) + adjectifs |
|---|---|---|
| **apasionar** passionner | **la pasión** | **apasionante** |
| **encantar** adorer | *la passion* | *passionnant* |
| **gustar** aimer | **el encanto** | **agradable** agréable |
| **odiar** | *le charme* | **atractivo** attirant |
| détester, haïr | **la preferencia** | **preferido, favorito** |
| **(no) soportar** | *la préférence* | *préféré* |
| (ne pas) supporter | **la aversión** | **detestable** détestable |
| **preferir** (v. irr. e>ie) | *l'aversion* | **odioso** haïssable |
| préférer | | **insoportable** |
| | | *insupportable* |

■ Les verbes **gustar**, **apasionar** et **encantar** se construisent sur le modèle de *plaire* (et non pas sur les modèles de *aimer* ou *adorer*).

**Me gustan las películas de miedo.**
J'aime les films d'horreur. (Les films d'horreur me plaisent.)

**Me encanta tu tatuaje.** J'adore ton tatouage.

**Le apasiona la ópera.** Il est passioné d'opéra.

■ **Odiar**, au sens propre haïr, est plus couramment utilisé dans le sens de détester.

**Odio el pescado.** Je déteste le poisson.

**Traduction du texte p. 290**

Amour virtuel... / Nerea Tu sais? J'ai rencontré un garçon sur un chat. / Silvia Non, sans blague! Comment est-il? / Nerea Ben, je n'ai pas encore vu sa photo, on va se les échanger ce soir, mais je sais déjà qu'il va me plaire... J'adore discuter avec lui... On a plein de choses en commun. / Silvia Tu as bien de la chance. Julián et moi, on ne se ressemble absolument pas. Lui, il aime aller en boîte et moi au ciné, il aime les mangas et moi la poésie... Bref, il aime tout ce que je déteste... Mais enfin, parlons de toi... Raconte! Vous avez pris rendez-vous? / Nerea Oui! Vu qu'on est tous les deux passionnés de cuisine asiatique, on a pensé à aller dans un restaurant japonais, tu sais bien que j'adore manger avec des baguettes. Enfin, pour tout te dire, je me moque pas mal de l'endroit où on se verra. Je meurs d'envie de le rencontrer. Je déteste attendre, ça va être dur de tenir jusqu'au week-end!

# 56 Exprimer la certitude, l'ignorance

*En el comedor de la empresa...*

Charo Mira quién está ahí. Seguro que viene a hablar contigo.

Chema No, no creo. Salta a la vista que está mosqueado. Además, sabe de sobra que no soporto esas tonterías. Apuesto lo que quieras a que hace como que no nos ve. Era de esperar que esto terminara mal.

Charo Yo no estaría tan segura. No tengo ni idea de cómo va a reaccionar pero está muy claro que se arrepiente de lo que ha pasado. Fijo que está intentando encontrar el mejor momento para decirte algo.

Chema Ya sé que nunca hay que dar nada por sentado, pero esta vez es definitivo, tengo muy claro lo que quiero y no estoy dispuesto a ceder por eso y ¡puedes creerme!

Charo Bueno, chico, ¡no os entiendo!

@ www.bescherelle.com

# Exprimer la certitude

**Estoy seguro de eso.** J'en suis sûr.
**Tengo la absoluta certeza de habértelo encargado.**
J'ai la certitude de te l'avoir commandé.
**Es indudable que es el mejor.** Il est le meilleur, c'est indéniable.
**Lo sé de buena tinta.** *(fam.)* Je le sais de source sûre.
**Era de esperar.** Il fallait s'y attendre.
**Estoy convencido de que lo conseguirá.**
Je suis persuadé qu'il y arrivera.

# Exprimer l'ignorance

**No (lo) sé.** Je ne sais pas./Je n'en sais rien.
**Ni idea.** Aucune idée.
**Nunca te enteras de nada.** *(fam.)*
Tu ne piges jamais rien.
**No entiendo nada de informática.**
Je ne connais rien à l'informatique.
**¡Yo qué sé!/¡Qué sé yo!**
Qu'est-ce que j'en sais, moi!

## 📖 Lexique

| Verbes | Noms | Adjectifs |
|---|---|---|
| **asegurar** assurer | **la convicción** | **estar seguro** |
| **saber** (v. irr.) savoir | la conviction | être sûr |
| **entender** (v. irr. e>ie) **(de algo)** | **el desconocimiento** | **ser ignorante** |
| s'y connaître (en qqch.) | l'ignorance, | être ignorant |
| **ignorar** ignorer | la méconnaissance | **ser desconocido** |
| **desconocer** (v. irr.) | **la incertidumbre** | être inconnu, être |
| méconnaître, ne pas connaître | l'incertitude | méconnu |

➜ p. 24 (Le doute, la connaissance et la certitude)

**Traduction du texte p. 292**
À la cantine de l'entreprise… / Charo Regarde qui est là. Je suis sûre qu'il va venir te parler. /
Chema Non, je ne crois pas. Ça se voit qu'il a pris la mouche. En plus, il sait bien que je ne
supporte pas ce genre de bêtises. Je parie qu'il fait semblant de ne pas nous voir. Je savais que
ça allait mal finir. / Charo Je ne suis pas si sûre. Je n'ai aucune idée de la façon dont il va réagir
mais il est évident qu'il regrette ce qui s'est passé. À coup sûr, il essaie de trouver le moment le
plus approprié pour te parler. / Chema Je sais qu'il ne faut jamais rien considérer comme définitif,
mais cette fois c'est la dernière, je sais très bien ce que je veux et je ne suis pas prêt à céder sur
ça ; tu peux me croire ! / Charo Oh ! là, là ! Je ne vous comprends pas !

---

*En la oficina...*

**Ramón** Por lo que se ve, hay que coger los días que nos quedan antes de que se acabe el año. Hay rumores de que va a cambiar la legislación.

**Luz** ¿Seguro? Entonces igual los cojo la semana próxima. Quiero ir a ver a mis padres. Aunque... prefiero pensarlo más detenidamente.

**Ramón** ¡Tú siempre dudando! Pues date prisa, a lo mejor alguien ya ha tenido la misma idea. Yo tal vez me haya precipitado un poco, pero al final ¡me voy de vacaciones el mes que viene!

**Luz** Tienes razón. Quizás tenga que pedirlos hoy mismo. Pero, es que, no sé, porque si... Bueno voy a reflexionar primero. Ya sabes que soy muy indecisa.

@ www.bescherelle.com

## Exprimer le doute

**Dudo que sea así.**
Je doute qu'il en soit ainsi.
**No lo tengo claro.** Je n'en suis pas sûr.
**¿Habré cerrado la puerta?**
Je me demande si j'ai bien fermé la porte.
**No sé si quiero saberlo.**
Je ne sais pas si je veux le savoir.
**En caso de duda consulte a su médico.**
En cas de doute, consultez votre médecin.

## Exprimer l'hésitation

**He dudado mucho a la hora de responder.**
J'ai beaucoup hésité avant de répondre.
**No dudes en llamarme.**
N'hésite pas à m'appeler.
**Me gustan los dos, no sé cuál comprar.**
J'aime bien les deux, je ne sais pas lequel acheter.

# Exprimer la probabilité

**Es posible que las ventas aumenten próximamente.**
Il est possible que les ventes augmentent prochainement.
**Puede que no vuelva.** Il se peut que je ne revienne pas.
**Cabe la posibilidad de que lo haga.** Il se peut qu'il le fasse.
**Según parece, seremos ocho.** Nous serons huit, à ce qu'il paraît.
**Es capaz de no traerlo.** Il est capable de ne pas l'apporter.
**Es muy probable que se lo diga mañana.**
Il est très probable que je le lui dise demain.
**A estas horas ya deben de haber llegado.**
À cette heure-ci, ils sont sûrement arrivés.

## 📖 Lexique

| Verbes et expressions | Adjectifs | no estar seguro |
|---|---|---|
| **dudar, vacilar** douter, hésiter | **ser/estar indeciso** | **(de algo)** |
| **poner** (v. irr.) **en duda algo** | être indécis | ne pas être sûr (de qqch.) |
| mettre qqch. en question | **estar dudoso** | |
| Noms | être hésitant | Adverbes |
| **la duda** le doute, l'hésitation | **ser inseguro** | **quizá(s), tal vez, acaso** |
| **la indecisión** l'indécision | ne pas être sûr de soi | peut-être |

→ p. 24 (Le doute, la connaissance et la certitude)

## & Notez bien

■ Le verbe **dudar** recouvre à la fois les sens de douter et de hésiter.
   **Dudo que lo haga.** Je doute qu'il le fasse.
   **Todavía no me he decidido, sigo dudando...**
   Je ne me suis pas encore décidé, j'hésite toujours...
■ Attention au mode verbal des expressions espagnoles qui se traduisent toutes par peut-être.
   **quizá(s)/tal vez** + subjonctif   **a lo mejor/igual** + indicatif
■ Le futur en espagnol peut avoir une valeur de probabilité.
   **No coge el teléfono, estará ocupado.** Il ne décroche pas, il est peut-être occupé.

### Traduction du texte p. 294
Au bureau... / Ramón Il paraît qu'il faut prendre les jours de congés qui nous restent avant la fin de l'année. Le bruit court que la législation va changer. / Luz Tu es sûr? Alors peut-être que je les prendrai la semaine prochaine. Je veux aller voir mes parents. Mais... je préfère y réfléchir tranquillement. / Ramón Tu es toujours en train d'hésiter! En tout cas, réfléchis vite, si ça se trouve quelqu'un a déjà eu la même idée que toi. Moi, je n'ai peut-être pas suffisamment réfléchi, mais, je pars le mois prochain! / Luz Tu as raison, il faudrait peut-être que je les pose aujourd'hui même. Quoique... je ne sais pas, parce que si... bon, je vais d'abord y réfléchir. Tu sais bien que je suis très indécise.

*Una entrevista en la calle...*

Entrevistador Supongamos que le toca la lotería, ¿qué haría usted?

Un abuelo ¡Ay, hijo!, a mi edad... si tuviera esa suerte, lo repartiría entre mis hijos y nietos. Si me hubiera tocado hace cuarenta años lo habría disfrutado más. Por ejemplo, a los veinte años, aunque ya conocía a mi mujer, habría dado la vuelta al mundo con mis amiguetes ¡La juventud lo puede todo! A los treinta, ya con hijos, si hubiera sido millonario, toda nuestra vida habría cambiado. Pero... el problema es que nunca juego.

Entrevistador *(hablando solo)* ¡¡Puf!! De haberlo sabido, no le habría preguntado.

@ www.bescherelle.com

## Exprimer l'hypothèse

**Imaginemos que no lo encuentro...**
Imaginons que je ne le trouve pas...
**Supongamos que llega tarde...**
Supposons qu'elle est en retard...
**Si decides venir, avísame.**
Si tu décides de venir, préviens-moi.
**En caso de que pierdas el tren, iré a buscarte.**
Au cas où tu raterais le train, je viendrais te chercher.
**Si se presentara en casa, ¿qué le dirías?**
S'il débarquait chez toi, qu'est-ce que tu lui dirais?

## Exprimer la condition

**Si lo haces como yo, no te arrepentirás.**
Si tu suis mon exemple, tu ne le regretteras pas.
**Si quisiera, podría mejorar su acento.**
Si elle le voulait, elle pourrait améliorer son accent.
**Si hubiera tenido más suerte, habría podido llegar el primero.**
Si j'avais eu plus de chance, j'aurais pu arriver en premier.

**Te dejaré ir a condición de que vuelvas pronto.**
*Je te laisserai y aller à condition que tu rentres tôt.*
**No iré a no ser que me lo pida.**
*Je n'irai pas à moins qu'il ne me le demande.*

## 📖 Lexique

| Verbes et expressions | Noms | Ser (être) + adjectifs |
|---|---|---|
| **suponer** (v. irr.) | **la suposición** | **supuesto** |
| *supposer* | *la supposition* | *supposé* |
| **formular una hipótesis** | **la eventualidad** | **hipotético** |
| *formuler une hypothèse* | *l'éventualité* | *hypothétique* |
| **imponer** (v. irr.) **una condición** | | |
| *imposer une condition* | | |

## & Notez bien

Il existe plusieurs structures pour exprimer la condition.

■ **si** + présent, présent/futur/impératif [condition réalisable]
    **Si puedes, llámame.** *Appelle-moi, si tu peux.*

■ **si** + imparfait du subjonctif, conditionnel [condition hypothétique]
    **Si pudiera, te llamaría.** *Si je pouvais, je t'appellerais.*

■ **si** + plus-que-parfait du subjonctif, conditionnel passé [condition irréalisable, car non réalisée dans le passé]
    **Si hubiera podido, te habría llamado.** *Si j'avais pu, je t'aurais appelé.*

**Traduction du texte p. 296**

Une interview dans la rue… / Interviewer Supposons que vous gagnez au Loto : que feriez-vous ? / **Un monsieur âgé** Ah, mon petit ! À mon âge… si j'avais cette chance-là, je partagerais la cagnotte entre mes enfants et mes petits-enfants ; si j'avais gagné au Loto il y a quarante ans, j'en aurais profité davantage. Par exemple, à vingt ans, bien que connaissant déjà ma femme, j'aurais fait le tour du monde avec mes potes, la jeunesse peut tout faire ! À trente ans, alors qu'on avait déjà des enfants, si j'avais été millionnaire, toute notre vie aurait changé. Mais… le problème est que je ne joue jamais. / Interviewer (en aparté) Pff ! Si j'avais su, je ne me serais pas adressé à lui.

*En la tienda de informática...*

Raúl No sé muy bien por qué ordenador decidirme.

Ana ¿Qué diferencias hay entre los dos además del precio?

Raúl Bueno, pues aparte de que el primero es mucho más caro, tiene
una pantalla de 17 pulgadas (17") en lugar de quince (15") como el otro
y la calidad de imagen es mucho mejor. Es verdad que los dos tienen
la misma capacidad y más o menos las mismas prestaciones, pero el
segundo es más ligero y la batería tiene más autonomía, algo importante
en ordenador portátil.

Ana Tendrás que decidirte en función del precio y ver cuál te resulta más
útil para tu trabajo.

@ www.bescherelle.com

## Rapprocher

**Tiene tanto dinero como yo.** Il a autant d'argent que moi.

**¿Hay tantas mujeres como hombres?** Il y a autant de femmes que d'hommes?

**Es tan simpático como su padre.** Il est aussi sympathique que son père.

**Son como dos gotas de agua.**
Ils se ressemblent comme deux gouttes d'eau.

**Le encuentro un parecido con alguien que conozco.**
Je lui trouve une ressemblance avec quelqu'un que je connais.

**Esta película me hace pensar en el libro que estoy leyendo.**
Ce film me fait penser au livre que je suis en train de lire.

**De tal palo, tal astilla.** Tel père, tel fils.

**Cuanto menos se trabaja menos se quiere trabajar.**
Moins on travaille, moins on a envie de travailler.

## Différencier

**Es mucho más/menos inteligente que su hermano.**
Il est beaucoup plus/moins intelligent que son frère.

**Esta disciplina es la más/la menos conocida de todas.**
Cette discipline est la plus/la moins connue de toutes.

**Habla mejor/peor en público que yo.**
Il parle mieux/moins bien que moi en public.

**Es la mejor/la peor película del año.**

C'est le meilleur/le plus mauvais film de l'année.

**Comparado con el primero, este deja mucho que desear.**

Comparé au premier, celui-ci laisse beaucoup à désirer.

**Este gazpacho no tiene nada que ver con el que comí en Sevilla.**

Ce gazpacho n'a rien à voir avec celui que j'ai mangé à Séville.

**Cada vez hay menos/más gente que vive en el campo.**

Il y a de moins en moins/de plus en plus de gens qui habitent à la campagne.

**Luis es el menos indicado para decirlo.**

Luis est le moins bien placé pour le dire.

**Su marido es mayor de lo que creía.**

Son mari est plus âgé que je ne le croyais.

## 🗒 Lexique

| Verbes | Noms | Ser (être) + adjectifs |
|---|---|---|
| **comparar** | **la comparación** | **igual** |
| comparer | la comparaison | pareil |
| **parecerse** (v. irr.) | **el parecido** | **idéntico** |
| (se) ressembler | la ressemblance | identique |
| **diferenciar** | **la diferencia** | **semejante, parecido** |
| différencier | la différence | semblable, similaire |
| **distinguir** | | **diferente** |
| distinguer | | différent |

## & Notez bien

■ L'adjectif *pareil* se traduit par **igual** ou **lo mismo**. À ne pas confondre avec **es parecido**, qui signifie *c'est semblable*.

   **Son exactamente iguales.** Ils sont exactement pareils.

   **Es lo mismo.** C'est pareil.

■ Notez les comparatifs irréguliers.

   **mejor** mieux, meilleur          **peor** pire, moins bien

   **mayor** plus grand, plus vieux          **menor** plus petit, plus jeune

**Traduction du texte p. 298**

Au magasin d'informatique... / **Raúl** Je ne sais pas très bien quel ordinateur choisir. / **Ana** Quelles sont les différences entre les deux, à part le prix ? / **Raúl** Bon, mis à part le fait que le premier est beaucoup plus cher, il dispose d'un écran 17 pouces au lieu de 15 comme l'autre, et en plus, la qualité de l'image est meilleure. C'est vrai que les deux ont la même capacité et à peu près les mêmes options, mais le deuxième est plus léger et son autonomie est beaucoup plus grande, ce qui n'est pas négligeable pour un ordinateur portable. / **Ana** Tu devras te décider en fonction du prix et voir lequel correspond le mieux à ce dont tu as besoin pour ton travail.

# Opposer des faits, des idées

*Tópicos españoles...*

Peter Y tú, ¿qué piensas de España?

Jean Pues, aunque llevo poco tiempo viviendo aquí, mi opinión ya ha cambiado.

Peter A mí me ha pasado igual. Es verdad que los tópicos no siempre corresponden a la realidad. Por ejemplo, el único plato que yo conocía era la paella y sin embargo cada región tiene su especialidad.

Jean ¿Y qué me dices de los toros? Yo pensaba que todo el mundo iba a ver las corridas, pero de toda la gente que conozco a casi nadie le gustan.

Peter Sí, yo también me imaginaba que todo el mundo dormía la siesta, pero en realidad solo lo hacen los niños y las personas mayores.

Jean Ya. Por mucho que se diga, los estereotipos nunca reflejan la realidad de un país.

@ www.bescherelle.com

**Aunque en España hace bueno a menudo, a veces también llueve.**
Bien qu'en Espagne il fasse souvent beau, il pleut aussi parfois.

**La Giralda no está en Granada, sino en Sevilla.**
La Giralda ne se trouve pas à Grenade mais à Seville.

**Creía que todo el mundo bailaba flamenco, pero veo que no es así.**
Je croyais que tout le monde dansait le flamenco, mais je vois que ce n'est pas le cas.

**A pesar de su fuerte acento, se expresa con facilidad.**
Malgré son accent prononcé, il s'exprime avec aisance.

**Está cansadísimo y, sin embargo, seguro que sale el sábado.**
Il est très fatigué et pourtant, je suis sûr qu'il va sortir samedi.

**Por un lado los tópicos sirven de referencia, por otro lado dan una imagen falseada de la realidad.**
D'un côté, les stéréotypes servent de repère, de l'autre, ils donnent une image faussée de la réalité.

**Aunque no haya viajado nunca, habla perfectamente cuatro idiomas.**
Même s'il n'a jamais voyagé, il maîtrise parfaitement quatre langues.

**Más vale que vengas, en vez de quedarte ahí encerrado.**
Il vaut mieux que tu viennes plutôt que de rester là enfermé.

*[handwritten: tanbién aussi de plus]*
*[handwritten: tampoco non plus]*

**Acabó haciendo lo contrario de lo que había previsto.**
*Elle a fini par faire le contraire de ce qu'elle avait prévu.*
**Intentó impedírselo mas no pudo.** *(sout.)*
*Elle a essayé de l'en empêcher, mais elle n'y est pas parvenue.*
**¡Y eso que te lo dije!/¡Te avisé!**
*Et pourtant je t'avais prévenu!*

*[handwritten: Quizás = tal vez = puede ser que = peut-être]*

### 📖 Lexique

| | | |
|---|---|---|
| Verbes | **en cambio** | Ser (être) |
| **oponer** (v. irr.) opposer | *en revanche, par contre* | + adjectifs |
| **contradecir** (v. irr.) contredire | **sin embargo** | **opuesto** |
| | *cependant, pourtant* | *opposé* |
| Conjonctions | **no obstante** | **contrario** |
| **aunque** + ind. | *néanmoins* | *contraire, inverse* |
| bien que + subj. | *[handwritten: pues = donc]* | **incompatible** |
| **aunque** + subj. | Adverbes | *incompatible* |
| même si + ind. | **al contrario, al revés** | |
| **pero..., mas..., sino...** | *au contraire* | |
| mais... | | |

*[handwritten: mientras que = tandis que / mientras, tanto = en attendant / entonces = après]*

### ✦ Notez bien

■ Ne pas confondre la conjonction **mas** (mais), appartenant au langage soutenu, avec l'adverbe **más** (plus).

**Don Quijote veía gigantes, mas eran molinos.**
*Don Quichotte voyait des géants, mais c'était des moulins.*

**Siempre quiere más.** *Il en veut toujours plus.*

■ La conjonction adversative mais se traduit par **sino** et non pas par **pero** lorsqu'on met en opposition deux éléments, généralement de la même valeur, en niant le premier et en insistant sur le second.

**No es Carlos sino su hermano.** *Ce n'est pas Carlos mais son frère.*
mais
**Está bien pero no es perfecto.** *C'est bien mais pas parfait.*

*[handwritten: todavía = encore]*

### Traduction du texte p. 300

*Idées reçues sur l'Espagne... / Peter Et toi, que penses-tu de l'Espagne? / Jean J'y habite depuis peu mais mon opinion a déjà changé. / Peter Moi, c'est pareil, c'est vrai que les stéréotypes ne correspondent pas toujours à la réalité. Par exemple, le seul plat que je connaissais était la paella et pourtant chaque région a sa spécialité. / Jean Et, qu'est-ce que tu penses de la corrida? Je croyais que tout le monde y allait, cependant, parmi les gens que je connais, rares sont ceux qui aiment vraiment. / Peter Oui, moi, j'imaginais aussi que tout le monde faisait la sieste, mais en réalité il n'y a que les enfants et les personnes âgées qui le font. / Jean Oui, on a beau dire, les stéréotypes ne reflètent pas la réalité d'un pays.*

*[handwritten: luego = después = enseguida = a continuación = ensuite]*

*Un recado por teléfono...*

Nacho ¿Diga?

Mar Hola, soy Mar. ¿Está Toño?

Nacho No, no está, acaba de irse. ¿Quieres dejarle un recado o que te llame?

Mar Dile que ya tengo los papeles que necesitaba y que, como tengo que salir, me acercaré a llevárselos dentro de dos horas más o menos.

Nacho Vale, se lo diré.

Mar Y si quiere algo, que me llame al móvil en cuanto llegue. Hasta luego.

*Una hora después Toño vuelve a casa...*

Nacho Toño, te ha llamado Mar hace un rato. Ha dicho que ya tiene los papeles que necesitabas y que se acercará a traértelos esta misma tarde. ¡Ah!, y que la llames a su móvil si quieres algo.

*Una semana más tarde.*

Toño No consigo dar con Mar. Dime, ¿qué te dijo exactamente?

Nacho Me dijo que ya tenía todo lo que le habías pedido y que esa misma tarde pasaría por casa a traértelo.

Toño Pues, ¡todavía sigo esperándola!

@ www.bescherelle.com

## Rapporter de façon personnelle

**Me dice que te cuente lo de ayer.**

Il me demande de te raconter ce qui s'est passé hier.

**Le insinué que te invitara.**

Je lui ai suggéré de t'inviter.

**Nos repitió mil veces que no lo hiciéramos.**

Il nous a répété mille fois de ne pas le faire.

**¿Que dice que no lo hizo? ¡Es increíble! A mí me juró que lo había hecho.**

Il dit ne pas l'avoir fait ? C'est incroyable ! Moi, il m'a juré l'avoir fait.

# Rapporter de façon générale

**Se rumorea la próxima dimisión del presidente.**
*Le bruit court que le président démissionnera prochainement.*
**Se dice que va a subir el precio de la gasolina.**
*On dit que le prix de l'essence va augmenter.*
**Nos han dicho que han oído que decían que...**
*On nous a dit avoir entendu qu'on disait que...*

## 📖 Lexique

| Verbes | | Noms |
|---|---|---|
| **comentar** | **chivarse** *(fam.)* | **el comentario** |
| commenter | *rapporter, cafeter* | *le commentaire* |
| **decir** (v. irr.) | **señalar** | **el rumor** |
| dire | *signaler* | *la rumeur* |
| **contar** (v. irr. o>ue) | **afirmar** | **el chivato** *(fam.)* |
| raconter | *affirmer* | *le cafeteur, le mouchard* |
| | **negar** | |
| | *nier* | |

➜ p. 25 (Le langage)

**Traduction du texte p. 302**
Un message téléphonique… / Nacho Allô? / Mar Salut, c'est Mar, Toño est là? / Nacho Non, il n'est pas là, il vient de partir. Tu veux lui laisser un message ou je lui dis de te rappeler? / Mar Dis-lui que j'ai les documents dont il avait besoin et que, comme je dois sortir, je les lui apporterai d'ici deux heures environ. / Nacho D'accord, je le lui dirai. / Mar Et, s'il veut quelque chose il peut m'appeler sur mon portable dès son retour. À plus tard. / Une heure plus tard, Toño est de retour… / Nacho Toño, Mar t'a appelé tout à l'heure. Elle a dit qu'elle avait les documents dont tu as besoin, et qu'elle passera te les apporter cet après-midi. Ah! et que tu peux l'appeler sur son portable si tu veux. / Une semaine plus tard… / Toño Je n'arrive pas à joindre Mar. Dis-moi, qu'est-ce qu'elle t'a dit exactement? / Nacho Elle m'a dit qu'elle avait tout ce que tu lui avais demandé et qu'elle viendrait te l'apporter le jour même. / Toño Eh bien, je l'attends toujours!

# Dans une agence de voyages

*En la agencia "Viajes a medida"...*

**Agente** Hola, buenas tardes.

**Cliente** Buenas tardes. Quería informarme sobre viajes a Costa Rica.

**Agente** Por supuesto. Mire, aquí tiene nuestro folleto: de la página dos a la ocho tiene los diferentes circuitos que propone nuestra agencia. De la nueve a la veinte los hoteles. Y, al final, en las páginas salmón, están los precios de los vuelos.

**Cliente** Y ¿hay alguna oferta en este momento?

**Agente** Sí, el circuito "Costa Rica al completo" tiene un 25% de descuento si viaja la primera quincena de junio. Los precios más interesantes de avión son los vuelos chárter de la segunda quincena del mes de mayo.

**Cliente** ¿Cuáles son las condiciones de los chárter?

**Agente** Pues que las fechas de ida y vuelta no se pueden modificar.

**Cliente** Muchas gracias, ahora solo me queda convencer a mi esposa. Nunca estamos de acuerdo con el destino de las vacaciones.

**Agente** Adiós y ¡suerte!

@ www.bescherelle.com

## Se renseigner sur les voyages

**¿Me puede informar sobre los cruceros por el Caribe?**
*Pourriez-vous me renseigner sur les croisières dans les Caraïbes?*

**¿Organizan excursiones de un día o de fin de semana?**
**– Los dos. También organizamos diferentes actividades de grupo: rafting, senderismo, etc.**
*Organisez-vous des excursions d'une journée ou d'un week-end?*
*– Les deux. Nous organisons aussi différentes activités de groupe : rafting, randonnées, etc.*

**¿Cómo se puede ir a las Islas Baleares?**
**– En ferry o en avión. Hay tres salidas diarias.**
*Comment peut-on se rendre aux îles Baléares?*
*– Par ferry ou par avion. Il y a trois départs par jour.*

**¿Cuánto dura el trayecto?**
**– Es una travesía corta, solo dura dos horas y media.**
*Quelle est la durée du trajet?*
*– C'est une traversée courte, elle ne dure que deux heures et demie.*

**¿Cuánto se tarda en llegar de Oviedo a Santander?**
**– Pues, yo calculo que unas dos horas.**
Combien de temps met-on pour aller d'Oviedo à Santander?
– Deux heures à peu près, je crois.

# Se renseigner sur les prix

**¿Me puede informar sobre el precio de los cruceros por el Nilo?**
**– Existen diferentes tarifas. Ahora estamos en temporada alta y es más caro.**
Pourriez-vous me renseigner sur les prix des croisières sur le Nil?
– Il existe différents tarifs. En ce moment c'est la haute saison et les prix sont plus élevés.
**¿Qué incluye el precio de los circuitos?**
**– El vuelo y la estancia en un hotel de tres estrellas.**
Que comprend le prix des circuits?
– Le vol et le séjour dans un hôtel trois étoiles.
**¿Hay gastos de anulación?**
**– Sí. Además hay que añadir el transporte del aeropuerto al hotel.**
Y a-t-il des frais d'annulation?
– Oui. En plus, il faut rajouter le prix de la navette de l'aéroport à l'hôtel.

## 🗐 Lexique

Nom
**el turismo** le tourisme

➡ p. 91 (Le tourisme et les moyens de transport)

### Traduction du texte p. 304
Dans l'agence « Viajes a medida »… / Vendeur Bonsoir. / Client Bonsoir. Je voudrais me renseigner sur les voyages au Costa Rica. / Vendeur Bien sûr. Voilà notre brochure : de la page deux à huit, vous avez les différents circuits que nous proposons. De neuf à vingt, les hôtels et, en fin de brochure, dans les pages saumon, vous trouverez les tarifs des vols. / Client Et, actuellement, il y a des promotions? / Vendeur Si vous partez la première quinzaine du mois de juin, il y a 25 % de réduction sur le circuit « Tout le Costa Rica ». Les prix les plus intéressants sont ceux des vols charters de la deuxième quinzaine du mois de mai. / Client Quelles en sont les conditions? / Vendeur Les dates d'aller-retour ne sont pas modifiables. / Client Merci beaucoup. Maintenant, il ne me reste plus qu'à convaincre mon épouse, nous ne sommes jamais d'accord sur la destination des vacances. / Vendeur Au revoir et bonne chance!

*En la estación de Renfe...*

Cliente ¿Me podría decir el horario de los trenes para Santiago de Compostela?

Empleado Hay un Talgo a las catorce horas (14:00) y por la noche un Estrella a las veintidós horas (22:00).

Cliente Quisiera llevarme el coche, ¿es posible?

Empleado En el Talgo no. Tiene que coger el de la noche que es un autoexpreso.

Cliente ¿A qué hora llega a Santiago?

Empleado A las siete cuarenta y cinco (07:45).

Cliente ¿Qué servicios tiene?

Empleado Tiene coches cama, coches litera, servicio de cafetería y vagón restaurante.

Cliente Soy titular de la Tarjeta Dorada. ¿Hay alguna reducción?

Empleado Pues sí, tiene un 40% de descuento de lunes a jueves y 25% los fines de semana.

Cliente Bueno, pensándolo bien, voy a viajar sin coche y...

Empleado Entonces, ¿quiere un billete en el Talgo?

Cliente No, creo que voy a ir a informarme a la estación de autobuses. Es usted muy amable joven, adiós.

Empleado Los hay pesados...

@ www.bescherelle.com

## Se renseigner

### À la gare

**¿Hay que cambiar de tren o es directo?**
Il y a une correspondance ou c'est un train direct ?
**He perdido el tren para Mérida.**
**¿Me puede decir a qué hora es el próximo?**
J'ai raté mon train pour Mérida.
Pouvez-vous me dire à quelle heure est le prochain départ ?
**No he podido irme hoy. ¿Puedo cambiar el billete?**
Je n'ai pas pu partir aujourd'hui. Est-ce que je peux échanger mon billet ?

**¿Puede decirme los horarios para Jaén?**
Pourriez-vous me dire les horaires des trains à destination de Jaén ?
**¿Se puede ir a Sevilla en el AVE?**
Peut-on aller à Séville en train à grande vitesse ?

---

### 🖙 *El Ave*

■ AVE **(Alta Velocidad Española)** est le nom donné aux trains à grande vitesse exploités par la société nationale des chemins de fers espagnols **Renfe (REd Nacional de Ferrocarriles Españoles)**.
■ Le mot **ave** veut dire en espagnol *oiseau*.

---

### À la station de métro

**Por favor, ¿este billete vale para el metro y el autobús?**
Excusez-moi, ce ticket est-il valable pour le métro et pour le bus ?
**Para ir a la estación de Atocha, ¿tengo que hacer trasbordo o es directo?**
Pour aller à la station d'Atocha, je dois prendre une correspondance ou c'est direct ?
**Para ir al Museo del Prado, ¿qué línea tengo que coger?**
Quelle ligne je dois prendre pour aller au Musée du Prado ?
**¿A qué hora es el último metro?** À quelle heure est le dernier métro ?

## Acheter un billet

**¿Cuánto vale un billete de ida y vuelta Santander-Zaragoza?**
Combien coûte un billet aller-retour Santander-Saragosse ?
**Quisiera un billete de primera/segunda clase.**
Je voudrais un billet de première/deuxième classe.
**¿Hay descuentos para estudiantes?**
Existe-t-il des tarifs étudiants ?

---

### 🖙 Les réductions pour voyager en train

■ Selon la période à laquelle on voyage et l'âge des usagers, la **Renfe (REd Nacional de Ferrocarriles Españoles** – *réseau national des chemins de fer espagnols*) propose différents tarifs.
■ Il existe des cartes d'abonnement telles que la **Tarjeta Dorada** pour les séniors (≈ *Carte senior*) ou **el Carné Joven** pour les moins de vingt-cinq ans (≈ *Carte 15-25*) avec des tarifs très avantageux.

---

# Comprendre les annonces

**El tren con destino Madrid Chamartín está estacionado en vía 10.**
Le train à destination de Madrid Chamartín se trouve en voie 10.

**El tren procedente de París Austerlitz viene con diez minutos de retraso.**
Le train en provenance de Paris Austerlitz a dix minutes de retard.

**El tren con salida a las once horas tiene parada en todas las estaciones.**
Le train de onze heures s'arrête à toutes les gares.

## 🗍 Lexique

| Verbes | Noms |
|---|---|
| **coger** *ou* **tomar el tren** | **la salida** |
| prendre le train | le départ |
| **perder** (v. irr. e>ie) **el tren** | **la llegada** |
| rater le train | l'arrivée |

➜ p. 71 (Les transports urbains), ➜ p. 94 (À la gare)

## & Notez bien

■ Le mot **estación** se traduit par *gare* (*ferroviaire ou* routière) ou station (de métro).

### Traduction du texte p. 306

À la gare... / Client Pourriez-vous me dire les horaires des trains pour Saint-Jacques-de-Compostelle ? / Employé Il y a un train « Talgo » à quatorze heures et un train « Estrella » le soir, à vingt-deux heures. / Client Je voudrais partir avec ma voiture, ce serait possible ? / Employé Pas dans le « Talgo ». Dans ce cas, vous devez prendre le train de nuit qui est un train-auto. / Client À quelle heure arrive-t-il à Saint-Jacques-de-Compostelle ? / Employé À sept heures quarante-cinq. / Client Quelles prestations offre le train de nuit ? / Employé Il a des wagons-lits, des couchettes, une cafétéria et un wagon-restaurant. / Client Je suis titulaire de la Carte senior. Y a-t-il des réductions ? / Employé Oui, vous avez 40 % de réduction si vous voyagez de lundi à jeudi, et 25 % le week-end. / Client Bon, finalement je vais voyager sans ma voiture et... / Employé Alors, vous voulez un billet pour le « Talgo » ? / Client Non, je crois que je vais aller me renseigner à la gare routière. Très gentil à vous. Au revoir. / Employé Il y en a qui sont vraiment pénibles...

*En el mostrador de facturación...*
Azafata Buenos días. Su billete y su pasaporte o carné de identidad, por favor.
Sr. Moreno Aquí tiene. Quiero facturar estas dos maletas, ¿es posible?
Azafata Depende del peso. Puede llevar veinticinco kilos (25 k). Póngalas aquí. Está bien, pesan veintitrés kilos (23 k) pero no tienen etiqueta de identificación; es obligatorio. Si es tan amable, rellene estas con sus datos.
Sr. Moreno Si no es mucha molestia, me gustaría viajar al lado de la ventanilla.
Azafata No hay problema. Tenga, la etiqueta para el equipaje de mano, el resguardo de sus maletas y la tarjeta de embarque; en ella está indicada la puerta por la que tiene que embarcar. El control de pasaportes está a unos diez metros a la derecha. Adiós y buen viaje.
Sr. Moreno Muchas gracias. Adiós.

@ www.bescherelle.com

## Demander des informations, en donner

**Esta es la terminal internacional, ¿verdad?**
C'est bien ici le terminal international, n'est-ce pas?
**Perdone, ¿sabe exactamente cuánto retraso lleva el vuelo 909?**
Excusez-moi, savez-vous exactement combien de retard a le vol 909?
**Por favor, ¿dónde están las tiendas libres de impuestos?**
**– Al final del hall, justo antes de las salas de embarque.**
S'il vous plaît, où se trouvent les duty frees?
– Au fond du hall, juste avant les salles d'embarquement.
**¿Tiene algo que declarar?**
**– Sí, una cámara de vídeo digital. Aquí tiene la factura.**
Avez-vous quelque chose à déclarer?
– Oui, un camescope numérique. Voici la facture.

**Mi equipaje se ha perdido. ¿Dónde tengo que reclamar?**
**– Tiene que ir a la ventanilla de la compañía en la sala donde se recogen las maletas.**

Je ne retrouve pas mes bagages. Où dois-je m'adresser pour faire une réclamation?
– Vous devez vous rendre au guichet de votre compagnie dans la salle de réception des bagages.

## Comprendre les annonces

**Se ruega a los señores pasajeros con destino a Tenerife se presenten en la puerta 16. Embarque inmediato.**
Les passagers à destination de Ténérife sont invités à se présenter porte 16. Embarquement immédiat.

**El vuelo con destino a Palma tiene su salida a las catorce treinta (14:30).**
Le vol à destination de Palma partira à 14 h 30.

**Último aviso para los pasajeros del vuelo 504 (quinientos cuatro).**
Dernier appel pour les passagers du vol 504.

**Buenas tardes. Bienvenidos a bordo.** Bonsoir. Bienvenue à bord.

**Apaguen sus móviles y abróchense los cinturones de seguridad.**
Veuillez éteindre vos portables et attacher vos ceintures.

**Volamos a novecientos kilómetros por hora. La duración estimada del vuelo es de una hora treinta minutos.**
Nous volons actuellement à 900 km/h. La durée du vol est estimée à 1 h 30.

### 📖 Lexique

Noms

**la facturación** l'enregistrement          **el equipaje** les bagages

→ p. 94 (À l'aéroport)

**Traduction du texte p. 311**
Au comptoir d'enregistrement… / Hôtesse Bonjour. Votre billet et votre passeport ou votre carte d'identité, s'il vous plaît. / M. Moreno Tenez. Je voudrais enregistrer ces deux valises, c'est possible? / Hôtesse Ça dépend du poids. Vous avez droit à vingt-cinq kilos. Posez-les là. Ça va, elles font vingt-trois kilos mais elles ne portent pas d'étiquette; c'est obligatoire. Veuillez remplir celles-ci avec vos nom, prénom, adresse… / M. Moreno Si cela ne vous dérange pas, j'aimerais être placé côté hublot. / Hôtesse Il n'y a pas de problème. Tenez, l'étiquette du bagage à main, la contremarque des bagages et la carte d'embarquement sur laquelle est indiqué le numéro de la porte d'embarquement. Le contrôle des passeports est à dix mètres sur votre droite. Au revoir et bon voyage. / M. Moreno Merci beaucoup. Au revoir.

# 65 Sur la route

---

*En el coche...*

Frank Oye, yo que pensaba que en España las carreteras estaban en mal estado...

Martín ¡Qué va! Eso era antes; ahora conducir por aquí da gusto.

Frank ¿Y cuándo llegamos al peaje?

Martín No, aquí no hay que pagar, esto es una autovía, es gratis. La verdad es que apenas se nota la diferencia con una autopista... excepto en la cartera, claro. Bueno, y que los carriles tienen dimensiones diferentes.

Frank Pues espero que en las autovías haya teléfonos de urgencia, el motor está echando humo... ¡Párate en el arcén!

@ www.bescherelle.com

---

## Louer une voiture

**Quisiera alquilar un coche. ¿Podría informarme, por favor? – Sí, aquí tiene las tarifas con kilometraje ilimitado y los seguros incluidos.**

J'aimerais louer une voiture. Pourriez-vous me renseigner, s'il vous plaît ?
– Oui, voici les tarifs avec kilométrage illimité et assurances comprises.

**¿Mi carné de conducir vale o me hace falta uno internacional?**

Mon permis de conduire suffit ou il me faut un permis international ?

## Demander un service à une station-service

**¿Me puede llenar el depósito de gasolina y comprobar la presión de las ruedas, por favor?**

Pouvez-vous faire le plein d'essence et vérifier la pression des pneus, s'il vous plaît ?

**Acabo de pinchar una rueda, ¿puede cambiármela?**

J'ai un pneu crevé, pouvez-vous me le changer ?

**¿A cuánto está el gasoil?** Quel est le prix du gasoil ?

**Tengo el coche averiado a unos dos kilómetros.**

**¿Podría llamar a una grúa?**

Ma voiture est en panne à deux kilomètres environ.

Pourriez-vous appeler une dépanneuse ?

# Sur la route

**Párese en el arcén y enséñeme su documentación, por favor.**
Arrêtez-vous sur la bande d'arrêt d'urgence et montrez-moi vos papiers, s'il vous plaît.

**¿No ve que está prohibido girar a la izquierda? ¡Es dirección única!**
Vous n'avez pas vu qu'il est interdit de tourner à gauche ? C'est un sens unique !

**Me han puesto una multa por no respetar el paso de peatones.**
J'ai eu un P.-V. pour ne pas avoir respecté le passage piétons.

**¡Ten cuidado! La carretera está en obras.** Fais attention ! La route est en travaux.

**Esta carretera es peligrosa, hay muchas curvas.**
Cette route est dangereuse, il y a beaucoup de virages.

## 📖 Lexique

| Verbes | Noms |
|---|---|
| **conducir** (v. irr.), *Amér.* **manejar** | **el coche, el automóvil,** *Amér.* **el carro** |
| conduire | la voiture |
| **aparcar,** *Amér.* **parquear** | **el tráfico** |
| se garer | la circulation |

➜ p. 70 (Les éléments d'un paysage urbain), ➜ p. 93 (Sur la route), ➜ p. 68 (Notez bien)

## ✌☞ En voiture

■ Tous les véhicules doivent obligatoirement être équipés d'un jeu de deux triangles de présignalisation de danger, qui seront placés à cinquante mètres de distance à l'avant et à l'arrière de la voiture immobilisée.

■ Les conducteurs de voitures de tourisme sont également obligés d'avoir un gilet réfléchissant dans leur véhicule.

---

**Traduction du texte p. 311**

Dans la voiture... / Frank Et moi qui croyais qu'en Espagne les routes étaient en mauvais état... / Martín Pas du tout ! C'était vrai avant, maintenant conduire ici, c'est un vrai plaisir. / Frank Et quand est-ce qu'on arrive au péage ? / Martín Il n'y a pas de péage, c'est une voie rapide, c'est gratuit ! À vrai dire, il n'y a pas une grande différence avec l'autoroute... sauf pour le porte-monnaie bien sûr, et les voies aussi qui ne sont pas de la même dimension. / Frank J'espère que sur les voies rapides il y a des bornes téléphoniques, le moteur fume ! Arrête-toi sur la bande d'arrêt d'urgence !

# 66 À l'hôtel

*En la recepción del hotel...*

Sr. Rueda Buenos días. ¿Tienen habitaciones libres?

Recepcionista ¿Para cuántas personas?

Sr. Rueda Dos. Bueno, y un niño muy pequeño.

Recepcionista ¿Cuántas noches se quedan?

Sr. Rueda Dos, hoy y mañana, pero no hace falta que sea con ducha.

Recepcionista Tenemos una grande con cama de matrimonio y podemos añadir una cama auxiliar para el niño.

Sr. Rueda ¿Cuánto es la noche?

Recepcionista Son sesenta y cinco euros (65 €) más diez euros (10 €) por la cama pequeña. El desayuno no está incluido, y son cuatro euros (4 €) por persona.

Sr. Rueda Por el niño no se preocupe, puede dormir con nosotros y para desayunar tenemos unos bizcochos y unas bolsitas de té... ¿Hay agua caliente?

Recepcionista Pues claro, pero... está prohibido traer comida del exterior.

Sr. Rueda Bueno, de acuerdo. Ejem, (bajando la voz) ¿se puede pagar a plazos?

@ www.bescherelle.com

## Réserver une chambre

**¿Tienen habitaciones libres? ¿Puede decirme el precio?**
*Avez-vous des chambres libres? Pouvez-vous me dire le prix?*

**Quisiera reservar una habitación doble con baño del dos al seis de febrero.**
*Je voudrais réserver une chambre double avec salle de bains du 2 au 6 février.*

**Para confirmar la reserva de su habitación tiene que enviar un correo electrónico y abonar el importe de la primera noche.**
*Pour confirmer la réservation de votre chambre vous devez envoyer un courrier électronique et régler le montant de la première nuit.*

**Si llega después de las nueve de la noche, ¿podría avisarnos por teléfono?**
*Si vous arrivez après 21 heures, merci de nous prévenir par téléphone.*

GUIDE DE COMMUNICATION

# Arriver à l'hôtel

**Buenos días. Tengo una habitación reservada para esta noche.**
Bonjour. J'ai réservé une chambre pour cette nuit.
**¿Puede rellenar este formulario y firmar aquí, por favor?**
Pouvez-vous remplir cette fiche et signer ici, s'il vous plaît?

## Demander un service

**¿Puede despertarme a las ocho? – Sí, por supuesto.**
Pourriez-vous me réveiller à huit heures? – Oui, bien sûr.
**¿Hay conexión Wi-Fi en las habitaciones?**
**– Por supuesto, en su factura está la contraseña para la conexión.**
Y a-t-il une connexion Wi-Fi dans les chambres?
– Bien sûr, le mot de passe pour la connexion se trouve sur votre facture.
**¿Puede pedirme un taxi? – Sí, ahora mismo.**
Pourriez-vous m'appeler un taxi? – Oui, tout de suite.
**¿Puede guardar estas joyas en la caja fuerte?**
**– Hay una en su habitación.**
Pourriez-vous mettre ces bijoux dans le coffre-fort?
– Il y en a un dans votre chambre.
**¿El desayuno está incluido en el precio?**
**– Sí, se sirve de ocho a diez.**
Le petit déjeuner est compris dans le prix?
– Oui, il est servi de huit heures à dix heures.

## Faire une réclamation

**Faltan toallas en mi habitación.**
Il manque des serviettes dans ma chambre.
**El aire acondicionado no funciona y el agua sale fría.**
La climatisation ne fonctionne pas et l'eau est froide.
**No hay luz en el baño.**
Il n'y a pas de lumière dans la salle de bains.
**Creo que hay una fuga de agua en el lavabo.**
Je crois que le lavabo fuit.

## 📖 Lexique

| Verbes | Noms et expressions | |
|---|---|---|
| **reservar** | **la recepción** | **pensión completa** |
| réserver | la réception | pension complète |
| **llegar** | **el alojamiento** | **media pensión** |
| arriver | l'hébergement | demi-pension |
| **quedarse** | **el hotel de cinco estrellas** | **la reserva** |
| rester | l'hôtel cinq étoiles | la réservation |
| **irse** (v. irr.) | **el hostal** | **la estancia** |
| partir | l'hôtel de basse catégorie | le séjour |
| | **una habitación simple/doble** | **el botones** |
| | une chambre simple/double | le groom |

➜ p. 93 (L'hébergement)

## ⮕ Les *paradores nacionales*

■ Il s'agit d'un important réseau d'établissements hôteliers de luxe créé en 1929 et géré par l'État.

■ Ce sont souvent des monuments historiques superbement restaurés et aménagés, tels que châteaux, anciens palais, couvents, monastères. Certains **paradores** sont de construction récente, mais ils sont toujours situés dans des sites exceptionnels.

■ À défaut d'y dormir, on peut toujours s'y restaurer ou y prendre un verre et profiter ainsi du cadre à des prix fort raisonnables.

■ En été et pendant les week-ends, il est fortement conseillé de réserver.

### Traduction du texte p. 313

À la réception de l'hôtel… / M. Rueda Est-ce que vous avez des chambres libres? / Réceptioniste Pour combien de personnes? / M Rueda Pour deux, et euh… un tout petit enfant. / Réceptioniste Pour combien de nuits? / M. Rueda Deux, aujourd'hui et demain, mais nous n'avons pas besoin de douche. / Réceptioniste Nous avons une chambre double avec un grand lit et nous pouvons rajouter un petit lit pour l'enfant. / M. Rueda C'est combien la nuit? / Réceptioniste Ça fait 65 € plus 10 € pour le lit d'appoint. Le petit déjeuner n'est pas inclus dans le prix, il coûte 4 € par personne. / M. Rueda Pour l'enfant, ne vous en faites pas, il peut dormir avec nous et pour le petit déjeuner, nous avons des gâteaux et des sachets de thé… Il y a de l'eau chaude? / Réceptioniste Bien sûr, mais… il est interdit d'apporter de la nourriture de l'extérieur. / M. Rueda Bon, d'accord. (À voix basse), on peut payer à crédit?

*Equívoco...*

**Sra. Ruiz** Buenos días, venía a informarme sobre el anuncio del escaparate...

**Agente** ¡Ah, el dúplex! ¿Verdad que es un chollo? Ciento veinte metros cuadrados (120 m²). Tres habitaciones exteriores con terraza y jardín privado, vistas al mar, dos baños completos, un salón-comedor de alto standing con parqué, un sótano de veinticinco metros cuadrados ( 25 m²), armarios empotrados en el pasillo, todas las ventanas con doble acristalamiento y todo ¡por sólo quinientos sesenta mil euros (560 000 €)! ¿Quiere visitarlo ahora mismo?

**Sra. Ruiz** No, si yo venía por lo de: "Se necesita secretaria"...

@ www.bescherelle.com

## Se renseigner sur les locations

**Quiero alquilar un estudio no muy caro en el centro.**
Je voudrais louer un studio pas très cher en centre-ville.

**Este piso me interesa mucho. ¿Cuánto es el alquiler?**
**– Setecientos cincuenta euros (750 €) más la comunidad.**
Cet appartement m'intéresse beaucoup. À combien s'élève le loyer ?
– 750 € plus les charges.

**¿Cuándo podemos visitar el piso?**
**– Por las mañanas de nueve a dos.**
Quand peut-on visiter l'appartement ?
– Le matin de 9 heures à 14 heures.

**El apartamento quedará libre a mediados de octubre.**
L'appartement va se libérer à la mi-octobre.

**Llamo por lo del anuncio. ¿Todavía está libre la habitación?**
Je vous appelle au sujet de l'annonce. La chambre est-elle toujours disponible ?

## ☞ Le nombre de pièces d'une maison

■ Lorsqu'en Espagne on parle du nombre de pièces d'un appartement, celui-ci indique en fait le nombre de chambres à coucher, auquel il faut généralement ajouter le salon.

**Mi casa tiene tres habitaciones.** *J'habite un quatre pièces ou un F4.*

# Régler les formalités

**Hoy tenemos que ir a la agencia para firmar el contrato.**
Aujourd'hui, nous devons passer à l'agence signer le contrat.
**Tienen que pagar dos meses de fianza.**
Vous devez payer deux mois de caution.
**Si puede, mañana comprobaremos el estado del estudio.**
Nous ferons l'état des lieux du studio demain, si cela vous est possible.
**Vengo a devolver las llaves y a recuperar la fianza.**
Je viens vous rendre les clefs et récupérer ma caution.

## 📖 Lexique

| Noms | | Verbe |
|------|------|------|
| **el alquiler** | **el inquilino** | **alquilar** |
| le loyer, la location | le locataire | louer |

➜ p. 40 (La maison)

**Traduction du texte p. 318**

Malentendu… / **Mme Ruiz** Bonjour, je voudrais des précisions sur l'annonce en vitrine… / **Agent** Ah, le duplex! Une affaire, n'est-ce pas? 120 m². Trois chambres sur rue avec terrasse et jardin privatif, vue sur la mer, deux salles de bains, double séjour de haut standing avec du parquet, une cave de 25 m², des placards dans le couloir, toutes les fenêtres avec double vitrage et, tout cela, pour seulement 560 000 euros! Voulez-vous le visiter tout de suite? / **Mme Ruiz** En fait, moi, j'étais venue me renseigner sur l'annonce : « Cherche secrétaire »…

*En la ventanilla de Correos...*

Cliente ¡Por fin me toca a mí! ¡Vaya cola que hay!

Empleado Claro, la mitad de la gente viene a comprar sellos. ¿Es que no saben que en los estancos además de tabaco también se pueden comprar sellos y sobres?

Cliente Pero, entonces, ¿para qué están ustedes?

Empleado Para eso, pero también para otras cosas más importantes: para que la gente envíe cartas urgentes, certificadas, giros... Para la entrega de paquetes... y para muchas cosas más. Bueno, ¿qué desea?

Cliente Pues... quería un sello para Chile.

Empleado ¡Tome! El siguiente, por favor.

@ www.bescherelle.com

## Expédier par la poste

**Tengo que mandar esta carta a Japón. ¿Cuánto cuesta el sello?**
*Je dois envoyer cette lettre au Japon. Combien coûte le timbre?*

**No sé si esta carta está bien franqueada.**
*Je ne sais pas si cette lettre est suffisamment affranchie.*

**¿A qué hora es la última recogida del correo?**
*À quelle heure est la dernière levée?*

**¿Dónde están los impresos para los envíos urgentes y certificados?**
*Où sont les formulaires pour les envois urgents et en recommandé?*

**Tiene que poner la dirección del remitente.**
*Vous devez écrire l'adresse de l'expéditeur.*

## Faire d'autres transactions

**Para cobrar este giro, ¿a qué ventanilla tengo que ir?**
**– Diríjase a la ventanilla n° 4.** *Pour encaisser ce mandat, à quel guichet dois-je m'adresser? – Adressez-vous au guichet n° 4.*

**Vengo a buscar un paquete certificado.**
**– Sí, entrégueme un documento de identidad por favor.**
*Je viens chercher un paquet recommandé.*
*– Oui, pouvez-vous me montrer une pièce d'identité, s'il vous plaît?*

**Quisiera abrir un apartado postal.**
**– Basta con rellenar este impreso.**
*Je voudrais louer une boîte postale.*
*– Il vous suffit de remplir ce formulaire.*

## 📖 Lexique

Expressions
**echar una carta**
poster une lettre
**enviar** *ou* **mandar una carta**
envoyer une lettre

Nom
**el buzón**
la boîte aux lettres

→ p. 131 (Le courrier postal)

### Traduction du texte p. 318

Au guichet de la poste… / Client Enfin, c'est mon tour ! Il y en a du monde ! / Employé Bien sûr, la moitié des gens qui sont là ne veulent qu'acheter des timbres. Ne savent-ils donc pas que dans les tabacs on ne vend pas que du tabac, mais aussi des timbres et des enveloppes ! / Client Mais alors, vous, vous êtes là pour quoi faire ? / Employé Pour cela, mais aussi pour des choses plus importantes : l'envoi de lettres urgentes, en recommandé, des virements postaux, des remises de colis… et plein d'autres choses. Bon, que puis-je pour vous ? / Client Eh bien…, je voudrais un timbre pour le Chili. / Employé Tenez. Au suivant, s'il vous plaît.

## 69 Au téléphone

*Riiiing…*
Un señor ¿Sí?
Sr. Póveda ¿Está Claudia, por favor?
El señor No, se ha equivocado; aquí no vive ninguna Claudia.
Sr. Póveda Bueno, perdone.

*Riiiing…*
Una empleada ¿Agencia de viajes, dígame?
Sr. Póveda ¿Podría hablar con Claudia?
La empleada ¿De parte de quién?
Sr. Póveda Del señor Póveda.
La empleada Un momento por favor. Lo siento, está comunicando.
¿Quiere dejarle un recado?
Sr. Póveda No, llamaré dentro de media hora. Gracias y hasta luego.
La empleada Adiós.

@ www.bescherelle.com

## Répondre au téléphone

**Coge el teléfono, que está sonando.** Réponds au téléphone, ça sonne.
**¿Dígame?/¿Diga?/¿Sí?**/*Amér.* **¡Aló!**
Allô? *[lorsqu'on décroche]*
**¡Hola! ¿Quién es?** Bonjour! Qui est à l'appareil?
**Un momento, por favor. No cuelgue.**
Un moment, s'il vous plaît. Ne quittez pas.

## Demander quelqu'un, passer quelqu'un au téléphone

**¿Luis García?/Luis, ¿eres tú? – Sí, soy yo.**
Luis García?/Luis, c'est toi? – Oui, c'est moi.
**¿Está Rosa, por favor? – Sí, ahora mismo se pone.**
Est-ce que Rosa est là, s'il vous plaît? – Oui, je vous la passe tout de suite.
**¿Podría hablar con el director? – Por supuesto, ¿de parte de quién?**
Pourrais-je parler au directeur? – Bien sûr, qui dois-je annoncer?
**¿Puedo hablar con Miguel? – Lo siento, en este momento no está.**
Je pourrais parler à Miguel? – Désolé, en ce moment il n'est pas là.

## Parler des incidents de communication

**Está comunicando, ¿puede volver a llamar más tarde?**
La ligne est occupée, pourriez-vous rappeler plus tard?
**¿Oiga?** Allô? *[lorsqu'on n'a pas de réponse]*
**Han colgado.** On a raccroché.
**Tengo que volver a llamar, se ha cortado. Creo que no hay bastante cobertura.** Je dois rappeler, nous avons été coupés. Je crois qu'ici on ne capte pas très bien.
**El número 93 265 84 31 siempre está comunicando.**
**Por favor, ¿puede comprobar si la línea está estropeada?**
Le numéro 93 265 84 31 sonne toujours occupé.
Pouvez-vous vérifier si la ligne est en dérangement?
**No contestan. Habrán salido.**
Personne ne répond. Ils sont sûrement sortis.
**El número marcado no existe.**
Le numéro que vous avez demandé n'est pas attribué.
**Se me ha terminado el saldo.** Je n'ai plus de forfait.

##  Lexique

**Verbes**

**colgar** (v. irr. o>ue) / **descolgar** (v. irr. o>ue)
raccrocher/décrocher

**sonar** (v. irr. o>ue)
sonner

→ p.132 (La téléphonie)

**Nom**

**el móvil,** *Amér.* **el celular**
le portable

**Traduction du texte p. 319**

Dring… / Un monsieur Allô? / M. Póveda Est-ce que Claudia est là, s'il vous plaît? / Le monsieur Désolé,
vous avez fait un faux numéro. Il n'y a pas de Claudia ici. / M. Póveda Excusez-moi. / Dring… /
Une employée Agence de voyages, bonjour? / M. Póveda Je voudrais parler à Claudia, s'il vous
plaît. / L'employée De la part de qui? / M. Póveda M. Póveda. / L'employée Veuillez patienter
quelques instants. Désolée, elle est en ligne, je peux prendre un message? / M. Póveda Non, je
rappellerai dans une demi-heure. Merci. Au revoir. / L'employée Au revoir.

# 70 À la banque

> En el banco...
>
> Empleado **Buenos días, ¿qué desea?**
>
> Cliente **Quisiera cambiar estos cheques de viaje.**
>
> Empleado **Bien, fírmelos y deme su pasaporte o carné de identidad.**
> **¿Quiere algo más?**
>
> Cliente **Sí, también quiero sacar dinero con la visa internacional.**
>
> Empleado **Para eso vaya a los cajeros automáticos que hay a la entrada del**
> **banco. Tenga su dinero.**
>
> Cliente **Gracias y adiós.**
>
> Empleado **Adiós, buenos días.**
>
> @ www.bescherelle.com

## Changer de l'argent

**¿Está abierta la oficina de cambio?**
**– Sí, las veinticuatro horas del día.**
Le bureau de change est ouvert? – Oui, 24h/24.

**Quisiera cambiar quinientos (500) francos suizos en euros.**
Je voudrais changer 500 francs suisses en euros.

**¿A cuánto está el yen hoy?**
Quel est le taux du yen aujourd'hui ?
**¿Puede cambiarme estos cheques de viaje?**
**– Sí, fírmelos por favor.**
Pouvez-vous me changer ces chèques de voyage ?
– Oui, signez-les, s'il vous plaît.

## Encaisser de l'argent, en retirer

**¿Para ingresar un cheque, por favor?**
Je voudrais encaisser ce chèque, s'il vous plaît.
**El cajero automático no me ha devuelto la tarjeta de crédito.**
Le distributeur ne m'a pas rendu ma carte de crédit.
**Quisiera sacar dinero de la cartilla de ahorros.**
Je voudrais retirer de l'argent de mon livret d'épargne.
**No puede sacar más de seiscientos euros (600 €), si no, estará en números rojos.**
Vous ne pouvez pas retirer plus de 600 €, sinon vous serez à découvert.
**¿Qué tengo que hacer para domiciliar los pagos, por favor?**
Quelles sont les démarches pour payer par prélèvement automatique, s'il vous plaît ?
**Quiero hacer una transferencia a esta cuenta.**
Je voudrais faire un virement bancaire sur ce compte.
**¡Ya está! Ahora tiene usted un saldo a su favor de mil setecientos (1.700 €) euros.**
Voilà, c'est fait ! Vous avez maintenant un solde créditeur de 1 700 €.

---

### 📖 Lexique

| Verbes et expressions | Nom |
|---|---|
| **sacar dinero** retirer de l'argent | **el cajero (automático)** |
| **cambiar** changer, échanger | le distributeur (de billets) |

→ p. 135 (La monnaie, l'argent)

---

**Traduction du texte p. 321**
À la banque… / Employé Bonjour, que désirez-vous ? / Client Je voudrais changer ces chèques de voyage. / Employé Bien sûr, signez-les et montrez-moi votre passeport ou votre carte d'identité, s'il vous plaît. Vous désirez autre chose ? / Client Oui, je voudrais aussi retirer de l'argent avec ma carte bleue. / Employé Pour cela, il faut aller aux distributeurs automatiques qui se trouvent à l'entrée de la banque. Voilà votre argent. / Client Merci et au revoir. / Employé Au revoir, bonne journée.

# 71 Au commissariat

*Una chica sin suerte...*

**Víctima** Buenos días, venía a poner una denuncia.

**Comisario** Sí, dígame.

**Víctima** Me han robado el bolso en el pub de la esquina. Estaba sentada de espaldas a la ventana que da a la calle, cuando alguien pasó en una moto y se llevó mi bolso.

**Comisario** Bien, rellene este impreso con sus datos personales: nombre, apellidos, dirección... y aquí abajo ponga lo que contenía.

**Víctima** Bueno, tenía un libro, mi estuche de maquillaje y... creo que llevaba una entrada para el concierto del viernes.

**Comisario** Y no había cosas más importantes, no sé... el carné de identidad, las llaves de su casa, una tarjeta de crédito...

**Víctima** No, eso lo llevaba en la mochila que me quitaron la semana pasada y que ya denuncié.

**Comisario** Pues no tiene usted suerte, ¿eh? En esta comisaría normalmente no recibimos muchas denuncias de robos.

**Víctima** Es que soy un poco gafe.

@ www.bescherelle.com

## Porter plainte

**Quisiera poner una denuncia.**
Je voudrais porter plainte.

**Me han robado la cartera.**
On m'a volé mon portefeuille.

**Me han entrado a robar.**
J'ai été cambriolé.

**¿Tiene usted la casa asegurada?**
Est-ce que votre maison est assurée?

## Remplir d'autres formalités

**La grúa se me ha llevado el coche, quisiera recuperarlo.**
La fourrière a enlevé ma voiture, je voudrais la récupérer.

GUIDE DE COMMUNICATION

**Tengo el pasaporte caducado, ¿qué debo hacer para renovarlo?**

La date de validité de mon passeport a expiré, que dois-je faire pour le renouveler ?

**¿Puede indicarme la dirección de la oficina de objetos perdidos?**

Pouvez-vous m'indiquer l'adresse du bureau des objets trouvés ?

---

## ☞ Objets perdus ou trouvés ?

■ Lorsque l'on veut récupérer un objet qu'on a perdu ou oublié quelque part, on se rend au guichet de **objetos perdidos** (littéralement *les objets perdus*), équivalent du guichet des *objets trouvés* en France.

---

## 📖 Lexique

| | | |
|---|---|---|
| **Verbes** | **Noms** | **el pasaporte** |
| **robar** voler | **el ladrón** | *le passeport* |
| **denunciar, poner** (v. irr.) **una denuncia** | *le voleur* | **el policía** |
| *déposer une plainte* | **el carterista** | *le policier* |
| **renovar** (v. irr. o>ue) **un documento de identidad** | *le pickpocket* | **la policía** |
| *renouveler une pièce d'identité* | **la comisaría** | *la police* |
| | *le commissariat* | |

→ p. 156 (La violence et la criminalité)

**Traduction du texte p. 323**

Une fille malchanceuse… / Victime Bonjour, je viens déposer une plainte. / Commissaire Je vous écoute. / Victime On m'a volé mon sac à main au pub à l'angle de la rue. J'étais assise dos à la fenêtre qui donne sur la rue, et quelqu'un est passé à moto et a pris mon sac. / Commissaire Bon. Veuillez remplir ce formulaire avec vos nom, prénom, adresse… et là, en dessous, décrivez ce qu'il contenait. / Victime Il y avait un livre, ma trousse à maquillage et… je crois qu'il y avait aussi un billet pour le concert de vendredi. / Commissaire Et, vous n'aviez pas de choses plus importantes, comme par exemple, une pièce d'identité, vos clés, une carte de crédit… / Victime Non, c'était dans le sac à dos qui m'a été volé la semaine dernière et j'ai déjà porté plainte pour ce vol. / Commissaire Décidément, vous n'avez pas de chance ! D'habitude, dans ce commissariat il n'y a pas beaucoup de plaintes pour vol. / Victime Oui, mais j'ai un peu la poisse.

# 72 Dans un grand magasin

*De compras...*

Dependiente Buenos días, ¿qué desean?

Clienta 1 Pues quisiera unos pantalones de pana marrones.

Dependiente Sí, por supuesto, ¿qué talla usa?

Clienta 1 Creo que la treinta y ocho (38).

Dependiente Mire, tenemos este modelo de algodón. Es muy cómodo, es deportivo pero también viste.

Clienta 1 No sé, no me convence mucho, ¿qué piensas tú, Lola?

Clienta 2 No sé, me parece que no es tu estilo.

Dependiente Tenemos este otro tipo, es un poco más caro pero, claro, la calidad se paga. Puede probárselos, los probadores están allí, al fondo.

*Diez minutos después...*

Clienta 2 Eso es otra cosa, te quedan muy bien, me gustan.

Clienta 1 Pues estupendo, me los llevo... Pensándolo bien, ¡creo que voy a esperar a las rebajas!

@ www.bescherelle.com

## Se renseigner

**¿Dónde está la sección de niños? – Justo detrás de la de caballeros, a su derecha.** Où se trouve le rayon enfant ? – Juste derrière le rayon homme, sur votre droite.

**¿Puede enseñarme la chaqueta que está en el escaparate?**
Pouvez-vous me montrer la veste qui est en vitrine ?

**¿Cuánto vale esto? No veo el precio.**
Combien coûte cet article ? Je ne vois pas le prix.

**Voy a pagar. ¿Dónde están las cajas?** Je vais payer. Où sont les caisses ?

**¿Hacen arreglos?** Est-ce que vous faites des retouches ?

## Acheter

**Quisiera probarme estos zapatos. – ¿Qué número calza?**
Je voudrais essayer ces chaussures. – Vous faites quelle pointure ?

**¿No tiene una talla más?** Vous n'avez pas une taille au-dessus ?

**Este jersey me queda muy bien, me lo llevo.**
Ce pull me va très bien, je le prends.
**Si compro los dos, ¿me hace un descuento?**
Si je prends les deux, vous me faites un prix ?
**¿Me lo puede envolver para regalo?**
Pourriez-vous me faire un paquet-cadeau ?

## Payer

**Para pagar, pase a caja, por favor.**
Passez en caisse pour régler, s'il vous plaît.
**¿Paga en efectivo o con tarjeta?** Vous payez en espèces ou par carte ?
**Aquí tiene la vuelta.** Voici votre monnaie.
**¿Desea una factura?** Voulez-vous une facture ?
**¿Puedo pagar con tarjeta (de crédito)?**
Je peux payer par carte (de crédit) ?
**Marque su código y muéstreme un documento de identidad, por favor.**
Faites votre code, et présentez une pièce d'identité, s'il vous plaît.
**Guarde su ticket para cualquier reclamación.**
Veuillez conserver votre ticket pour toute réclamation.
**En las rebajas no se admiten cambios ni devoluciones.**
Les articles soldés ne seront ni repris ni échangés.
**Para un importe inferior a quince euros (15 €), solo se admite pago en efectivo.** Pour un montant inférieur à 15 €, nous n'acceptons que les paiements en espèces.

---

### 📖 Lexique

| Verbes et expressions | Noms | |
|---|---|---|
| **probarse** (v. irr. o>ue) | **el escaparate** | **la caja** |
| essayer | la vitrine | la caisse |
| **comprar** | **la sección** | **el dependiente** |
| acheter | le rayon | le vendeur |
| **pagar** | **el probador** | **los arreglos** |
| payer | la cabine d'essayage | les retouches |
| **cambiar un artículo** | **la ropa** | **las formas de pago** |
| échanger un article | les vêtements | les moyens de |
| **ir** (v. irr.) **de compras** | **el calzado** | paiement |
| faire les magasins | les chaussures | |

→ p. 37 (Les vêtements), → p. 136 (Les moyens de paiement)

## 🖝 Au moment de payer

■ En Espagne, lorsqu'on règle un achat par carte de crédit, on doit impérativement présenter une pièce d'identité et signer le ticket.

■ Le chèque en tant que mode de paiement n'est pas généralisé, sauf les chèques de banque pour des montants importants tels que l'achat d'une voiture, un appartement, etc.

■ L'Espagne est le pays d'Europe qui possède le plus grand nombre de distributeurs automatiques par habitant, le paiement en espèces étant toujours très répandu.

---

**Traduction du texte p. 325**

*En faisant les magasins... / Vendeur Bonjour, je peux vous aider ? / Cliente 1 Je voudrais un pantalon en velours côtelé marron. / Vendeur Bien sûr, vous faites quelle taille ? / Cliente 1 38 je crois. / Vendeur Regardez, nous avons ce modèle en coton. Il est très confortable, il fait sport mais aussi classique. / Cliente 1 Je ne sais pas, je n'aime pas trop, qu'est-ce que tu en penses, Lola ? / Cliente 2 Je ne sais pas, ce n'est pas trop ton style. / Vendeur Nous avons cet autre modèle, il est un peu plus cher, mais, la qualité a un prix. Vous pouvez l'essayer, les cabines sont là-bas, au fond. Dix minutes plus tard... / Cliente 2 Ah, c'est autre chose, il te va très bien, j'aime bien. / Cliente 1 Parfait, je le prends... Ou plutôt, à bien y réfléchir, je crois que je vais attendre les soldes !*

---

## 73 Au marché

En la pescadería...

**Pescadero** Buenos días, ¿qué le pongo?

**Cliente** ¿A cuánto está hoy la merluza?

**Pescadero** A catorce euros (14 €) el kilo.

**Cliente** Pues póngame un kilo.

**Pescadero** ¿Desea algo más?

**Cliente** Sí, un cuarto de gambas y medio kilo de mejillones. No sé qué más, ¿para una caldereta de pescado?

**Pescadero** El salmonete y el congrio están muy bien de precio.

**Cliente** Pues deme tres rodajas de congrio y dos salmonetes. ¿Cuánto es todo?

**Pescadero** Son treinta y siete euros (37 €).

**Cliente** No he visto el puesto de verduras. ¿No está hoy?

**Pescadero** No, está de vacaciones. Volverá dentro de quince días.

**Cliente** Vale. Gracias.

@ www.bescherelle.com

## Expressions courantes en faisant le marché

**¡Vaya cola! ¿Quién es el último, por favor?**
La queue ! Qui est le dernier, s'il vous plaît ?

**¿A quién le toca?**
C'est à qui ?, À qui le tour ?

**¿Qué desea?**
Que désirez-vous ?

**Quiero cuatro lonchas de jamón.**
Je voudrais quatre tranches de jambon.

**¿A cómo** ou **A cuánto está el pollo?**
Quel est le prix du poulet ?

**¿No tienen lenguados hoy?**
Aujourd'hui, vous n'avez pas de soles ?

**No sé qué queso elegir, ¿cuál me recomienda?**
Je ne sais pas quel fromage choisir, lequel me conseillez-vous ?

**No toquen el género. Ya les sirvo yo.**
Ne touchez pas à la marchandise. C'est moi qui vous sers.

**Pasa un poco, ¿lo dejamos?**
Il y a un peu plus, je vous le laisse ?

**¿Algo más?**
Ce sera tout ?, Et avec ça ?

## Payer et rendre la monnaie

**¿Tiene cambio de diez euros (10 €) para la máquina de café? Yo no tengo nada suelto...**
**– Lo siento, no tengo cambio, solo tengo billetes.**
Pourriez-vous me faire la monnaie sur 10 € pour la machine à café ?
Je n'ai pas de pièces...
– Désolée, je n'ai pas de monnaie, je n'ai que des billets.

**Pidió cambio de cinco euros (5 €) para poder pagar el parquímetro.**
Elle a demandé la monnaie sur 5 € afin de payer le parcmètre.

**He pagado con veinte euros (20 €) y usted me ha dado la vuelta de diez euros (10 €).**
J'ai payé avec un billet de 20 € et vous m'avez rendu la monnaie sur 10 €.

**¿Dieciocho euros con cincuenta (18,50 €)? Tenga veinte euros (20 €) y quédese con el cambio** ou **la vuelta.**
18,50 € ? Tenez 20 € et gardez la monnaie.

## No sé qué hacer con toda esta calderilla que tengo en el monedero.

*Je ne sais plus quoi faire de toute cette ferraille dans mon porte-monnaie.*

## 📖 Lexique

| Noms | la carne | la fruta |
|---|---|---|
| **los alimentos** | la viande | les fruits |
| les aliments | **el pescado** | **la verdura** |
| | le poisson | les légumes |

→ p. 30 (L'alimentation), → p. 34 (Les repas)

## ☞ Le *rastro*

■ Il s'agit d'un marché aux puces en plein air qui a lieu un ou plusieurs jours par semaine dans beaucoup de villes espagnoles, où l'on vend toutes sortes d'objets, neufs et d'occasion.

■ Le **rastro** le plus connu est celui de Madrid, qui a lieu tous les dimanches et jours fériés dans son centre historique.

■ Le nom **rastro**, qui signifie *trace*, proviendrait des traces de sang que les animaux laissaient lorsqu'ils étaient transportés depuis les abattoirs tout proches jusqu'aux tanneries, qui se situaient à l'emplacement actuel du **rastro** madrilène.

**Traduction du texte p. 327**

*Chez le poissonnier... / Poissonnier Bonjour, que désirez-vous ? / Client Il est à combien le colin ? / Poissonnier À 14 € le kilo. / Client Alors, je voudrais un kilo. / Poissonnier Souhaitez-vous autre chose ? / Client Oui, 250 grammes de crevettes et 500 grammes de moules. Et quoi d'autre... c'est pour faire une soupe de poissons... / Poissonnier Le rouget et le congre ne sont pas chers en ce moment. / Client Alors, trois darnes de congre et deux rougets. Combien je vous dois ? / Poissonnier Ça vous fait 37 €. / Client Je n'ai pas vu le marchand de légumes. Il n'est pas là aujourd'hui ? / Poissonnier Non, il est en vacances. Il sera de retour dans quinze jours. / Client Ah bon, merci.*

# 74 Au restaurant

## Arriver au restaurant

**Buenas noches. ¿Tenían mesa reservada? – Sí, he reservado una mesa para cuatro en la terraza.** *Bonsoir. Vous aviez réservé? – Oui, j'ai réservé une table pour quatre en terrasse.*

**Lo siento, todo está ocupado. Hay que reservar con antelación.** *Désolé, il n'y a plus de place. Il faut réserver à l'avance.*

## Pendant le repas

**¿Qué van a tomar?** *Que désirez-vous?*

**Yo voy a tomar una ensalada mixta.** *Pour moi, ce sera une salade composée.*

**¿Cuál es la especialidad de la casa?** *Quelle est votre spécialité?*

**¿Tienen postres caseros?** *Vous avez des desserts faits maison?*

**¿Van a tomar vino?** *Prendrez-vous du vin?*

**¡Que aproveche!/¡Buen provecho!** *Bon appétit!*

**Este plato está frío, ¿puede calentarlo?**
Ce plat est froid, pouvez-vous le réchauffer ?
**¿Me puede traer otro vaso, por favor?**
Pourrais-je avoir un autre verre, s'il vous plaît ?
**Puede traerme pan, ¡ya se lo he pedido tres veces!** Vous pensez à
m'apporter du pain ? C'est la troisième fois que je vous le demande !

# À la fin du repas

**Camarero, la cuenta por favor.** Garçon, l'addition s'il vous plaît !
**¿Les ha gustado?** Vous avez aimé ?
**La casa invita a un chupito.** La maison vous offre un digestif.
**Camarero, hay un error en la cuenta: no hemos pedido postre.** Garçon,
il y a une erreur dans l'addition : nous n'avons pas commandé de dessert.

---

## 📖 Lexique

| Verbes et expressions | Noms |
|---|---|
| **pedir** (v. irr. e>i) commander | **la carta** la carte |
| **pagar** payer | **la cuenta** l'addition |
| **de primero/segundo/postre** comme entrée/plat/dessert | **el camarero** le serveur |

→ p. 30 (L'alimentation), → p. 34 (Les repas)

---

## ☞ Choisir son menu

■ Au restaurant, il est possible de choisir de manger soit à la carte, soit en prenant
le menu, appelé **el plato del día**, qui se compose d'une entrée (salade, paella,
gazpacho, soupe...), d'un plat principal (viande ou poisson avec garniture), d'un
dessert, d'une boisson et de pain.
■ Lorsque l'on mange à la carte, le pain et la boisson, ainsi que l'eau, sont toujours
payants.

---

**Traduction du texte p. 330**
Au restaurant « El buen comer »... / Client Bonjour, je voudrais une table pour une personne. /
Serveur Par ici, s'il vous plaît. Voici la carte. / Client Avez-vous des menus ou des plats du jour ? /
Serveur Oui, nous avons deux menus et comme plat du jour du « cocido ». / Client Du « cocido » ?
Je ne connais pas ce plat. Qu'est-ce qu'il contient ? / Serveur Le « cocido » est la spécialité de
Madrid. C'est un plat unique. On fait mijoter différentes viandes avec des légumes et des pois chiches.
On sert en premier le bouillon et en deuxième les viandes avec les légumes et les pois chiches.
C'est très bon ! / Client Je n'en doute pas, je crois que je n'ai plus besoin de regarder la carte.
Et comme dessert, qu'est-ce que vous me conseillez ? / Serveur Aujourd'hui, nous avons des fraises
d'Aranjuez à la chantilly ou de la tarte de Santiago. / Client Apportez-moi une part de tarte et
comme boisson une demi bouteille de Rioja, ça je connais bien ! / Serveur Tout de suite, monsieur.

*En el bar "El Ape"...*

Camarero Pasen, pasen, al fondo hay sitio.

Mary ¿Siempre hay tanta gente en los bares?

Lorenzo Los domingos sí. Es típico tomar el aperitivo antes de comer.

Camarero ¿Qué van a tomar?

Lorenzo Una caña, un vermú y una ración de pulpo.

Camarero ¡Marchando una de pulpo!

Mary ¿Cuál es la diferencia entre las raciones y las tapas?

Lorenzo Pues mira, ambas son frías o calientes y se toman de aperitivo, pero la diferencia es que las tapas son más pequeñas y en algunos sitios te las ponen con la bebida que pidas y no las tienes que pagar. Las raciones son más grandes y nunca son gratis.

Camarero Aquí tienen las bebidas, el pulpo y una tapa de jamón.

Mary Es una buena idea. Creo que voy a poner un bar de tapas en mi país.

@ www.bescherelle.com

## Arriver, commander

**Buenos días, ¿qué van a tomar?**
**– Un zumo de piña y un tinto, por favor.**
Bonjour, que désirez vous?
– Un jus d'ananas et un verre de rouge, s'il vous plaît.

**En la barra ya no queda sitio. Vamos a la terraza.**
Il n'y a plus de place au bar. Allons en terrasse.

**¿Me puede traer hielo por favor?**
Pouvez-vous apporter des glaçons, s'il vous plaît?

**Voy a tomar un pincho de tortilla y una caña.**
Je vais prendre une part de tortilla et un demi.

**¿Tienen chocolate con churros?**
Avez-vous du chocolat chaud avec des churros?

# Payer

**Hoy pago yo. Camarero, ¿cuánto es todo?**
Aujourd'hui, c'est mon tour. Garçon! C'est combien?
**¿Me cobra?** Combien je vous dois?
**Un momento... Son cinco euros.**
Je suis à vous dans un instant... Ça fait cinq euros.
**Le doy la vuelta enseguida.** Je vous rend la monnaie tout de suite.

→ p. 328 (Payer et rendre la monnaie)

## 📖 Lexique

| Verbes et expressions | Noms |
|---|---|
| **tomar algo** *(fam.)* | **la consumición** |
| prendre un verre | la consommation |
| | **la ronda** |
| → p. 32 (Boissons) | la tournée |

## 👉 Les bars en Espagne

■ Lieu de rencontre par excellence, la vie sociale des Espagnols s'y déroule dans un joyeux vacarme. Souvent, une télévision trône au milieu du chahut, ainsi que le bruit métallique des machines à sous lorsqu'un client chanceux décroche le gros lot.

■ L'autre caractéristique de la culture espagnole dans les bars est ce que l'on appelle **el tapeo**, rituel incontournable consistant à manger, souvent debout et en groupes, de petites portions, **las tapas**.

■ Les tapas sont exposées sur le comptoir, afin d'aider le client à faire un choix, souvent difficile.

■ Cette coutume a donné naissance à des expressions telles que **tapear**, **ir de tapas**, **picar** (grignoter)...

■ Les prix des produits ne sont pas systématiquement affichés à l'extérieur de l'établissement.

---

**Traduction du texte p. 332**
Au bar « El Ape »... / Serveur Entrez, il y a de la place au fond. / Mary Y a-t-il toujours autant de monde dans les bars? / Lorenzo Le dimanche, oui, il est d'usage d'y prendre l'apéritif avant le déjeuner. / Serveur Qu'est-ce que je vous sers? / Lorenzo Une pression, un vermouth et une portion de poulpe. / Serveur Et un poulpe! / Mary Quelle est la différence entre les « raciones » et les « tapas »? / Lorenzo Et bien, toutes les deux sont froides ou chaudes et on les prend à l'apéritif, mais la différence est que les « tapas » sont plus petites et que dans certains bars, elles sont offertes avec les consommations. Les « raciones » sont plus grandes et jamais gratuites. / Serveur Voici les boissons, la portion de poulpe et une « tapa » de jambon. / Mary C'est une bonne idée. Je pense que je vais ouvrir un bar à tapas dans mon pays.

*Vacaciones en la ciudad*

**Edurne** La semana que viene tengo vacaciones.

**Julio** ¿Sí? ¡Qué bien! ¿Te vas a algún sitio?

**Edurne** No, me quedo aquí.

**Julio** ¿Y qué vas a hacer toda una semana? ¿No te vas a aburrir?

**Edurne** ¡Qué va!, ya lo tengo todo organizado. Voy a ir a un par de exposiciones, una de pintura y otra de artes primitivas. También iré al cine; he elegido tres películas. Una noche tengo programado ir al teatro y también tengo una entrada para una representación del ballet nacional. El viernes por la noche voy a un concierto de jazz y el fin de semana voy de excursión, a visitar todos los monumentos y los museos importantes de los alrededores.

**Julio** ¡Qué semana tan completa! Nunca me había parado a pensar que se pudieran hacer tantas cosas sin irse de vacaciones.

**Edurne** Pues ya ves, no tienes más que comprar la guía del ocio.

@ www.bescherelle.com

## Les activités culturelles

**¿Cuándo empieza la temporada taurina?**
Quand débute la saison de tauromachie?

**Quisiera (sacar) tres entradas para la última sesión.**
Je voudrais trois places pour la dernière séance.

**"No hay entradas"**
« Complet »

**¿Los museos abren todos los días?**
Les musées sont-ils ouverts tous les jours?

**¿Cuáles son los horarios de la biblioteca?**
Quels sont les horaires de la bibliothèque?

**He reservado cuatro entradas por Internet a nombre de Sáez.**
J'ai réservé par Internet quatre places au nom de Sáez.

**El número de réserva es el 265V.**
Le numéro de réservation est le 265V.

**Quiero matricularme en clases de pintura.**
Je voudrais m'inscrire à un cours de peinture.

# Les sports

**¿Cuánto cuesta alquilar una bici?**
Combien coûte la location d'un vélo ?

**Quería informarme sobre los cursos de vela.**
Je voudrais me renseigner sur les cours de voile.

**Quiero reservar una cancha de tenis para el lunes a las diez.**
J'aimerais réserver un court de tennis pour lundi à 10 heures.

**¿Organizan paseos a caballo?**
Organisez-vous des promenades à cheval ?

**¿Existen abonos mensuales para la piscina?**
Y a-t-il des abonnements mensuels pour la piscine ?

**¿Qué actividades proponen?**
Quelles sont les activités que vous proposez ?

**¿Qué se necesita para hacerse socio del club?**
Quelles sont les conditions pour devenir membre du club ?

**¿Hace falta un certificado médico para inscribirse?**
Un certificat médical est-il demandé pour l'inscription ?

---

## 📖 Lexique

**Verbes et expressions**

**jugar** (v. irr. u>ue)
jouer
→ p. 87 (Les jeux)

**practicar un deporte**
pratiquer un sport
→ p. 88 (Les sports)

**asistir a un espectáculo**
assister à un spectacle
→ p. 122 (Les arts du spectacle)

**ir** (v. irr.) **a un concierto**
aller à un concert
→ p. 120 (Au concert)

**tocar un instrumento**
jouer d'un instrument
→ p.120 (Jouer d'un instrument)

**ir** (v. irr.) **al museo**
aller au musée
→ p. 117 (Au musée)

**Noms**

**la guía de espectáculos**
le guide des spectacles

**el cine**  le cinéma
→ p. 126 (Le cinéma)

**la fotografía**  la photo
→ p. 125 (La photographie)

**la lectura**  la lecture
→ p. 111 (La littérature et la lecture)

**la televisión**  la télévision
→ p. 129 (La télévision)

---

**Traduction du texte p. 334**

Des vacances en ville… / **Edurne** La semaine prochaine, je suis en vacances. / **Julio** Ah, bon ? Super ! Tu vas quelque part ? / **Edurne** Non, je reste ici. / **Julio** Et, qu'est-ce que tu vas faire toute une semaine ? Tu ne vas pas t'ennuyer ? / **Edurne** Pas du tout ! Tout est prévu. Je vais voir deux expositions, l'une de peinture, et l'autre d'arts primitifs. Je vais aussi aller au cinéma, j'ai trois films à voir. J'ai décidé d'aller un soir au théâtre et j'ai aussi une place pour un spectacle du ballet national. Vendredi soir, j'assiste à un concert de jazz et le week-end, je pars en excursion visiter tous les monuments et les principaux musées des environs. / **Julio** Tu as une semaine bien chargée ! Je n'avais jamais pensé que l'on pouvait faire autant de choses sans partir en vacances. / **Edurne** Eh bien, tu vois, tu n'as qu'à acheter le guide des spectacles.

GUIDE DE COMMUNICATION

*En la consulta del médico...*

Doctor Buenos días, siéntese. ¿Qué le pasa?

Paciente No me encuentro muy bien, me duele todo y no paro de toser.

Doctor Vamos a ver. Desnúdese de cintura para arriba y túmbese; voy a reconocerle. A ver, respire profundamente, abra la boca y diga "aaah".

Paciente Aaah... ¿Qué tengo?

Doctor Nada grave, tiene usted una gripe bastante fuerte. Como tiene fiebre, tendrá que quedarse en cama tres o cuatro días. Le voy a dar de baja.

Paciente Y, ¿qué tengo que tomar?

Doctor Pues le voy a recetar unas pastillas para la fiebre, un jarabe para la tos y un espray para descongestionar bien las vías respiratorias.

Paciente ¿Y no me receta antibióticos?

Doctor Pues no, es un error bastante común, pero los antibióticos no curan la gripe.

@ www.bescherelle.com

## Consulter un médecin

**¿Dónde le duele?** Où avez-vous mal?

**Me duele la cabeza.** J'ai mal à la tête.

**Me he hecho daño en la espalda al hacer un esfuerzo.**
En faisant un effort, je me suis fait mal au dos.

**Me he caído y creo que me he torcido la muñeca.**
Je suis tombé et j'ai dû me fouler le poignet.

**Tosa y luego respire hondo.** Toussez et ensuite respirez fort.

**¿Está bajo tratamiento actualmente?**
Vous suivez un traitement actuellement?

**Tiene que hacerse un análisis de sangre, de orina y una radiografía.**
Vous devez faire une prise de sang, une analyse d'urine et une radio.

**Tiene usted una caries. Tengo que sacarle la muela.**
Vous avez une carie. Je dois vous extraire la molaire.

**Mientras haya infección no se puede hacer nada. Le receto unos antibióticos.** Tant qu'il y aura une infection, on ne peut pas intervenir.
Je vous prescris des antibiotiques.

# Aller aux urgences

**Llamen a la ambulancia.**
*Appelez une ambulance.*
**¿Dónde está urgencias?**
*Le service des urgences, s'il vous plaît ?*
**Pase por el servicio de admisiones para dar sus datos personales.**
*Veuillez aller aux admissions pour remplir un dossier.*
**Espere aquí, ahora mismo le atiende un médico.**
*Veuillez patienter ici, un médecin s'occupera de vous tout de suite.*
**La llevaremos al quirófano en cuanto sea posible.**
*Vous rentrerez au bloc opératoire dès que possible.*

## 🗋 Lexique

| Verbes et expressions | Noms | Estar (être) + adjectif |
|---|---|---|
| **ir** (v. irr.) **al médico** | **la farmacia** | **enfermo** |
| *aller chez le médecin* | *la pharmacie* | *malade* |
| **encontrarse** (v. irr. o>ue) | **el medicamento, la medicina** | |
| **mal** | *le médicament* | |
| *se sentir mal* | | |

➜ p. 26 (L'hygiène et la santé), ➜ p. 17 (Le corps humain)

## 🐾 Le système de santé

■ **El Sistema Nacional de Salud (SNS)** est un système qui offre une protection sanitaire à presque la totalité des citoyens, à l'exception des fonctionnaires et des régimes spéciaux, régis par leurs propres mutuelles. Il s'agit d'un système universaliste, gratuit, financé grâce aux impôts.

■ À la différence d'autres pays européens, l'Espagne a créé tout un réseau d'établissements hospitaliers **(hospitales, ambulatorios)**, ce qui fait de la Sécurité sociale espagnole le principal employeur des professionnels de santé.

---

**Traduction du texte p. 336**
*Dans le cabinet du médecin... /* Docteur *Bonjour, asseyez-vous. Qu'est-ce qui vous arrive ? /*
Patient *Je ne me sens pas très bien, j'ai mal partout et je tousse sans arrêt. /* Docteur *Mettez-vous torse nu et allongez-vous. Je vais vous ausculter. Voyons. Respirez fort, ouvrez la bouche et dîtes « aaah ». /* Patient *Aaah ! Qu'est-ce que j'ai ? /* Docteur *Rien de grave, vous avez une bonne grippe. Puisque vous avez de la fièvre, vous devrez rester au lit trois ou quatre jours. Je vais vous arrêter. /*
Patient *Et qu'est-ce que je dois prendre ? /* Docteur *Je vais vous prescrire des comprimés contre la fièvre, un sirop contre la toux et un spray pour bien dégager les voies respiratoires. /*
Patient *Et vous ne me donnez pas d'antibiotiques ? /* Docteur *Et ben non, c'est une erreur assez repandue, mais les antibiotiques ne soignent pas la grippe.*

## Relations familières

Tenerife, 19 de agosto de 2009

Queridos amigos:

He conseguido coger unos días de vacaciones y no me
lo he pensado dos veces, he decidido ir a veros.

Estaré ahí el sábado, mi vuelo llega a la una.

Espero que podáis ir a buscarme.

Un beso y ¡hasta pronto!

Pablo

PD: ¡Ah! Se me olvidaba deciros que Celia,
mi nueva novia, viene conmigo.

### & Notez bien

■ On présente généralement l'adresse sur l'enveloppe de la manière suivante :
**Sr. García Serrano**
**c/ Seco n° 5 (Seco, cinco)**
**28007 Madrid**

■ Les sigles **PD** (du latin *post data*) sont les équivalents espagnols de PS (*post scriptum*).

## Relations formelles

Gijón, 12 de julio de 2008

Sr. y Sra. Romero:

Con motivo de la inauguración de nuestras nuevas instalaciones deportivas, el próximo jueves 18 de julio se servirá un vino español en el salón de recepciones del Ayuntamiento, en presencia de la excelentísima señora alcaldesa y de distinguidas personalidades de la región.

Todos los miembros de las federaciones deportivas quedan invitados. Les rogamos confirmen su asistencia.

Sin otro particular, le saluda atentamente,

Martín Martínez

# S'adresser à son correspondant

### Relations familières

**Querido papá:** Cher papa,
**Querida amiga:** Chère amie,
**Hola Luis:** Salut Luis,

### Relations formelles

**Señor:/Señora:** [le plus usuel] Monsieur,/Madame,
**Muy señores míos:** Messieurs,
**Estimado señor:/Estimada señora:** Cher Monsieur,/Chère Madame,
**Distinguido señor:/Distinguida señora:** [un degré de déférence]
Monsieur,/Madame,

# Commencer une lettre

## Relations familières

**Siento mucho no haberte escrito antes pero es que he estado muy ocupada.**
*Je suis désolée de ne pas t'avoir écrit plus tôt, mais j'étais très occupée.*
**¡Me ha hecho mucha ilusión tener noticias tuyas!**
*Ça m'a fait très plaisir d'avoir de tes nouvelles!*

## Relations formelles

**En respuesta a su carta del 12 de octubre, tengo el honor de informarle que...**
*En réponse à votre lettre du 12 octobre, j'ai l'honneur de vous annoncer que...*
**En referencia a nuestra conversación telefónica quisiera...**
*Suite à notre conversation téléphonique, je voudrais...*
**En respuesta al anuncio aparecido el 8 de enero...**
*En réponse à l'annonce parue le 8 janvier...*

# Terminer une lettre

## Relations familières

**Escribe pronto, un beso** *ou* **muchos besos,**
*Écris-moi vite, bisous.*
**En espera de tus noticias, un abrazo,**
*En attendant de tes nouvelles, je t'embrasse.*
**Hasta pronto, recuerdos a todos,**
*À bientôt, passe le bonjour à tout le monde.*

## Relations formelles

**En espera de sus prontas noticias, le saluda atentamente,**
*Dans l'attente de vous lire, cordialement.*
**Agradeciéndole de antemano su respuesta, le envía un cordial saludo,**
*En vous remerciant par avance, je vous prie de croire en mes sentiments les meilleurs.*
**Quedo a su disposición para cualquier información que necesite. Atentamente,**
*Je reste à votre disposition pour tout renseignement complémentaire. Cordialement.*

## Adjunto le envío mi currículum vitae.

*Veuillez trouver ci-joint mon CV.*

📖 **Lexique**

| Noms | el sello | la calle (c/) |
|------|----------|---------------|
| **la fecha** | *le timbre* | *la rue* |
| *la date* | **el destinatario** | **la avenida (avda.)** |
| **la firma** | *le destinataire* | *l'avenue* |
| *la signature* | **el remitente** | **el número (n°)** |
| **el sobre** | *l'expéditeur* | *le numéro* |
| *l'enveloppe* | **la dirección, las señas** | **el código postal** |
| | *l'adresse* | *le code postal* |

→ p. 131 (Le courrier postal)

# Écrire un courrier électronique

Comme pour un courrier traditionnel, il faut adapter le registre selon le destinataire. Tout dépend bien sûr de la nature des relations que vous entretenez avec votre correspondant. Toutefois, le courrier électronique étant perçu comme moins formel, on s'adresse à son interlocuteur de façon un peu plus directe que par lettre, notamment lorsque l'on répond à un courrier.

# ✒️ Le langage SMS

■ L'utilisation généralisée du téléphone portable a créé un langage SMS utilisé notamment par les jeunes. Il s'agit d'économiser au maximum le nombre de caractères dans le but de gagner du temps.

■ Voici quelques unes des abréviations les plus courantes :

| | | |
|---|---|---|
| **find** | **fin de semana** | week-end |
| **hsta mñn** | **hasta mañana** | à demain |
| **kdms?** | **¿quedamos?** | on se voit ? |
| **msj** | **mensaje** | message, sms |
| **mxo** | **mucho** | beaucoup |
| **xfa** | **por favor** | s'il te plaît |
| **xq** | **¿por qué?, porque** | pourquoi, parce que |
| **salu2** | **saludos** | salutations |
| **srt** | **suerte** | bonne chance |
| **tb** | **también** | aussi |
| **tbj** | **trabajo** | travail |
| **bss** | **besos** | bises |

---

**Traduction du texte p. 338**

Ténérife, le 19 août 2009 / Chers amis, / J'ai réussi à avoir quelques jours de vacances et sans hésiter, j'ai décidé de venir vous rendre visite. / Je serai là samedi, mon avion arrive à 13 heures. J'espère que vous pourrez venir me chercher. / Bisous et à bientôt. / Pablo / P.S. J'oubliais de vous dire que Celia, ma nouvelle copine, vient avec moi.

**Traduction du texte p. 339**

Gijón, le 12 juillet 2008 / M. et Mme Romero, / En raison de l'inauguration des nouvelles installations sportives, un cocktail sera offert jeudi prochain dans la salle des fêtes de la mairie, en présence de Madame le Maire et de quelques personnalités de la région. / Tous les membres des fédérations sportives sont invités. Merci de confirmer votre présence. / Bien à vous, / Martín Martínez

**Traduction du texte p. 341**

Salut Lidia, / Comment ça va ? / Je vais passer quelques jours dans ton coin pendant les vacances de Noël. Je me suis dit qu'on pourrait prendre un verre ensemble avant la fin de l'année… / Dis-moi si tu penses avoir un moment de libre, car j'aimerais bien te revoir. / Passe le bonjour à tout le monde. Bises, / Jorge

# 79 Rédiger un CV

## Renseignements personnels Datos personales

**nombre** prénom
**apellido(s)** nom de famille
**dirección** adresse
**teléfono** téléphone
**correo electrónico, mail** adresse électronique, e-mail
**fecha y lugar de nacimiento** date et lieu de naissance
**nacionalidad** nationalité
**estado civil: soltero, casado...** situation de famille : célibataire, marié...
**carné de conducir** permis de conduire

## Formation Estudios

**estudios secundarios: selectividad** études secondaires : baccalauréat
**estudios superiores: diplomado, licenciado...**
études supérieures : licence, maîtrise...

## Expérience professionnelle Experiencia profesional

**un puesto de trabajo, un cargo** un poste
**prácticas en empresa** stages en entreprise

## Formation complémentaire Formación complementaria

**cursillos** stages
**idiomas** langues
**informática** informatique

### & Notez bien

■ Le mot *stage* a deux traductions selon que l'on fait référence à une formation théorique **(cursillo)** ou à un stage dans une entreprise **(prácticas en empresa)**.

## Activités et centres d'intérêt Actividades y centros de interés

**ocupaciones** activités
**aficiones** loisirs

### Présenter un texte  Presentar un texto

**El texto trata de/se centra en/plantea el problema de...**
Le texte parle de/tourne autour de/pose le problème de...

### Enchaîner des idées  Enlazar ideas

**Primero/Al principio/Como introducción hablaremos de...**
Tout d'abord/Au début/En guise d'introduction nous parlerons de...
**Después** ou **Luego/A continuación...** Après ou Ensuite/Plus loin...
**Más adelante/Más abajo vamos a desarrollar...**
Plus loin/Ci-après, nous allons développer...
**Por un lado... por otro** D'une part... d'autre part
**Primero... en segundo lugar... en tercer lugar...**
En premier lieu... deuxièmement... troisièmement...

### Marquer la conséquence  Expresar consecuencia

**Así pues/Por lo tanto... es importante...**
Donc/Par conséquent... il est important de...
**En definitiva/De tal modo que...** En définitive/De telle sorte que...

### Ajouter une idée  Añadir una idea

**Además/Por otra parte/Por otro lado hay que señalar que...**
En plus ou En outre/D'autre part/Par ailleurs, il faut signaler que...

### Attirer l'attention sur un point  Llamar la atención sobre un punto

**A propósito de/En cuanto a/En lo que concierne a** ou **En lo referente a la idea principal...**
À propos de/Quant à/En ce qui concerne l'idée principale...
**Cabe destacar...** Il faut souligner...

### Donner un exemple  Dar un ejemplo

**Por ejemplo/Es un buen ejemplo...** Par exemple/C'est un bon exemple...

### Pour conclure  Para concluir

**Al final/Para terminar...** À la fin/Pour terminer...
**En conclusión queda decir...** En conclusion, il reste à dire...
**Resumiendo/En resumen diremos que...** En résumé, nous dirons que...

# Index

Les numéros de pages en bleu font référence au VOCABULAIRE THÉMATIQUE.
Les numéros de pages en orange font référence au GUIDE DE COMMUNICATION.

348

## TABLE DES ILLUSTRATIONS

Achevé d'imprimer par Rotolito Lombarda - Italie
Dépôt légal: 92624 - 2/06 - Juin 2013